Y MEDDWL A'R DYCHYMYG CYMREIG

Y Gymru 'Ddu' a'r Ddalen 'Wen'

Aralledd ac Amlddiwylliannedd mewn Ffuglen Gymreig, er 1990

Lisa Sheppard

GWASG PRIFYSGOL CYMRU
CAERDYDD
2018

www.gwasgprifysgolcymru.org

Mae cofnod catalog i'r llyfr hwn ar gael gan y Llyfrgell Brydeinig.

ISBN 978-1-78683-197-2
e-ISBN 978-1-78683-198-9

Ariennir y cyhoeddiad hwn yn rhannol gan Brifysgol Caerdydd.

Cysodwyd gan Dinefwr Print & Design, Llandybïe
Argraffwyd gan CPI Antony Rowe, Melksham

i
Jane Cousins a
Sali Flowers

Cynnwys

Diolchiadau

Hoffwn ddiolch o waelod calon i'r sawl sydd wedi bod mor barod eu cyngor a'u cefnogaeth wrth imi gyflawni'r ymchwil hon.

Mae'r gyfrol hon yn seiliedig ar ffrwyth fy ymchwil ddoethur ym Mhrifysgol Caerdydd. Mae fy niolch pennaf yn eiddo i'r Athro Katie Gramich, Dr Siwan Rosser a Dr Simon Brooks am eu cyfarwyddyd diwyd a thrylwyr yn ystod y cyfnod hwnnw. Fe'm rhoesant ar ben ffordd fel myfyriwr gradd, ac roedd yn fraint cael gweithio gyda hwy a dysgu cymaint ganddynt unwaith eto fel myfyriwr ôl-raddedig. Roeddent mor barod eu cymwynas a'u cyngor ymhob achos (ac yn dal i fod), ac mae fy nyled iddynt yn fawr. Diolch hefyd i'r Athro Gerwyn Wiliams a'r Athro Daniel Williams, a fu'n arholi'r traethawd, am drafodaeth ddifyr a sylwadau treiddgar sydd wedi bod yn anhepgor wrth ddychwelyd at y gwaith a'i addasu.

Diolch yn ogystal i'r Athro Sioned Davies a Dr Dylan Foster Evans am eu cefnogaeth ymhob peth, ac i holl staff Ysgol y Gymraeg, Prifysgol Caerdydd am eu cyngor a'u cyfeillgarwch dros y blynyddoedd. Rwy'n ddiolchgar iawn iddynt oll am eu brwdfrydedd a'r croeso cynnes rwyf wedi'i dderbyn ganddynt, fel myfyriwr yn y lle cyntaf ac, erbyn hyn, fel aelod staff. Diolch hefyd i fyfyrwyr gradd ac ôl-radd yr ysgol am daflu goleuni newydd ar rai testunau a syniadau mewn seminarau a thrafodaethau. Rwy'n ddyledus hefyd i sawl aelod staff a myfyriwr ôl-raddedig yr Ysgol Saesneg, Cyfathrebu ac Athroniaeth, Prifysgol Caerdydd, am eu cyfeill-garwch a'u harweiniad mewn nifer o agweddau ar fy mywyd academaidd.

Ni fyddai wedi bod yn bosib imi gwblhau'r ymchwil hon heb nawdd hael oddi wrth gronfa Ysgoloriaethau Ymchwil y Llywydd, Prifysgol Caerdydd. Ni fyddai wedi bod yn bosib ychwaith gyhoeddi'r gyfrol hon heb i Brifysgol Caerdydd ddyfarnu arian imi o gronfa Cyngor Cyllido Addysg Uwch Cymru ar gyfer Astudiaethau Cymreig. Hoffwn ddiolch yn fawr iawn i'r brifysgol, felly, am ei chefnogaeth ariannol sydd wedi caniatáu imi gwblhau a chyhoeddi'r ymchwil hon. Ynghyd â hynny, hoffwn ddiolch i staff Gwasg Prifysgol Cymru am eu cyngor; eu hamynedd a'u hymroddiad wrth i'r gyfrol fynd ar ei thaith drwy'r wasg.

Hoffwn ddiolch hefyd i aelodau Rhwydwaith (Ail)-Ddehongli Amlddiwylliannedd Prifysgol Caerdydd ac aelodau Cymdeithas Llên Saesneg Cymru am eu sylwadau ar bapurau ymchwil ac am ysgogi syniadau newydd. Diolch yn arbennig i'r Athro M. Wynn Thomas am estyn croeso cynnes i ni ymchwilwyr newydd i'r gymdeithas honno, ac am gymryd cymaint o ddiddordeb yn ein gwaith. Diolch yn ogystal i Dr Neil Evans, yr Athro Paul O'Leary a'r Athro Charlotte Williams am eu caredigrwydd wrth adael imi ddarllen golygiad newydd *A Tolerant Nation?* cyn ei gyhoeddi, a oedd o gymorth wrth ddatblygu'r gwaith ymhellach.

Diolch i'm ffrindiau am eu cyfeillgarwch, eu brwdfrydedd, a'u diddordeb yn fy ngwaith. Diolch i Mam a Dad, nid yn unig am eu cefnogaeth, eu cariad, a'u gofal, ond am benderfynu fy anfon i ysgol Gymraeg, a rhoddi imi ddwy iaith; y penderfyniad hwnnw a roes fod i'r gwaith hwn trwy ennyn fy niddordeb mewn ieithoedd a lleiafrifoedd – ie, Dad, ti dy hun sydd ar fai fy mod i wedi bod yn fyfyriwr am gymaint o flynyddoedd! Diolch i Dan am ei gariad, ei ffydd ynof bob amser ac am fod yn ddisgybl 'bodlon' mewn sawl darlith fyrfyfyr yn y tŷ ar berthnasedd theori ôl-drefedigaethol i faterion cyfoes. Ac yn olaf , diolch i Rolo a Wispa am fynnu fy mod yn codi o'r ddesg bob hyn a hyn er mwyn mynd â nhw am dro.

Rhestr Termau

alltudiaeth – ***exile***
Y cyflwr o fod wedi eich gwahanu oddi wrth y lle neu'r wlad sy'n gartref ichi. Gall unigolyn fod yn alltud am sawl rheswm – fel ffoadur, fel mudwr sydd wedi symud oherwydd gwaith neu resymau sosioeconomaidd, neu oherwydd rhesymau gwleidyddol neu gyfreithiol sy'n golygu na all ddychwelyd i'w wlad i fyw.

amlddiwylliannedd – ***multiculturalism***
Bodolaeth traddodiadau diwylliannol lluosog oddi mewn i'r un wlad neu diriogaeth. Mewn rhai cyd-destunau cyfeiria 'amlddiwylliannedd' at bolisïau gwleidyddol sy'n sicrhau hawliau neu gydnabyddiaeth i grwpiau diwylliannol ymylol neu leiafrifol penodol, yn wahanol i bolisïau sy'n ceisio cymhathu diwylliannau llai i ddiwylliant mwyafrifol y wlad.

aml-leisiol – ***polyvocal***
Term i ddisgrifio testun sy'n cyflwyno sawl llais neu stori, neu destun sy'n cael ei adrodd gan sawl llais neu o sawl safbwynt gwahanol.

amrywiaith – ***heteroglossia***
Bodolaeth amrywiaethau penodol (megis cyweiriau, ieithweddau) oddi mewn i'r un iaith. Roedd y Rwsiad Mikhail Bakhtin o'r farn bod y nofel yn ffurf lenyddol sydd wedi'i nodweddu gan amrywiaith oherwydd bod gwahanol 'ieithoedd' (er enghraifft, naratif, deialog) yn ffurfio'r cyfanwaith.

(yr) 'arall' – ***(the) 'other'***
Term pwysig ym meysydd athroniaeth a beirniadaeth lenyddol a diwylliannol. Mae'r 'arall' yn dynodi rhywbeth sydd ar wahân ac (fel arfer) yn israddol i'r 'hunan', ac sy'n cynrychioli'r gwrthwyneb llwyr iddo. Oherwydd uwchraddoldeb ac awdurdod yr 'hunan' dros yr 'arall' gellir ystyried bod yr 'hunan' yn cynrychioli'r arfer neu norm neu awdurdod mewn cymdeithas, a'r 'arall' yn cynrychioli'r anarferol, yr annormal, y difreintiedig, neu hyd yn oed bygythiad i rym y norm. Ond oherwydd y gwrthgyferbyniad hwn, mae bodolaeth yr 'arall' yn hanfodol er mwyn i'r 'hunan' ei ddiffinio'i hun yn erbyn yr 'arall'. Yn ei dro diffinnir yr 'arall' o

safbwynt ei wahaniaeth i'r 'hunan'. Mewn cymdeithas drefedigaethol, mae'r bobl a drefedigaethwyd yn cael eu hystyried yn 'arall' i rym ac awdurdod y diwylliant trefedigaethol honedig uwchraddol.

aralledd – ***otherness***
Y profiad o deimlo fel 'arall', neu o gael eich gweld fel yr 'arall' gan rywrai. Yn aml, cysylltir aralledd â theimladau o alltudiaeth, unigedd, diffyg perthyn, ansicrwydd neu anghyflawnder.

cydgymeriad – ***synecdoche***
Elfen mewn testun (megis delwedd neu gymeriad neu air) sy'n cynrychioli cysyniad neu elfen fwy. Yn y gyfrol hon, er enghraifft, ystyrir sut y mae gair Cymraeg mewn testun Saesneg yn gallu cynrychioli'r diwylliant Cymraeg yn ei gyfanrwydd.

cyferbyniadau deuaidd/deuol – ***binary oppositions***
Pâr o dermau neu gysyniadau sy'n perthyn i'w gilydd a ystyrir bod ganddynt ystyron croes – er enghraifft, da a drwg, hapus a thrist. Ym maes beirniadaeth lenyddol ôl-strwythurol y mae theori lenyddol ôl-drefedigaethol yn rhan ohono, ystyrir bod ein dirnad o'r byd wedi'i seilio ar gyferbyniadau deuaidd sydd yn gosod un ochr o'r ddeuoliaeth yn uwch na'r llall, a bod angen herio'r ddealltwriaeth hon. Er enghraifft, mae beirniadaeth lenyddol ffeminyddol yn archwilio'r ffordd y mae'r 'dyn' wedi'i osod yn uwch na'r 'fenyw' mewn cymdeithas batriarchaidd, ac yn ceisio herio'r drefn honno trwy chwalu'r ddeuoliaeth ffals sy'n gosod dyn a menyw fel categorïau sefydlog sy'n hollol groes i'w gilydd.

cyntefigiaeth – ***primitivism***
Cred y trefedigaethwr bod y rhai a drefedigaethwyd ganddo yn byw mewn ffordd fwy cyntefig, llai gwaraidd nag ef. Mae ganddo oblygiadau cyferbyniol. Ar yr un llaw, mae cyntefigiaeth yn mawrygu ffordd ymddangosiadol syml o fyw a oedd gan y bobl cyn iddynt gael eu trefedigaethu. Ond ymhlyg yn y syniad hwn mae'r gred bod y rhai a drefedigaethwyd yn israddol i'r trefedigaethwr a bod eu natur anwaraidd hefyd yn cynnig bygythiad i'w fydolwg rhesymegol sy'n rhoi bod i'r fenter drefedigaethol ei hun.

deuddiwylliannedd – ***biculturalism***
Bodolaeth dau draddodiad diwylliannol oddi mewn i'r un wlad neu diriogaeth, lle mae'r ddau ddiwylliant hynny yn brif ddiwylliannau'r wlad

(weithiau am wahanol resymau). Yng Nghymru, er enghraifft, gellid ystyried y diwylliant Cymraeg yn brif ddiwylliant oherwydd ei pherthynas â'r diriogaeth dros gyfnod hir. Ond gellid ystyried y diwylliant Saesneg hefyd yn brif ddiwylliant yng Nghymru gan mai'r diwylliant hwnnw yw'r prif ddiwylliant y perthyn mwyafrif trigolion Cymru iddo.

deuoliaeth agwedd – ***ambivalence***
Y cyflwr o feddu ar ddwy agwedd wrthgyferbyniol tuag at yr un gwrthrych ar yr un pryd. Yn ôl y damcaniaethwr Homi K. Bhabha mae'r deiliad trefedigaethol yn arddangos deuoliaeth agwedd tuag at y trefedigaethwr.

dynwared – ***mimicry***
Term i ddisgrifio sut y mae unigolion a drefedigaethwyd yn efelychu ymddygiad y trefedigaethwr. Trwy wneud hynny maent yn tanseilio awdurdod y trefedigaethwr trwy ddangos pa mor ffals yw'r cyferbyniad deuaidd sy'n gosod y rhai a drefedigaethwyd yn israddol i'r trefedigaethwyr.

hanfodaeth – ***essentialism***
Y gred bod grwpiau penodol yn meddu ar nodweddion penodol.

hanfodaidd – ***essentialist***
Term i ddisgrifio safbwyntiau neu ddelweddau sy'n hyrwyddo hanfodaeth, ac yn anwybyddu'r cymhlethdodau a'r gwahaniaethau a all fodoli oddi mewn i wahanol grwpiau cymdeithasol.

heterogenedd – ***heterogeneity***
Term i ddisgrifio rhywbeth (megis cymuned) nad yw'n unffurf.

homogenedd – ***homogeneity***
Term i ddisgrifio rhywbeth (megis cymuned) sy'n unffurf.

hybridedd – ***hybridity***
Yng nghyd-destun beirniadaeth lenyddol ôl-drefedigaethol, mae hybridedd yn cyfeirio at ffurfiau diwylliannol newydd a grëir pan ddaw dau ddiwylliant i gysylltiad â'i gilydd, fel arfer o ganlyniad i drefedigaethu.

mewnoli – ***to internalise***
Pan fo unigolyn yn derbyn disgyrsiau (negyddol, gan amlaf) amdanynt hwy neu grwpiau cymdeithasol y maent yn perthyn iddynt, ac yn eu hailadrodd neu eu hatgynhyrchu.

normadol – ***normative***
Gelwir hunaniaeth unigolyn yn normadol pan fo'n cydymffurfio â'r hyn a ystyrir gan y gymdeithas yn arferol neu'n ddisgwyliedig. Pan nad yw hunaniaeth yr unigolyn yn cydymffurfio â'r arferion neu'r disgwyliadau cymdeithasol hyn, fe'i gelwir yn '**an-normadol**' (***non-normative***).

perthynas ddilechdidol – ***dialectial relationship***
Perthynas rhwng dau wrthrych neu gysyniad lle mae diffiniad y naill yn ddibynnol ar ei wrthgyferbyniad i'r llall.

Orientaliaeth – ***Orientalism***
Term a ddefnyddir i ddisgrifio'r astudiaeth academaidd o'r Dwyrain Canol. Yn fwy diweddar, oherwydd gwaith y beirniad diwylliannol Edward W. Said, daeth i olygu'r astudiaeth o sut y cynrychiolir y Dwyrain Canol mewn sawl maes, ac yn enwedig y modd y portreedir y Dwyrain Canol yn israddol o'i gymharu â'r hyn a adnabyddir fel 'y Gorllewin', a hynny er mwyn cyfiawnhau goruchafiaeth drefedigaethol y Gorllewin dros y Dwyrain Canol.

pegynu – ***polarisation***
Y weithred o rannu rhywbeth i ddwy elfen wrthgyferbyniol.

rhywedd – ***gender***
Y gwahaniaeth cymdeithasol (nid biolegol) rhwng menywod a dynion. Ym maes beirniadaeth lenyddol a diwylliannol fodern ystyrir bod y nodweddion a'r ymddygiadau a briodolir yn 'fenywaidd' neu'n 'wrywaidd' yn seiliedig ar ddisgwyliadau cymdeithasol o rolau gwahanol y fenyw a'r dyn, yn hytrach na'u bod yn ganlyniad uniongyrchol i ryw fiolegol yr unigolyn.

synergedd – ***synergy***
Yn debyg i hybridedd, mae synergedd yn cyfeirio at y ffordd y mae'r broses drefedigaethol yn creu diwylliannau newydd sy'n gymysgedd o fwy nag un diwylliant. Mae synergedd yn pwysleisio agweddau a chyfleoedd cadarnhaol a ddaw i fodolaeth o'r newydd wrth i ddau neu ragor o ddiwylliannau ddod i gyswllt â'i gilydd.

trawsryweddol – ***transgender***
Term i ddisgrifio unigolyn sy'n arddel hunaniaeth rywedd sy'n wahanol i'w ryw fiolegol, er enghraifft unigolyn sy'n wryw yn fiolegol ond sy'n arddel hunaniaeth fenywaidd.

y Trydydd Gofod – *the Third Space*
Damcaniaeth Homi Bhabha sy'n dadlau bod diwylliant yn hybrid yn ei hanfod. Yn ôl damcaniaeth Bhabha, mae pob testun neu system ddiwylliannol yn cael eu creu mewn 'Trydydd Gofod', man rhwng dau begwn. O'r herwydd, mae'r ddamcaniaeth yn herio bydolygon sydd wedi'u seilio ar gyferbyniadau deuaidd, ac yn annilysu gwahaniaethau pendant a sefydlog rhwng diwylliannau, gwledydd a phobloedd.

theori cadi – *queer theory*
Adain o theori lenyddol ôl-strwythurol sy'n ceisio dadadeiladu'r cyferbyniadau deuaidd sy'n rhannu'r byd o safbwynt rhyw, rhywedd a rhywioldeb, megis gwryw/benyw, dyn/menyw, gwrywaidd/benywaidd, a heterorywiol/cyfunrywiol. Mae theorïwyr y maes hwn yn dadlau bod nifer o hunaniaethau eraill yn bodoli rhwng y pegynau hyn.

theori ôl-drefedigaethol/ôl-drefedigaethedd – *postcolonial theory/postcolonialism*
Adain o theori lenyddol ôl-strwythurol sy'n astudio effaith trefedigaethu ar ddiwylliannau a drefedigaethwyd yn ogystal ag ar ddiwylliant y trefedigaethwyr. Yn ogystal â hynny, mae'n ceisio dadansoddi'r ffyrdd y mae'r rhai a drefedigaethwyd yn herio goruchafiaeth honedig y trefedigaethwyr, ac felly'n ansefydlogi'r cyferbyniad deuaidd sy'n sail i'r broses drefedigaethol.

ystrydeb drefedigaethol – *colonial stereotype*
Ystrydeb a ddefnyddir gan drefedigaethwyr er mwyn portreadu'r bobl a drefedigaethwyd fel pobl israddol, er mwyn cyfiawnhau eu trefedigaethu. Yn ôl theori ôl-drefedigaethol, fodd bynnag, bydd y rhai a drefedigaethwyd yn herio dilysrwydd yr ystrydeb yn gyson, gan beri i'r trefedigaethwr ei hailadrodd drosodd a throsodd.

Cyflwyniad

Ar 23 Mehefin 2016, cynhaliwyd refferendwm ar aelodaeth y Deyrnas Unedig o'r Undeb Ewropeaidd. Canlyniad y bleidlais oedd i bron i 51.9% o'r rheini a bleidleisiodd ddewis gadael y sefydliad hwnnw, sy'n cysylltu wyth ar hugain o wledydd Ewrop yn wleidyddol ac yn economaidd, ac yn eu plith yr oedd 52.5% o bleidleiswyr Cymru.[1] Un o bynciau llosg mwyaf dadleuol yr ymgyrchoedd o blaid ac yn erbyn aros yn rhan o'r Undeb Ewropeaidd oedd mewnfudo. Un rheswm am hyn yw'r ffaith bod gan ddinasyddion gwledydd yr undeb yr hawl i deithio i'w wledydd eraill er mwyn gweithio. Rheswm arall yw bodolaeth ardal Schengen, sy'n cynnwys pob un o wledydd yr undeb heblaw'r Deyrnas Unedig ac Iwerddon. Yn yr ardal hon, ni reolir ffiniau a rannwyd gan wledydd yr ardal, sy'n golygu bod modd teithio'n rhydd rhwng y gwledydd hynny, ffactor a broblemateiddiwyd i rai gan y ffaith bod miloedd o ffoaduriaid sy'n cyrraedd Ewrop o'r Dwyrain Canol yn gallu teithio ar draws Ewrop yn ddirwystr. Un o ddelweddau mwyaf trawiadol ymgyrchoedd refferendwm yr Undeb Ewropeaidd oedd honno o arweinydd Plaid Annibyniaeth y Deyrnas Unedig (UKIP) ar y pryd, Nigel Farage, yn sefyll o flaen poster enfawr gan yr ymgyrch Vote Leave sy'n dangos rhes hir a llydan o bobl nad ydynt yn wyn, rhai o'r ffoaduriaid hynny o'r Dwyrain Canol, ar y ffin rhwng Croatia a Slofenia, â'r datganiad, 'BREAKING POINT: The EU has failed us all. We must break free of the EU and take back control of our borders.' Condemniwyd y poster a gweithred Farage o'i hyrwyddo gan gynrychiolwyr blaenllaw ar ddwy ochr y ddadl am yr Undeb Ewropeaidd, ac aeth rhai at yr heddlu gyda'r cyhuddiad bod y poster yn hyrwyddo hiliaeth. Ond yn ogystal â'i fod yn enghraifft o natur y ddadl am fewnfudo, ac am faterion yn ymwneud ag amlddiwylliannedd yn y Deyrnas Unedig yn fwy eang yn ystod y blynyddoedd diwethaf, mae'n enghraifft o gyflwr penodol sydd dan sylw yn y gyfrol hon, sef aralledd (*otherness*).

Mae'r poster yn gwrthgyferbynnu'r bobl â chefndir ethnig o'r Dwyrain Canol â rhagenwau'r person cyntaf lluosog 'us', 'we' ac 'our', gan awgrymu eu bod yn eu hanfod yn wahanol i gynulleidfa'r poster, sef pobl y Deyrnas Unedig a fyddai'n pleidleisio yn y refferendwm – nid ydynt yr un fath â ni, mae'r poster fel petai'n ei ddweud. Nid yn unig y maent yn wahanol, ond mae'r bobl yn y poster yn israddol hefyd – mae eu hawydd neu eu hangen i ddod i wlad arall i fyw yn eilradd i'r awydd neu'r angen i ddiogelu ffiniau'r wlad honno. Yn ychwaneg, mae'r alwad i adennill rheolaeth dros ffiniau'r wladwriaeth yn rhoi'r argraff bod y bobl yn y poster yn fygythiad i'r ffiniau hynny a'r gymdeithas a'r ffordd o fyw sy'n bodoli oddi mewn iddynt. Ond yn fwy na hynny mae'r ffiniau yn cynrychioli'r gwahaniaethau tybiedig hyn, ac mae'r bygythiad y mae'r ffoaduriaid yn ei gynnig i'r ffiniau yn gyfystyr â bygythiad i'r bydolwg sy'n breintio neu'n blaenoriaethu un grŵp o bobl (dinasyddion y Deyrnas Unedig yn yr achos hwn) ar draul y llall (y ffoaduriaid yn y poster). Caiff y ffoaduriaid yn y poster eu portreadu fel yr 'arall' (*the 'other'*) i bobl Prydain, felly – maent yn gwbl wahanol ac yn israddol iddynt, ac yn fwy na hynny maent yn fygythiad iddynt hwy a goruchafiaeth dybiedig eu ffordd o fyw.

Prif nod y gyfrol hon yw dadlau mai portreadu'r profiad o aralledd ar sail cefndir ethnig, hiliol, crefyddol neu ieithyddol sy'n nodweddu ffuglen am Gymru a gyhoeddwyd er 1990. Dadleuir yma, felly, fod cymeriadau o unrhyw gefndir, gan gynnwys cefndiroedd Cymraeg a Saesneg brodorol Cymru, ar wahanol adegau, ac oherwydd gwahanol safbwyntiau goddrychol, yn gallu cael eu portreadu fel yr 'arall' (*other*).[2] Mae canlyniad y refferendwm yng Nghymru a'r materion sy'n ymwneud â mewnfudo ac amlddiwylliannedd a ddylanwadodd ar yr ymgyrchoedd yn golygu bod y sylw a rydd yr astudiaeth hon i faterion yn ymwneud ag amrywiaeth ddiwylliannol yn un amserol. Er bod cyfuniad o wahanol faterion wedi dylanwadu ar benderfyniad mwyafrif y pleidleiswyr yng Nghymru a'r Deyrnas Unedig i ddewis gadael yr Undeb Ewropeaidd, ac nid pryder ynghylch mewnfudo ac amlddiwylliannedd yn unig, ni ellid gwadu bod hynt a helynt refferendwm 2016 wedi arwain at gynnydd mewn sylw i bynciau yn ymwneud â lleiafrifoedd ethnig a chrefyddol, a mudo, ac yn aml mae'r sylw hwn wedi tarddu o safbwyntiau negyddol, sy'n portreadu lleiafrifoedd a mudwyr fel rhywrai sy'n eilradd neu sydd y tu allan neu ar wahân i weddill poblogaeth y wlad. Er mwyn ceisio cymodi'r negyddiaeth hon, o safbwynt Cymru, mae sawl sylwebydd wedi pwysleisio cyn lleied yw nifer y mewnfudwyr neu'r lleiafrifoedd ethnig mewn ardaloedd a bleidleisiodd dros adael yr Undeb Ewropeaidd, megis Cymoedd de Cymru. Bu nifer o drigolion yr ardaloedd hynny yn rhestru 'mewnfudo' ymhlith eu prif resymau dros eu dewis, a all fod yn arwydd bod delweddau o aralledd bygythiol fel yr un a hyrwyddwyd gan Farage wedi cael effaith, er, fel y gwelir yn y man, mae gwrthwynebiad tuag at fewnfudo a pholisïau amlddiwylliannol wedi bod ar gynnydd yn y Deyrnas Unedig ymhell cyn i ymgyrchoedd 2016 ddechrau.[3] Ond mae perygl bod ceisio gwneud yn iawn am hyn trwy bwysleisio niferoedd bychain y mewnfudwyr neu'r aelodau o leiafrifoedd ethnig sy'n byw mewn rhannau o Gymru o'u cymharu ag ardaloedd eraill yn arwain at eu hanwybyddu neu eu hesgeuluso, gan fagu'r syniad nad yw amrywiaeth ddiwylliannol yn ffactor cymdeithasol pwysig yn yr ardaloedd hyn.

Cais yr astudiaeth hon fynd rhywfaint o'r ffordd at weddnewid y modd y meddyliwn am amrywiaeth ddiwylliannol yng Nghymru, trwy leoli'r delweddau a phortreadau o leiafrifoedd a geir yn y testunau dan sylw yng nghanol y Gymru sydd ohoni, yng nghanol ei thensiynau ieithyddol, daearyddol, gwleidyddol a diwylliannol. Nis trinnir hwy fel delweddau o bobl neu gymunedau sydd ar wahân i fywyd beunyddiol y genedl, ond fel rhan anhepgor ohoni. Oherwydd hynny, bydd yr astudiaeth hon yn trafod testunau a leolir mewn gwahanol ardaloedd o Gymru lle mae effaith amlddiwylliannedd yn amrywio. Edrychir ar y portread o ardaloedd fel Caerdydd lle mae 15.3% o'r boblogaeth yn perthyn i ethnigrwydd nad yw'n wyn (canran uchel o'i gymharu â 4% ar draws Cymru gyfan).[4] Ond ystyrir hefyd destunau am ardaloedd, megis Cymoedd y de neu Wynedd, lle mae aelodau o grwpiau nad ydynt yn wyn yn ffurfio canran lai, ond nid llai pwysig, o'r boblogaeth.[5] Gobeithir y bydd hyn yn annog trafodaeth fwy eang ar amlddiwylliannedd ar draws Cymru. A gobeithir hefyd y bydd dadansoddi a dadlennu'r modd y mae'r portread o aralledd grwpiau penodol yn cael ei greu yn ein hannog i ddeall yn feirniadol y delweddau sy'n cael eu cyflwyno inni gan wahanol unigolion a charfannau.

Wedi'r cyfan, mae presenoldeb cymunedau Cymraeg a Saesneg eu hiaith yng Nghymru yn golygu bod y genedl Gymreig yn un sydd wedi arfer ag amrywiaeth ieithyddol a diwylliannol, beth bynnag yw barn unigolion am ei natur ddwyieithog. Fel y bydd yr astudiaeth hon yn ei archwilio, ystyrir bod y modd y diffinnir 'Cymreictod' a rôl y ddwy iaith yn y diffiniad hwnnw wedi'u cymhlethu hefyd oherwydd dwyieithrwydd y genedl, ac o ganlyniad, mewn gwahanol gyd-destunau ac oherwydd gwahanol safbwyntiau, gall siaradwyr y naill iaith a'r llall ymddangos fel yr 'arall' o safbwynt ieithyddol. Mae heriau dwyieithrwydd wedi bod yn flaenllaw yn nhrafodaethau academaidd ar amlddiwylliannedd yng Nghymru hyd yma. Yn 2003 cyhoeddwyd cyfrol arloesol Neil Evans, Paul O'Leary a Charlotte Williams, *A Tolerant Nation? Exploring Ethnic Diversity in Wales*, sy'n archwilio rôl lleiafrifoedd ethnig a hiliol yng Nghymru dros y ganrif a hanner ddiwethaf, yn ogystal â dadansoddi agweddau yng Nghymru tuag atynt. Yn 2015 ymddangosodd golygiad newydd o'r gyfrol gydag ambell newid. Mae'r cyfrolau hyn wedi symud y drafodaeth ar amlddiwylliannedd yng Nghymru yn ei blaen, gan wneud cyfraniadau pwysig wrth herio'r syniad naïf bod Cymru'n wlad sy'n fwy goddefgar tuag at leiafrifoedd na gwledydd eraill (yn arbennig, Lloegr), trwy ddod â hanesion pobl o leiafrifoedd ethnig a hiliol yng Nghymru a'u dylanwad ar y wlad i'r golwg, a thrwy bwysleisio'r anfanteision cymdeithasol, gwleidyddol ac economaidd sy'n dal i wynebu nifer fawr o aelodau'r cymunedau lleiafrifol. Ond mae rhai o honiadau mwyaf dadleuol y cyfrolau yn ymwneud â pherthynas y Gymraeg ag amlddiwylliannedd. Y blaenaf yn eu plith yw dadleuon Charlotte Williams ynglŷn â'r iaith Gymraeg, a'i honiadau bod yr ymgyrch am hawliau ieithyddol yn eithrio'r di-Gymraeg (beth bynnag eu cefndir ethnig neu hiliol) rhag teimlo eu bod yn perthyn i'r Gymru gyfoes, a bod dadleuon ynglŷn â hawliau iaith yn gwthio trafodaethau am amlddiwylliannedd a hiliaeth yng Nghymru o'r neilltu (dadansoddir y ddadl hon yn fanylach ym mhenodau dilynol y gyfrol hon).[6] Nid yw dadleuon Williams am hyn wedi newid rhyw lawer ers canol y 1990au, er i lawer newid yng Nghymru yn ystod y cyfnod hwnnw.[7]

Pan gyhoeddwyd *A Tolerant Nation?* yn wreiddiol, gwrthwynebwyd dadleuon Williams am y Gymraeg, a dadleuon tebyg a wnaed gan ffigyrau cyhoeddus eraill megis gwleidyddion, gan ymgyrchwyr dros hawliau iaith Gymraeg, megis y beirniad llenyddol Simon Brooks, ac academyddion eraill, fel Patrick McGuinness.[8] Dangosodd Brooks sut, yn hanesyddol, y bu'r Gymraeg yn bresennol mewn cymunedau amlethnig, megis Trebiwt yng Nghaerdydd, yn ogystal â dadlau bod y Gymraeg a'i siaradwyr yn cael eu trin fel iaith a phobl israddol, ac yn wynebu anfanteision o'r herwydd.[9] Ers cyhoeddi golygiad cyntaf *A Tolerant Nation?* a'r ymatebion iddo, cawsom wybod gan gyfrifiad 2011 fod canran poblogaeth y genedl sy'n siarad Cymraeg wedi lleihau o 21% i 19%.[10] Mae dadleuon y golygiad newydd yn rhoi ychydig o sylw i'r ffactorau sy'n anfanteisio siaradwyr Cymraeg; serch hynny, mae angen rhagor o gydnabyddiaeth bod yr heriau sy'n wynebu cymunedau Cymraeg i ddiogelu eu hiaith yn her i'r genedl gyfan ac yn rhan o drafodaethau ehangach ar ddinasyddiaeth Gymreig yn gyffredinol, ac nid yn broblem i siaradwyr Cymraeg yn unig.[11] Cais yr astudiaeth hon ddangos sut y mae trafod rôl y Gymraeg yng Nghymru yn gallu goleuo rhai agweddau ar berthynas y genedl a'i lleiafrifoedd.

Yn ogystal â'r ffigurau ynglŷn â'r Gymraeg, dangosodd cyfrifiad 2011 fod cynnydd yn nifer trigolion Cymru a aned y tu allan i'r wlad.[12] Mae nifer y mudwyr sy'n dod i'r Deyrnas Unedig i fyw, yn ogystal â'r cymunedau ethnig sy'n byw yma eisoes, a'r modd y maent yn ymwneud â diwylliant y wlad yn ennyn sylw trafodaethau'r wasg, academyddion a gwleidyddion ar amlddiwylliannedd. Yn Chwefror 2011, datganodd Prif Weinidog y Deyrnas Unedig ar y pryd, David Cameron, fod 'the doctrine of state multiculturalism' wedi methu ac wedi annog gwahanol gymunedau i fyw 'apart from each other and apart from the mainstream'.[13] Cyn hynny, yn 2004, awgrymodd Trevor Phillips, a oedd ar y pryd yn bennaeth y Comisiwn Cydraddoldeb Hiliol, y dylid cael gwared â pholisïau amlddiwylliannol, gan ddweud:

> The word [multiculturalism] is not useful, it means the wrong things ... Multiculturalism suggests separateness ... What we should be talking about is how we reach an integrated society, one in which people are equal under the law, where there are some common values – democracy rather than violence, the common currency of the English language, honouring the culture of these islands, like Shakespeare and Dickens.[14]

Mae'r datganiadau hyn yn awgrymu, felly, fod 'amlddiwylliannedd' wedi derbyn cryn feirniadaeth yn y Deyrnas Unedig ers dros ddegawd, ac nid yn sgil 'Brexit' yn unig. Mae'n debyg hefyd y bydd agweddau negyddol tuag at amrywiaeth ddiwylliannol yn debygol o barhau yn sgil y penderfyniad i ymadael â'r Undeb Ewropeaidd. Mynegwyd bwriad y llywodraeth Geidwadol bresennol i gyflwyno rhagor o ddeddfau i leihau ar nifer y mewnfudwyr sy'n dod i'r wlad, er enghraifft pan addawodd yr Ysgrifennydd Cartref, Amber Rudd, wrth gynhadledd y Blaid Geidwadol yn Hydref 2016, y byddai'n tynhau'r rheolau sy'n caniatáu i gwmnïau gyflogi gweithwyr o dramor.[15]

Ond mae sylwadau fel rhai Cameron a Phillips am farwolaeth neu fethiant honedig amlddiwylliannedd yn bradychu natur Eingl-ganolog eu safbwyntiau. Mae defnydd Cameron o'r gair 'mainstream' yn awgrymu diystyrwch o ddiwylliannau lleiafrifol (rhai brodorol, yn ogystal â rhai sy'n perthyn i fudwyr), ac mae'r pwysigrwydd a rydd Phillips ar yr iaith Saesneg a diwylliant Seisnig yn gwadu'r amrywiaeth ieithyddol a diwylliannol frodorol sy'n bodoli yn y Deyrnas Unedig. Gellir dadlau bod egwyddorion amlddiwylliannol wedi bod o fudd i ddiwylliannau brodorol y wlad, hyd yn oed; yn achos Cymru, er enghraifft, mae modd ystyried hawliau iaith Gymraeg fel enghraifft o roddi hawliau diwylliannol neilltuol i grŵp diwylliannol, neu yn yr achos hwn, genedl neilltuol. Yn ddiweddar mae digwyddiadau ledled y Deyrnas Unedig, gan gynnwys refferendwm 2014 dros annibyniaeth yr Alban (a'r sôn, yn sgil y penderfyniad i adael yr Undeb Ewropeaidd, am ail refferendwm ar annibyniaeth), refferendwm 2011 ar ddatganoli rhagor o bwerau i Lywodraeth Cymru, a chydnabod Cernyw fel lleiafrif cenedlaethol yn 2014, yn golygu bod mwy o sylw nag erioed wedi ei roddi i natur Eingl-ganolog honedig y wladwriaeth Brydeinig ymhob math o feysydd, gan gynnwys y wasg a thrafodaethau gwleidyddol.

O ystyried yr hyn a ddywed Richard Wyn Jones a Roger Scully am ymateb amwys trigolion Cymru i'r broses ddatganoli, byddai'n ymhongar ac yn ffuantus dadlau bod Cymru'n datblygu'n genedl fwy hyderus yn y cyfnod dan sylw yn yr astudiaeth hon, gan eu bod yn dod â rhaniadau mewn barn ynglŷn â hunanlywodraeth i'r golwg.[16] Mae'n bosib maentumio bod canlyniadau'r refferendwm ar aelodaeth y Deyrnas Unedig o'r Undeb Ewropeaidd yn awgrymu bod etholwyr Cymru yn agosach yn eu safbwyntiau gwleidyddol at etholwyr Lloegr (a bleidleisiodd i adael hefyd) nag ydynt at etholwyr y gwledydd datganoledig eraill, yr Alban a Gogledd Iwerddon, a bleidleisiodd i aros. Ond mae'n wir dweud bod Cymru wedi profi rhai newidiadau rhwng diwedd yr 1980au a thrwy'r 1990au sydd wedi effeithio ar y modd y diffinnir Cymreictod,[17] gan gynnwys datblygiadau fel cyflwyno Deddf yr Iaith Gymraeg ym 1993 a datganoli polisïau ym meysydd fel addysg. Gellid gosod y newidiadau hyn ymhlith newidiadau eraill ar draws Ewrop o ganlyniad i raniad yr Undeb Sofietaidd a diwedd y Rhyfel Oer, sydd, ym marn y damcaniaethwr ôl-drefedigaethol, Homi K. Bhabha, wedi arwain at 'moments of great transformation, ontological and geographical alike, in which the very construction of social order, of human being-in-the-world, of citizenship and subjectivity, were in question'.[18] Er nad yw'r newidiadau gwleidyddol yng Nghymru wedi bod mor ddelwddrylliol â'r rhai ar gyfandir Ewrop, efallai ei bod hi'n bryd datganoli'r ddadl ar amlddiwylliannedd a dinasyddiaeth hefyd. Mae hynny'n bwysig, gan y byddai derbyn awgrymiadau fel rhai Cameron neu Phillips ynglŷn â chymathiad nid yn unig yn gwadu amrywiaeth ddiwylliannol y Deyrnas Unedig, ond hefyd yn anwybyddu'r lleisiau sydd wedi bod yn galw am ragor o gydnabyddiaeth i'r amrywiaethau hyn.

Mae angen pwysleisio bod sicrhau cymuned gynhwysol (*inclusive*) mewn gwladwriaeth luoswlad, fel y Deyrnas Unedig, neu mewn gwlad ddwyieithog, fel Cymru, yn llawer mwy cymhleth na phroses o gymhathu nifer o ddiwylliannau tramor i un diwylliant lletyol, dominyddol. Mae'n bosib i'r un grŵp ymddangos yn ddominyddol mewn un sefyllfa neu ar un adeg, ac i ymddangos yn lleiafrifol neu'n ymylol mewn sefyllfa wahanol neu ar adeg wahanol. Bydd statws ymddangosiadol y grŵp hwnnw yn dibynnu ar safbwynt y dehonglydd, sy'n debygol o amrywio yn ogystal. Trwy graffu ar y portread ffuglennol o amlddiwylliannedd yn y Gymru gyfoes gan ddefnyddio aralledd fel fframwaith, a chan ddangos sut y mae cymeriadau o unrhyw gefndir diwylliannol yn gallu profi teimladau o aralledd, bydd yr astudiaeth hon yn osgoi'r pegynu sydd wedi nodweddu'r ddadl ar amlddiwylliannedd Cymreig hyd yma, yn ogystal â chynnig model ar gyfer dehongli amlddiwylliannedd a all fod yn berthnasol i genhedloedd eraill y Deyrnas Unedig a gwladwriaethau lluoswlad eraill hefyd.

Mae'r defnydd o ddamcaniaethau ôl-drefedigaethol yn greiddiol i ddatblygiad y model hwn. Gellid dadlau bod rhai dadleuon dros adael yr Undeb Ewropeaidd, yn ddibynnol ar ddisgyrsiau imperialaidd, a'r gred yng ngoruchafiaeth y diwylliant Prydeinig a fu'n un o seiliau'r Ymerodraeth Brydeinig. Mae'r gred hon yn arbenigrwydd a sofraniaeth y Deyrnas Unedig a'i diwylliant i'w gweld nid yn unig mewn agweddau negyddol tuag at leiafrifoedd ethnig a mewnfudwyr fel y'u gwelir ym mhoster Vote Leave, ond yn awydd rhai i ddychwelyd grym o Senedd Ewrop i San Steffan, gan adfer awdurdod Prydeinwyr dros eu gwlad eu hunain, yn hytrach na'u bod yn ddarostyngedig i benderfyniadau gwleidyddion tramor ym Mrwsel neu Strasbwrg. Ers ymddatod yr Ymerodraeth Brydeinig ac ymerodraethau gwledydd eraill Ewrop, mae beirniaid ym maes astudiaethau ôl-drefedigaethol wedi mynd ati i astudio effaith prosesau trefedigaethol ar y trefedigaethau a'r gwledydd a fu'n eu trefedigaethu, a rhan o'r gwaith hwn yw sut y dychmygwyd 'aralledd' y trefedigaethau a sut y defnyddiwyd hynny fel rheswm i'w gorchfygu a'u rheoli. Bydd yr astudiaeth hon yn tynnu ar waith ym maes theori ôl-drefedigaethol yn bennaf er mwyn diffinio'r 'arall' ac aralledd a fydd yn sail i'r dadansoddiadau sy'n dilyn. Yn ogystal â'i bod yn berthnasol i'r delweddau a welwyd yn yr ymgyrch i adael yr Undeb Ewropeaidd, mae theori ôl-drefedigaethol a'i syniadau am 'aralledd' yn gallu ein helpu i esbonio rhai agweddau ar hunaniaeth ddiwylliannol, ieithyddol a gwleidyddol Cymru. Mae sawl beirniad wedi mynd i'r afael â pherthnasedd y maes damcaniaethol hwn i Gymru, yn enwedig o ystyried rôl wrthgyferbyniol Cymru yn yr Ymerodraeth Brydeinig, fel gwlad a drefedigaethwyd gan Loegr, ond a fu hefyd yn cyfrannu at drefedigaethu eraill. Bydd pennod gyntaf yr astudiaeth hon yn ymhelaethu ar berthnasedd syniadau ôl-drefedigaethol am aralledd i amlddiwylliannedd yn y Gymru gyfoes.[19]

Elfen hollbwysig arall i ymgais yr astudiaeth hon i ddatblygu'r model newydd hwn yw'r penderfyniad cymharol anarferol i gymharu testunau Cymraeg a Saesneg eu hiaith. Am brawf bod newid wedi digwydd yng Nghymru ers diwedd yr 1980au, dylid edrych ar ei chynnyrch llenyddol yn y ddwy iaith. Yn Gymraeg, gwelwyd arbrofi beiddgar ag arddulliau ôl-fodern mewn nofelau fel *Y Pla* (1987) gan Wiliam Owen Roberts, sy'n dangos sut y mae Cymru'n rhan o fyd ehangach, ac effaith globaleiddio arni, yn ogystal â dryllio syniadau rhamantaidd am hanes Cymru a gyflwynwyd mewn nofelau hanes blaenorol. Yn Saesneg, cyhoeddwyd *Shifts* gan Christopher Meredith ym 1988, nofel aml-leisiol sy'n trafod diwedd y cyfnod diwydiannol yng Nghymru â'i theitl yn awgrymu'r newidiadau, y 'shifts', mewn hunaniaeth a'r cysyniadau o Gymreictod a ddaeth yn sgil hynny. Mae ffurf a phynciau trafod y nofelau hyn yn rhai sydd wedi bod yn boblogaidd ymhlith awduron o Gymru ers hynny, gan gynnwys sawl testun a drafodir yma. Yn ogystal â newidiadau yng nghynnyrch llenyddol Cymru, mae newid wedi bod hefyd yn y modd y mae rhai beirniaid llenyddol yn ymdrin â llenyddiaeth. Gwelir mwy o ymdriniaethau theoretig sy'n tynnu ar ddamcaniaethau beirniadaeth lenyddol ryngwladol, megis theorïau llenyddol ffeminyddol ac ôl-drefedigaethol.[20] Gwelir hefyd rai beirniad yn mynd ati i drin â thrafod llenyddiaethau Cymraeg a Saesneg Cymru ochr yn ochr â'i gilydd.[21] Mae un o arloeswyr y dull o gymharu dwy lenyddiaeth Cymru, y beirniad llenyddol M. Wynn Thomas, wedi crybwyll '[y] posibilrwydd fod llên Gymraeg a llên Saesneg Cymru wedi bod yn "arall" pwysig y naill i'r llall y ddwy ffordd'.[22] Awgryma 'pa mor orsyml ac annigonol yw'r syniadau deuol, gwrthgyferbyniol, sydd gennym fel arfer am berthynas y naill lenyddiaeth a'r llall yn y Gymru fodern' gan annog trafodaeth, yn hytrach, ar ddylanwad pellgyrhaeddol y ddwy lenyddiaeth ar ei gilydd yn ystod yr ugeinfed ganrif.[23]

Mae'r syniad hwn o ystyried y Gymraeg a'r Saesneg yn rhan o'r un cyfanwaith, ac nid fel ffactorau, traddodiadau neu ddiwylliannau ar wahân, neu sefydlog, yn cyfrannu at ymgais yr astudiaeth hon i ddehongli'r portread llenyddol o amlddiwylliannedd gymhleth Cymru mewn modd nad yw'n pegynu'r ddwy brif gymuned ieithyddol. Yn ogystal â pherthyn i gymunedau ethnig a hiliol, ac weithiau i gymuned grefyddol, mae'r cymeriadau hefyd yn perthyn i gymunedau ieithyddol. Bydd dadansoddi sut y mae cyfuniadau'r gwahanol elfennau hyn yn hunaniaethau'r cymeriadau yn cyfrannu at eu haralledd yn dangos nad yw cymunedau Cymraeg na Saesneg Cymru yn unffurf, ac nad oes modd eu diffinio mewn ffyrdd deuaidd (*binary*). Yn fwy na hynny, gobeithir y bydd yr astudiaeth hon yn gwneud cyfraniad, pitw mae'n debyg, ond pwysig serch hynny at alwad M. Wynn Thomas am 'the radical psycho-cultural restructuring of the country' mewn perthynas â'r ddwy iaith, o safbwynt ein hymwneud fel cenedl â'n diwylliant llenyddol a chreadigol, o leiaf.[24] Mewn ysgrif ddiweddar ar amlddiwylliannedd yng Nghymru, fe'n hatgoffwyd gan Daniel G. Williams am wahanol fodelau amlddiwylliannol, sef y 'pair tawdd' sy'n annog cymathiad lleiafrifoedd, a'r 'fowlen salad' sy'n caniatáu i leiafrifoedd gadw eu neilltuoldeb.[25] Ond gofynna gwestiwn hollbwysig – '[b]eth yw gwead y pair neu'r fowlen ei hun?' – hynny yw, beth yw natur y gymuned neu'r wlad y mae'r amlddiwylliannedd hwn yn bodoli oddi mewn iddi, a sut mae hynny'n effeithio ar natur yr amlddiwylliannedd hwnnw?[26] Dadleua'r astudiaeth hon fod angen creu dysgl ddwyieithog yng Nghymru er mwyn herio'r syniad o oruchafiaeth un diwylliant neu iaith dros eraill. Gobeithir y dengys yma sut y gall hynny nid yn unig greu cenedl fwy teg a chynhwysol i leiafrifoedd o bob math, ond sut y gall gryfhau a diogelu statws y Gymraeg a'i siaradwyr hefyd.

1

Y Gymru 'Ddu': Diffinio Aralledd yn y Gymru Amlddiwylliannol

Mae ffigwr yr 'arall' a chyflwr aralledd wedi ymddangos mewn trafodaethau athronyddol ers sawl canrif, ac yn ystod ail hanner yr ugeinfed ganrif yn namcaniaethau beirniadaeth lenyddol a diwylliannol. Un maes beirniadol y mae trafod natur aralledd yn arbennig o bwysig iddo yw theori ôl-drefedigaethol, sydd, ar ei ffurf fwyaf sylfaenol, yn archwilio effaith y broses o drefedigaethu ar ddiwylliannau gwledydd a drefedigaethwyd a'r rhai a fu'n eu trefedigaethu. Mae nifer o feirniaid llenyddol wedi dangos sut y gall theorïau ôl-drefedigaethol am yr 'arall', trwy eu hamodi weithiau, fod yn berthnasol i sefyllfa Cymru. Bydd y bennod hon yn gwneud hynny, gan awgrymu sut mae gwahanol gyd-destunau yn ei gwneud yn bosib ystyried bod unigolion o unrhyw gefndir diwylliannol yng Nghymru, gan gynnwys cymunedau Cymraeg a Saesneg brodorol, yn gallu ymddangos fel yr 'arall', a hynny oherwydd natur gymhleth gwleidyddiaeth ieithyddol a diwylliannol y Gymru gyfoes.

Medd y beirniad llenyddol Kirsti Bohata '"[o]therness" or "the other" are, at their most basic, simply signifiers of difference'.[1] Yn yr ystyr mwyaf sylfaenol, felly, mae'r 'arall' neu 'aralledd' yn gwrthwynebu homogenedd (*homogeneity*) neu unrhywiaeth (*sameness*). Ar lefel athronyddol, mae'r 'arall' yn rhan o'r broses o ddiffinio hunaniaeth yr unigolyn – yr 'hunan' (*self*). Fel yr ychwanega Bohata, mae'r 'arall' yn 'recognisable but different entity, against which the "I" or "self" or "norm" can be defined'.[2] Trwy gyfeirio at y 'norm', awgryma diffiniad Bohata y gellir ystyried aralledd o safbwynt diwylliannau neu arferion hefyd. Mae disgrifio diwylliannau neu arferion fel y 'norm' yn arwyddocáu eu goruchafiaeth, eu sofraniaeth neu'u hirhoedledd, yn ogystal â'u homogenedd honedig, ac felly mae diwylliannau neu arferion 'eraill', yn ogystal â'r unigolion sy'n eu harddel, yn ymddangos yn ymylol neu'n israddol. Ond oherwydd eu bod yn gwrthwynebu'r 'norm' mae'r 'arall' hefyd yn cynrychioli bygythiad posib i'w awdurdod. Elfen bwysig o ddiffiniad Bohata yw'r ffaith y diffinnir yr 'hunan' neu'r 'norm' yn erbyn aralledd; hynny yw, caiff yr 'hunan'/'norm' a'r 'arall' eu diffinio mewn perthynas â'i gilydd. Er yr ymddengys, felly, fod aralledd ac unrhywiaeth, neu'r 'arall' a'r 'hunan' yn gyferbyniadau pegynol, mewn gwirionedd caiff y naill ei ddiffinio gan gyfeirio at y llall. Maent yn bodoli mewn perthynas ddilechdidol (*dialectical relationship*). Golyga hyn eu bod yn ddibynnol ar ei gilydd er mwyn eu diffinio eu hunain. Yr 'hunan' yw'r 'hunan' oherwydd nad yr 'arall' ydyw, ac yn yr un modd, yr 'arall' yw'r 'arall' gan nad yw'r un fath â'r 'hunan'.

Mae'n bosib esbonio perthynas y genedl ac amlddiwylliannedd trwy gyfeirio at homogenedd ac aralledd. Gellir dadlau mai unrhywiaeth sydd wrth wraidd diffiniadau ethnig o'r genedl, gydag aelodau'r genedl yn aml yn rhannu'r un dreftadaeth, yr un iaith neu'r un arferion diwylliannol. Dadleua'r damcaniaethwr ym maes cenedlaetholdeb, Anthony D. Smith, fod perthyn i genedl yn ddibynnol ar rannu'r un nodweddion ag aelodau eraill y genedl honno neu ar gyflawni'r un arferion â hwy:

> [t]he members of a particular group are alike in just those respects in which they differ from non-members outside the group. Members dress and eat in similar ways and speak the same language; in all these respects they differ from non-members, who dress, eat and speak in different ways.[3]

Mae'r hyn a ddywed Smith am homogenedd y genedl a'i harwahanrwydd oddi wrth genhedloedd eraill yn dangos yn union sut y caiff ei diffinio mewn perthynas ag aralledd neu wahaniaeth. Sonia Smith hefyd am sofraniaeth, undod a chyfanrwydd y genedl oddi mewn i'w thiriogaeth ei hun, gan gyfeirio at 'patterns of myth, symbol, memory and value that bind successive generations of members together while demarcating them from "outsiders" and around which congeal the lines of cultural differentiation that serve as "cultural markers" of boundary regulation'.[4] Mae ffiniau'r genedl yn dynodi endid cyfan, yn ogystal â gwahanu'r genedl oddi wrth genedl neu genhedloedd eraill. Gan ddefnyddio'r model hwn o unrhywiaeth ac aralledd, nid yw'n syndod i David Bennett ddatgan '[m]ulticulturalism in its various guises clearly signals a crisis in the definition of the "nation"'.[5] Mae presenoldeb diwylliannau eraill yn herio'r unrhywiaeth sydd wrth wraidd y genedl fel y'i diffinnir gan Smith. Yn y berthynas ddilechdidol hon, mae hunaniaeth un yn ddibynnol ar hunaniaeth y llall.

Yr athronydd Prwsiaidd Georg Wilhelm Friedrich Hegel (1770–1831) oedd y cyntaf i honni bod yr 'arall' yn elfen gyfansoddol o'r 'hunan' yn ei astudiaeth o ddatblygiad yr hunanymwybod, *The Phenomenology of Spirit* (*Phänomenologie des Geistes*, 1807). Mae adran enwog o'r gwaith hwn, sy'n esbonio'r berthynas ddilechdidol rhwng arglwyddiaeth a chaethiwed (*lordship and bondage*, a adwaenir yn aml fel *the master-slave dialectic*), yn mynegi sut y mae'r 'hunan' a'r 'arall' yn ddibynnol ar ei gilydd. Yn ôl Hegel, mynegir hunanymwybyddiaeth ar ffurf dyhead (*desire*), a'r hyn a ddyhea'r 'hunan' amdano yw disodli'r 'arall' er mwyn cadarnhau sicrwydd a gwirionedd ei hunaniaeth ei hun:

> self-consciousness is ... certain of itself only by superseding this other that presents itself to self-consciousness as an independent life; self-consciousness is Desire. Certain of the nothingness of this other, it explicitly affirms that this nothingness is *for it* the truth of the other; it destroys the independent object and thereby gives itself the certainty of itself as a *true* certainty.[6]

Ond wrth geisio ac, yn wir, er mwyn disodli'r 'arall', mae'n rhaid i'r 'hunan' gydnabod bodolaeth annibynnol yr 'arall'. Golyga hyn na all yr 'hunan' byth gyflawni'r weithred o ddisodli'r 'arall' yn gyfan gwbl; gall wneud dim ond ailadrodd y broses dro ar ôl tro:

> this satisfaction, however ... makes [the self] aware that the object has its own independence. Desire and the self-certainty obtained in its gratification, are conditioned by the object, for self-certainty comes from superseding this other: in order that this supersession can take place, there must be this other. Thus self-consciousness, by its negative relation to the object, is unable to supersede it; it is really because of that relationship that it produces the object again.[7]

Gwelwn, felly, fod yr 'hunan' yn ddibynnol ar yr 'arall'. Mae'r 'arall' hefyd yn rhywbeth a gynhyrchir gan yr 'hunan', dro ar ôl tro, er mwyn i'r 'hunan' geisio cadarnhau ei sicrwydd ei hun, o hyd ac o hyd.

Er mwyn esbonio hyn ymhellach, try Hegel at y berthynas rhwng arglwyddiaeth a chaethiwed. Trwy gydnabod bodolaeth annibynnol yr 'arall', mae'n rhaid i'r 'hunan' gydnabod hunanymwybyddiaeth yr 'arall', ac felly ei aralledd ei hun o safbwynt yr 'arall'. Mae'r cysyniad hwn yn un pwysig o safbwynt yr astudiaeth hon sy'n ystyried sut y mae presenoldeb safbwyntiau goddrychol gwahanol yn golygu y gall unigolyn neu grŵp gael eu troi'n 'arall' o un safbwynt, tra gallant ymddangos fel unigolyn neu grŵp dominyddol o safbwynt amgen. Dadleua Hegel fod sefyllfa o'r math hwn yn drysu'r berthynas rhwng yr 'hunan' a'r 'arall' ymhellach, gan fod y ddau yn ymddangos yn fwy cyfartal. Dywed Hegel: 'one individual is confronted by another individual ... Each is certain of its own self, but not of the other, and therefore its own self-certainty still has no truth.'[8] Try hyn yn frwydr angheuol rhwng y ddau – 'each seeks the death of the other', chwedl Hegel ei hun – er mwyn ceisio pennu pa un fydd yn disodli'r llall.[9] Mae'r frwydr yn fodd i brofi pa unigolyn sydd wir yn annibynnol – ni fydd yr unigolyn hwnnw yn dibynnu ar unrhyw beth, nid yr 'arall' na'i fywyd ei hun hyd yn oed, er mwyn cadarnhau sicrwydd ei hunaniaeth, tra bydd y llall yn ildio, gan gydnabod bod ei hunaniaeth yn ddibynnol ar ei fywyd ac ar yr 'arall':

> it is only through staking one's life that freedom is won; only thus is it proved that for self-consciousness, its essential being is not [just] being, not the immediate form in which it appears, not its submergence in the expanse of life, but rather that there is nothing present in it which could not be regarded as a vanishing moment, that it is only pure being-for-self ... Similarly ... each must seek the other's death, for it values the other no more than itself; its essential being is present to it in the form of an 'other', it is outside of itself and must rid itself of its self-externality.[10]

Pen draw'r frwydr yw bod un o'r ddau unigolyn yn ildio. Ef yw'r Caethwas, '[a] dependent consciousness whose essential nature is simply to live or be for another'[11] – hynny yw, mae'n bodoli er mwyn gweini ar ei Feistr. Y Meistr yw'r unigolyn a wrthododd ildio: 'the independent consciousness whose essential nature is to be for itself'.[12] Mae ef wedi disodli'r 'arall', a chadarnhau sicrwydd ei hunaniaeth ei hun, ynghyd â dangos bod yr 'arall', y Caethwas, yn ddibynnol arno ef am ei hunaniaeth.

Ond nid yw pethau mor syml â hynny. Er mwyn iddo fod yn Feistr, mae'n rhaid iddo gael rhywbeth i'w feistroli, sef y Caethwas. Mae'r Meistr felly yn ddibynnol ar y Caethwas, ac ar allu'r Caethwas i'w gydnabod ef fel ei Feistr, am ei hunaniaeth ef hefyd:

> [The Master cannot] be lord over the being of the thing and achieve absolute negation of it. Here, therefore, is present this moment of recognition, viz. that the other consciousness sets aside its own being-for-self, and in so doing itself does what the first does to it ... the object in which the lord has achieved his lordship has in reality turned out to be something quite different from an independent consciousness. What now really confronts him is not an independent consciousness, but a dependent one ... The truth of the independent consciousness is accordingly the servile consciousness of the bondsman.[13]

Ymddengys y berthynas ddilechdidol rhwng y ddau eto, felly. Mae'r 'arall' yn parhau i gyfrannu at ddiffiniad yr 'hunan' o'i hunaniaeth ei hun. Yn ogystal â hynny mae'r 'arall' yn cynrychioli bygythiad i awdurdod yr 'hunan' a sicrwydd ei hunaniaeth.

Mudwyr, mygydau a moesoldeb: yr 'arall', grwpiau ymylol a sefyllfa Cymru

Yn y berthynas ddilechdidol mae Hegel yn ei holrhain, gall y Meistr a'r Caethwas gynrychioli'r frwydr rhwng dau berson, neu ddau grŵp hyd yn oed. Mae sawl un wedi defnyddio'r berthynas ddilechdidol hon er mwyn dangos sut y mae grwpiau ymylol wedi cael eu gosod yn rôl yr 'arall' yn ôl safonau gwahanol gymdeithasau. Ym maes astudiaethau rhywedd a ffeminyddiaeth, er enghraifft, mae Simone de Beauvoir, yn ei chyfrol arloesol *The Second Sex* (*Le Deuxième Sexe*, 1949), yn dangos sut y sefydlwyd menywod fel yr 'arall' yn ôl safonau a thelerau cymdeithas batriarchaidd:

> History has shown us that men have always kept in their hands all concrete powers; since the earliest days of the patriarchate they have thought best to keep women in a state of dependence; their codes of law have been set up against her; and thus she has been definitely established as the Other. This arrangement suited the economic interests of the males; but it conformed also to their ontological and moral pretensions.[14]

Mae gosod y fenyw yn safle'r 'arall' yn golygu bod y dyn yn cadarnhau cyfanrwydd a gwirionedd ei hunaniaeth ddwywaith – cadarnha mai'r dyn yw'r norm, ac oherwydd hynny caiff gadarnhad mai yn ôl y strwythur cymdeithasol sydd yn ei osod ar y brig y dylwn ddeall a dehongli'r byd.

Yn ogystal â hynny, dadleua de Beauvoir na chaiff y fenyw ei diffinio fel endid annibynnol; yn hytrach caiff ei diffinio gan y dyn a thrwy gyfeirio at y ffyrdd y mae hi'n wahanol iddo:

> humanity is male and man defines woman not in herself but as relative to him; she is not regarded as an autonomous being ... She is defined and differentiated with reference to man and not he with reference to her; she is the incidental, the inessential as opposed to the essential. He is the Subject, he is the Absolute – she is the Other.[15]

Pwysleisir yma un o brif nodweddion yr 'arall', sef ei fod yn cyferbynnu'n llwyr â'r 'hunan'. Caiff cyferbynrwydd yr 'arall' (y fenyw yn achos theori de Beauvoir) ei fynegi mewn termau negyddol – 'inessential', er enghraifft – ac mewn modd sy'n peri ei fod yn ymddangos yn sefydlog neu'n ddigyfnewid. Yn eironig, mae'r ffaith bod y fenyw yn 'inessential' yn peri bod ei hunaniaeth yn un hanfodaidd (*essentialised*); pa faint bynnag y newidia hunaniaeth y dyn, ni fydd hunaniaeth y fenyw yn newid. Bydd hi'n parhau i gyferbynnu'n llwyr ag ef. Ar y llaw arall, yr 'hunan' (y dyn yn ôl de Beauvoir) sy'n weithredol ac yn ddeinamig, ac fel goddrych, mae'n ymateb i'r byd o'i gwmpas ac yn newid o'i herwydd.

Yn amlwg, mae de Beauvoir yn trafod aralledd o safbwynt rhywedd mewn cymdeithas batriarchaidd, ond mae'r disgẃrs sy'n llunio aralledd y fenyw yn yr achos hwn yn ymdebygu i'r disgẃrs sy'n ymddangos mewn delweddau o amlddiwylliannedd yng nghyd-destun y Deyrnas Unedig a'i chenhedloedd cyfansoddol. Nid delweddau sy'n disgrifio aralledd mewnfudwyr neu leiafrifoedd ethnig o'u cymharu â brodorion mo'r rhain, ond delweddau sy'n rhoddi i Brydeindod natur amlddiwylliannol gynhenid sy'n hyblyg ac yn agored i eraill, tra eu bod yn portreadu diwylliannau gwledydd unigol y Deyrnas Unedig, a'r diwylliannau lleiafrifol eraill sy'n byw yno, fel rhai sy'n gwrthwynebu'r ddelfryd hon. Mae'n werth nodi bod y delweddau sy'n priodoli hunaniaeth amlddiwylliannol gynhenid i Brydain yn tynnu'n groes i'r diffiniadau o Brydeindod a gafwyd yn y 1950au. Gellir dadlau y diffiniwyd Prydeindod bryd hynny yn erbyn aralledd mewnfudwyr nad oeddynt yn wyn eu croen. Amlygwyd y gwahaniaethau hil honedig hyn yn sgil Deddf Dinasyddiaeth Brydeinig 1948 a ganiataodd i bobl y Gymanwlad fyw ym Mhrydain. Ymhlith y rheini a ymfudodd i Brydain oedd pobl o India'r Gorllewin – y 'Genhedlaeth Windrush', fel y'u gelwir erbyn heddiw – ac mae eu profiad o aralledd yn cael ei archwilio gan awduron megis Sam Selvon, a ddisgrifiodd profiadau dynion o'r Caribî a ddaeth i Lundain i fyw yn ei nofel *The Lonely Londoners* (1956). Mae un o'r dynion hyn, Moses, yn esbonio wrth ffrind sydd newydd gyrraedd y ddinas natur y rhagfarn hiliol y bydd yn debygol o'i phrofi yno, gan ddweud, 'they just don't like black people ... In America you see a sign telling you to keep off, but over here you don't see any, but when you go in the hotel or restaurant they will politely tell you to haul – or else give you the cold treatment.'[16]

Mae cymeriadau nofel Selvon wedi mewnoli'r math o ddisgyrsiau am fewnfudwyr (er enghraifft, 'they [the immigrants] invading the country by the hundreds'[17] neu 'the English people don't like the boys coming to England to work and live'[18]) sy'n parhau hyd heddiw, ac a ailadroddwyd eto yn nadleuon o blaid 'Brexit'. Er i'r disgyrsiau sy'n gosod 'Prydeinwyr' yn erbyn 'tramorwyr' barhau, mae delweddau o Brydain fel gwlad a ddiffiniwyd gan ei hamrywiaeth ddiwylliannol wedi ennill eu plwyf. Yn ystod y blynyddoedd diwethaf, mae delweddau o'r math hwn wedi ymddangos ar lwyfannau cenedlaethol a rhyngwladol, er enghraifft yn araith cyn-arweinydd y Blaid Lafur, Ed Miliband, ar ei weledigaeth o 'One Nation' a draddodwyd gerbron cynhadledd flynyddol y blaid honno yn 2012, ac yn y seremonïau a gynhaliwyd i agor a chau Gemau Olympaidd Llundain yn yr un flwyddyn. Er y gallant ymddangos yn ddelweddau diamheuol cadarnhaol o wlad gynhwysol, gellir dadlau bod neges arall ymhlyg ynddynt. Dadansodda'r beirniad diwylliannol a llenyddol Daniel G. Williams y delweddau a ddefnyddiwyd yn y ddau achos hyn, gan ddadlau eu bod yn portreadu Prydeindod fel cysyniad sydd nid yn unig yn caniatáu lluosogrwydd, ond sy'n cael ei ddiffinio ganddo, tra eu bod yn darlunio diwylliannau gwledydd cyfansoddol y Deyrnas Unedig a'r lleiafrifoedd eraill sy'n byw yno fel rhai caeedig a sefydlog:

> The success of Danny Boyle's celebrated opening ceremony at [the 2012] Olympics was partly due to his evocation of [a] Victorian idea of Britain in which a diversity of peoples become amalgamated. The narrative was of course reinforced by the dramatic victories of the multi-ethnic team GB, with Scottish, Welsh, Somali and other 'ethnic' and 'regional' identities co-existing under the British umbrella.
>
> This ... vision of Britishness has been reinforced by Ed Miliband in interviews and speeches throughout [2012], climaxing in his conference speech ... [Miliband's vision] relies on Britain being the vehicle for multicultural progress, while its constituent ethnicities are static, background, identities. The problem lies in the fact that while Britain is narrativised, evolving and dynamic, its contributory peoples are essentialised as static races.[19]

Yma gwêl Williams y modd y mae delweddau o Brydeindod amlethnig, blaengar yn cyferbynnu'n llwyr â'r delweddau hanfodaidd o'r hunaniaethau rhanbarthol neu ethnig; mae'r metanaratif hwn o Brydeindod fel petai'n eithrio dehongliadau eraill o amlddiwylliannedd ym Mhrydain. Mae'r modd y mae nifer o'r nofelau dan sylw yn y gyfrol hon, ac yn arbennig y rheini a drafodir yn yr ail bennod, yn arbrofi â ffurf yn herio nifer o fetanaratifau – am Gymreictod, ond hefyd am hil, patriarchaeth, crefydd a rhywioldeb – sy'n eithrio hunaniaethau cymhleth a chymysg eu cymeriadau.

Cyfeiria Daniel G. Williams at sut y portreadwyd Cymru yn seremonïau agor a chau'r Gemau Olympaidd er mwyn enghreifftio sut y portreedir hunaniaethau fel Cymreictod fel yr 'arall' o'u cymharu â Phrydeindod. Disgrifia seremoni agoriadol y Gemau Olympaidd yn 2012 fel a ganlyn.

> the Welsh were represented by a choir of school children singing a famous Welsh hymn [and] a group of women in 'traditional' Welsh costume.

> There was no room for modern Welsh culture, in either language ... No Welsh rock bands, no indication of a modern, thriving, Welsh culture in the Welsh or English languages. No indication that Wales is itself a multicultural nation, that 'the Welsh' include people of Jewish, Afro-Carribean [*sic*], Somali, Indian etc. descent, and that 'Welshness' signifies a whole range of cultural practices.[20]

Yn ôl Daniel G. Williams, felly, mae gwlad gyfansoddol fel Cymru yn cael ei phortreadu fel y gwrthwyneb llwyr i'r wladwriaeth Brydeinig o safbwynt amlddiwylliannedd. Mewn delweddau swyddogol, mae'r diwylliant Cymreig yn ymddangos yn draddodiadol, yn ddigyfnewid ac yn statig, tra nodweddir Prydeindod gan amlddiwylliannedd. Yn graff iawn, noda Williams na chaiff Cymru fodoli yn y delweddau hyn fel cenedl amlddiwylliannol yn ei hawl ei hun. Yn hytrach, fe wêl bod y diwylliant Cymreig yn un o'r amryw ddiwylliannau sy'n cyfrannu at luosogrwydd Prydain – mae'r Cymry'n rhan o 'Team GB' ynghyd â'r Albanwyr, pobl o dras Somali a hunaniaethau rhanbarthol ac ethnig eraill. Dengys Williams fod rhethreg wleidyddol y Deyrnas Unedig yn llunio Prydeindod fel cyfrwng hanfodol ar gyfer mynegi amlddiwylliannedd y wlad, ond mae hunaniaethau ymylol fel Cymreictod mor anhanfodol nes eu bod yn un rhan fach o'r amlddiwylliannedd hwnnw'n unig, yn hytrach na'n gerbyd ar ei gyfer. Mae'n ddiddorol nodi bod seremonïau neu ddathliadau cyhoeddus fel y rhain sy'n honni eu bod yn cynrychioli natur y genedl, ynghyd â pholisïau neu faniffestos gwleidyddol fel y rhai y trafoda Williams, yn dod o dan y llach mewn ffuglen gyfoes yn aml. Bydd trydedd bennod y gyfrol hon yn dadansoddi'r aralledd a deimla cymeriadau nofelau awduron megis John Williams ac Angharad Price wrth iddynt wylio seremonïau o'r fath neu ymwneud â systemau gwleidyddol nad ydynt yn cynrychioli eu hunaniaethau amrywiol. Ond, yn ddiddorol, seremonïau a systemau Cymreig yw'r rhain yn aml yn y nofelau dan sylw, nid rhai Prydeinig.

Gwêl Daniel Williams fod yr agwedd hon tuag at ddiwylliannau lleiafrifol yn ymestyn i faes iaith a gallu honedig gwahanol gymunedau ieithyddol i gynnal amrywiaeth ddiwylliannol. Ymddengys iddo mai'r Saesneg sy'n cael ei hystyried fel iaith y profiad amlddiwylliannol yn y Deyrnas Unedig, tra ystyrir bod ieithoedd Celtaidd lleiafrifol fel y Gymraeg yn perthyn i un grŵp ethnig yn benodol: 'Even those supportive of linguistic difference will tend to conceive of the speakers of the Celtic languages as belonging to an ethnic minority within their respective countries, with English functioning as the civic language of the nation, as the universal language in which multicultural society communicates.'[21] Fel yn achos hunaniaethau cenedlaethol, mae iaith ymylol fel y Gymraeg yn cael ei hystyried yn gaeedig ond mae iaith fyd-eang fel y Saesneg nid yn unig yn fwy agored, ond yn hanfodol i lwyddiant amlddiwylliannedd gan iddi ganiatáu cyfathrebu ar draws gwahaniaethau diwylliannol.

Nid yw'r syniad bod un iaith (y Saesneg, dyweder) yn fwy eangfrydig neu hanfodol nag ieithoedd eraill (yr ieithoedd Celtaidd, er enghraifft) yn un sy'n nodweddiadol o drafodaethau ar amlddiwylliannedd ac amlieithrwydd ar lefel y Deyrnas Unedig yn unig. Fel y dengys ysgrif Daniel G. Williams a thrafodaethau dilynol y gyfrol hon, mae'r honiad bod un iaith yn fwy hygyrch, ac felly'n fwy blaengar neu ganolog, na'r llall yn fater sy'n lliwio'r drafodaeth ar amlddiwylliannedd yng Nghymru i raddau helaeth. Mae synio am flaengaredd neu hygyrchedd iaith yn dwyn i gof ddisgyrsiau trefedigaethol, ac mae rhoi sylw i ymdrechion damcaniaethwyr ôl-drefedigaethol i'w dadadeiladu yn fodd o archwilio'r berthynas rhwng y Gymraeg a'r Saesneg yng nghyd-destun y Gymru amlddiwylliannol ymhellach. Un astudiaeth ganolog i gyflwr aralledd ôl-drefedigaethol yw *Black Skin, White Masks* (*Peau Noire, Masques Blancs*, 1952) gan y seiciatrydd o Martinique, Frantz Fanon, a rhydd y gyfrol lawer o sylw i rôl iaith yn y cyd-destun hwn. Wrth drafod sut y mae'r dyn du yn 'arall' i'r dyn gwyn, honna Fanon ei fod yn siarad ar ran 'every colonized man', ond esbonia ei ddadleuon trwy gyfeirio'n benodol at brofiad pobl ddu Ynysoedd y Caribî a drefedigaethwyd gan Ffrainc.[22] I Fanon, mae iaith yn bwysig i'r broses o sefydlu aralledd sy'n digwydd rhwng y dyn gwyn a'r dyn du, gan fod iaith yn gwneud rhywun yn gyflawn: 'I find it necessary to begin with [language], which should provide us with one of the elements in the colored man's comprehension of the dimension of *the other*. For it is implicit that to speak is to exist absolutely for the other.'[23] Dadleua hefyd fod siarad iaith yn cryfhau statws y diwylliant y mae'r iaith honno'n ei gynrychioli: 'it means above all to assume a culture, to support the weight of a civilization'.[24]

Ond yn ôl Fanon, yn achos pobl ddu'r Caribî Ffrengig, yr iaith y mae'n rhaid iddynt ei siarad er mwyn bod yn eu cyfanrwydd, hynny yw i fod yn berson cyflawn, yw'r Ffrangeg. Siaradant Ffrangeg eisoes; *patois*, math o Ffrangeg, yw eu hiaith, ond mae'n rhaid iddynt feistroli'r iaith safonol er mwyn bod yn gyflawn. Trwy ymdrechu i ddysgu Ffrangeg safonol, cefnogant y diwylliant Ffrengig ymerodrol neu swyddogol. Fel y gwêl de Beauvoir y fenyw yn cael ei diffinio trwy gyfeirio at ddyn, esbonia Fanon sut y mae arddel diwylliant ac iaith swyddogol Ffrainc yn peri i'r iaith honno a'r diwylliant hwnnw, sy'n gysylltiedig yn eu hanfod â phobl wyn, ymddangos fel y ffon fesur y caiff ieithoedd a diwylliannau y rhai a drefedigaethwyd eu cymharu â hi: 'The Negro of the Antilles will be proportionately whiter –

that is he will come closer to being a real human being – in direct ratio to his mastery of the French language.'[25] Yn ôl Fanon, i bobl ddu y Caribî Ffrengig mae bod yn wyn eich croen yn gyfystyr â bod yn gyflawn. Mae cyfeiriad Fanon yma at 'mastery' yn cysylltu perthynas y dyn gwyn a'r dyn du â pherthynas y Meistr a'r Caethwas yng ngwaith Hegel ac yn awgrymu bod y bobl ddu, trwy ddysgu Ffrangeg, yn ceisio ennill meistrolaeth dros eu hunaniaeth eu hun – hynny yw, maent yn ceisio bod yn bobl gyflawn. Trwy ddysgu'r iaith dônt i ddealltwriaeth fwy cyflawn o'r diwylliant gwyn Ffrengig ymerodrol, ac felly ymddangosant yn fwy gwyn eu hunain – i ddefnyddio trosiad Fanon ei hun, maent yn gwisgo 'mygydau gwyn'.

Fel y trafodir yn y man, mae rhai damcaniaethwyr ôl-drefedigaethol yn ystyried cyffelybu profiadau'r Cymry i bobloedd eraill a drefedigaethwyd yn broblematig, os nad yn gamarweiniol. Ond mae yma debygrwydd i'w nodi rhwng y berthynas a wêl Fanon rhwng iaith ac aralledd yng nghyd-destun y Caribî Ffrengig a'r berthynas rhwng yr iaith Gymraeg a Chymreictod yng nghyd-destun y Gymru amlddiwylliannol gyfoes. Mae'r trafodaethau ynglŷn ag amlddiwylliannedd yng Nghymru yn rhoi llawer o sylw i rôl y Gymraeg wrth ddiffinio hunaniaeth Gymreig yr unigolyn neu ei deimladau o berthyn i'r genedl. Fel y crybwyllwyd eisoes, mae'r cymdeithasegydd a'r awdur Charlotte Williams yn feirniadol o'r modd y caiff Cymreictod yr unigolyn ei fesur, yn ei barn hi, yn ôl ei allu i siarad Cymraeg. Dadleua:

> the Welsh language holds a central place as a touchstone of Welsh identity. Even if the [2001] Census tells us that just 20% of our nation speak/read/write the language, its place in the national imagining as the most authentic marker of Welsh identity is unchallenged. In turn this produces the 'not-identities' of Wales as inevitably the lack of language skills is felt to compromise some people's claim to Welshness. Along with many others, the majority of ethnic minority individuals would find any definition of Welshness based on language somewhat exclusive.[26]

Er gwaetha'r gwahaniaethau daearyddol a gwleidyddol rhwng y sefyllfaoedd a ddisgrifir gan Frantz Fanon a Charlotte Williams, mae tebygrwydd rhwng rôl y Ffrangeg yn y Caribî a'r rôl y mae Williams yn honni sydd gan y Gymraeg yng Nghymru. Yn ôl y drefn ieithyddol a ddisgrifia Williams, siaradwyr Cymraeg a all fod yn sicr, chwedl Hegel, o'u Cymreictod – maent yn *'proper Welsh'*.[27] Mae'r rheini nad ydynt yn medru'r iaith yn berchen ar 'not-identities', sy'n cyfateb i ddisgrifiad Hegel o 'the nothingness of [the] other'.[28] Yn y Gymru a ddisgrifia Williams mae Cymreictod yr unigolyn yn cynyddu mewn perthynas uniongyrchol â'i allu i feistroli'r Gymraeg. Mae hon yn thema sy'n ymddangos yn gyson yn y ffuglen a drafodir yn nhrydedd bennod yr astudiaeth hon, yng ngwaith awduron megis Catrin Dafydd, Llwyd Owen a Rachel Trezise, lle y ceir defnydd aml o dermau fel 'Welshy' a 'proper Welsh', yn ogystal ag ymgais i ddangos pa mor amheus yw termau o'r math hwn.

Mae'n wir dweud bod rhai sylwebyddion wedi ceisio pwysleisio rôl greiddiol y Gymraeg yn eu diffiniadau hwy o Gymreictod, a hynny yn wyneb y dirywiad sydd wedi wynebu'r Gymraeg ers amser hir. Mae hyn wedi arwain at Gymry (beth bynnag yw eu cefndir ieithyddol) yr ardaloedd hynny lle y siaredir Saesneg gan fwyafrif y boblogaeth yn cael eu dychmygu fel yr 'arall' yn gyson dros gyfnod o bymtheng mlynedd ar hugain a mwy. Mewn cyfres o erthyglau a ymddangosodd yng nghylchgrawn *Barn* rhwng 1979 ac 1980 o dan y teitl 'Cymraeg y Pridd a'r Concrid' ceir trafodaeth ynglŷn â lleoliad y 'gwir' Gymru a 'gwir' Gymreictod. Yn un o'r erthyglau hyn, honna Gwynn ap Gwilym fod y diwylliant Cymraeg yn un gwledig yn ei hanfod a bod dinasoedd Cymru yn anghymreig:

> mae'r gymdeithas Seisnig yn bod yn ei chyfanrwydd yn Llundain. Llundain yw Meca'r Sais; . . . hi yw canolfan pob celfyddyd Seisnig, ac y mae ynddi hefyd gannoedd ar filoedd o bobl gyffredin Saesneg eu hiaith i bupro bywyd, a thrwy hynny ychwanegu at ei ddiddordeb. I'r llenor o Sais, y mae stôr dihysbydd o ddeunydd crai yn y math yma o Seisnigrwydd sy'n gogordroi o gwmpas heolydd Llundain . . .
>
> Ond pan drown ni at Gymru, y mae'r darlun yn bur wahanol. Yn y lle cyntaf, ni fedr neb ddweud fod y gymdeithas Gymraeg yn bod yn ei chyfanrwydd mewn lle fel Caerdydd, dyweder. Nid yw'r ddinas honno, na'r un ddinas arall yng Nghymru ychwaith, yn fwrlwm o Gymreigrwydd naturiol fel y mae Llundain yn fwrlwm o Seisnigrwydd naturiol. Y mae'r llenor Cymraeg sy'n byw yn ninas Caerdydd yn gymaint o alltud o Gymru â phe bai'n byw yn Llundain ei hun.[29]

Mae hyn yn arddangos agwedd hanfodaidd ynglŷn â'r Gymraeg a Chymreictod (heb sôn am agwedd hanfodaidd ynglŷn â'r Saesneg a'r Saeson), sy'n awgrymu mai un math o Gymreictod dilys (*authentic*) sydd, neu fod un math o Gymreictod yn rhagori ar y llall o safbwynt ei ddilysrwydd. Mae'r Cymreictod hwn yn seiliedig ar yr iaith Gymraeg, ac ar ddiwylliant gwledig. Yn ôl y drefn hon caiff hunaniaethau Cymreig a fynegir trwy iaith arall, neu sy'n seiliedig ar ddiwylliant dinesig eu dieithrio. Mae hyd yn oed siaradwyr Cymraeg sy'n dod o'r ddinas neu'r dref yn ymddangos fel yr 'arall' yn y drefn hon. Yn ogystal â hynny, mae ffocws Gwynn ap Gwilym ar y ddeuoliaeth rhwng y Gymraeg a'r Saesneg, a Chymru a Lloegr yn anwybyddu'r amrywiaeth ddiwylliannol a berthyn i Lundain a Chaerdydd ers degawdau. Gellid dadlau felly fod ei honiadau yn adlewyrchu dadl Charlotte Williams fod canolbwyntio ar densiynau Cymreig/Seisnig a Chymraeg/Saesneg yn bwrw'r drafodaeth ar hunaniaethau cymhleth neu leiafrifoedd ethnig a hiliol i'r cysgodion, nid yn unig yng Nghymru ond yn y Deyrnas Unedig yn ehangach hefyd.[30]

Ond nid yw diffiniadau hanfodaidd o Gymreictod fel yr un a hyrwyddwyd gan Gwynn ap Gwilym yn rhai ag arddelir gan bawb sy'n siarad Cymraeg neu bawb sy'n galw am ragor o hawliau neu degwch i'r Gymraeg yn wyneb dirywiad yn nifer ei siaradwyr. Yn ogystal â hynny, wrth gymhwyso syniadau Fanon a Charlotte Williams i sefyllfa bresennol y Gymraeg, rhaid cofio bod sefyllfaoedd y Ffrangeg a'r Gymraeg, fel y'u disgrifir ganddynt yn eu tro, yn bur wahanol. Yn y gymdeithas a ddisgrifia Fanon, iaith drefedigaethol yw'r Ffrangeg, ond mae'r Gymraeg, yn nisgrifiad Williams, yn iaith leiafrifol sy'n rhannu ei thiriogaeth â'r iaith Saesneg, iaith a gyflwynwyd i Gymru'n wreiddiol fel iaith drefedigaethol, ac iaith sydd erbyn heddiw yn iaith fyd-eang. Er bod Charlotte Williams yn nodi mai 20% o boblogaeth Cymru yn unig sy'n gallu siarad Cymraeg (ffigwr sydd wedi lleihau erbyn heddiw yn ôl cyfrifiad 2011[31]), nid yw'n ystyried yn feirniadol pa effaith y mae'r lleiafrifiaeth hon yn ei chael ar berthynas y Gymraeg a'r Saesneg yng Nghymru, na sut yr effeithia hyn ar rym gwahanol gymunedau ieithyddol oddi mewn i'r genedl.

Mae'r beirniad diwylliannol a llenyddol Simon Brooks wedi mynd i'r afael â'r mater hwn, gan ddangos mai'r Saesneg yw'r iaith ddominyddol yng Nghymru. Trafoda hefyd y modd y mae polisïau ynglŷn â dwyieithrwydd yng Nghymru, sydd i fod i sicrhau statws cyfwerth i'r ddwy iaith, mewn gwirionedd yn tanseilio'r iaith leiafrifol, hyd yn oed yn ei chadarnleoedd yn y gogledd a'r gorllewin. Mewn ysgrif ar y pwnc hwn noda nad 'cyflwr ieithyddol niwtral yw dwyieithrwydd yng Nghymru ... ond ffordd o ymestyn gafael diwylliannol y mwyafrif Saesneg. Mae'n ffenomen sy'n dilysu hawl y Saesneg i'w lordio hi ar bob dim ... [Mae'n] golygu dwyn y Saesneg i beuoedd Cymraeg gan danseilio awtonomi'r gymdeithas leiafrifol, a'i gwneud yn haws i'w llyncu gan y mwyafrif.'[32] Mae cyfeiriad Brooks at y ffordd y mae'r Saesneg yn ei 'lordio hi', ac at ddiffyg annibyniaeth y gymuned Gymraeg eto yn dwyn i gof Feistr a Chaethwas Hegel. Fel y mae barn Charlotte Williams am y berthynas rhwng medrusrwydd yn y Gymraeg a Chymreictod yn ymdebygu at yr hyn a ddywed Fanon am statws y Ffrangeg yn y Caribî Ffrengig, mae astudiaeth Brooks o'r berthynas rhwng y Gymraeg a'r Saesneg yng Nghymru yn ymdebygu i ddadansoddiad yr awdur o Kenya, Ngũgĩ wa Thiong'o o rôl yr iaith Saesneg yn ei wlad ef, sy'n iaith drefedigaethol yno fel yng Nghymru. Yn debyg i'r hyn a ddisgrifia Brooks o safbwynt y Gymraeg, yn *Decolonising the Mind* (1986) gwêl Ngũgĩ nad yw ieithoedd brodorol Kenya na gwledydd eraill Affrica yn cael bodoli er eu mwyn eu hunain fel y caiff ieithoedd trefedigaethol Affrica, gan gynnwys y Saesneg, y Ffrangeg a'r Bortiwgaleg. Noda Ngũgĩ sut yr arferai awduron Affricanaidd ddyfeisio ffyrdd o dynnu ar eu hieithoedd brodorol er mwyn cyfoethogi'r hyn yr oeddent yn ei ysgrifennu yn yr ieithoedd trefedigaethol:

> the only question that preoccupied us was how best to make the borrowed tongues [hynny yw, yr ieithoedd trefedigaethol] carry the weight of our African experience ... making them 'prey' on African proverbs ... our mission of enriching foreign languages by injecting Senghorian 'black blood' into their rusty joints ...'[33]

Ymddangosai iddo fod yr ieithoedd brodorol yn bodoli er mwyn ychwanegu naws 'Affricanaidd' ddilys i'r ieithoedd trefedigaethol, tra gwelai fod neb yn ystyried sut y gellid cyfoethogi'r ieithoedd brodorol a helaethu eu defnydd a'u perthnasedd hwythau – '[w]e never asked ourselves: how can we enrich our languages? How can we "prey" on the rich humanist and democratic heritage in the stuggles of other peoples in other times and other places to enrich our own?'[34]

Beirniada Ngũgĩ system addysg Kenya hefyd, lle y noda '[i]n Kenya, English became more than a language: it was *the* language, and all the others had to bow before it in deference'.[35] Yn y cyd-destun Cymreig, cyfeiria Brooks at y system addysg yng Nghymru fel enghraifft o sut y mae dwyieithrwydd yn gweithio o blaid cryfhau grym y Saesneg ac yn lleihau statws y Gymraeg. Dyma drefn

> sy'n gwneud dysgu Saesneg i safon iaith gyntaf yn fater o raid i Gymry mamiaith, ond sy'n caniatáu i siaradwyr Saesneg ddysgu'r Gymraeg fel 'ail iaith' heb fagu rhuglder ynddi. Trwy hyn mae'r wladwriaeth yn cynnal grym symbolaidd y Saesneg trwy adael i unieithrwydd Saesneg gael ei atgynhyrchu o genhedlaeth i genhedlaeth er mynnu dileu unieithrwydd Cymraeg.[36]

Yn ôl y drefn hon, felly, yn debyg i Kenya Ngũgĩ, y Saesneg yw'r brif iaith, yr iaith y mae'n rhaid i bawb fod yn rhugl ynddi, ac nid oes raid wrth rugldr yn y Gymraeg. Gan fenthyg termau de Beauvoir, mae'r Saesneg yn 'essential' ond mae'r Gymraeg yn 'inessential'. Gall siaradwyr Saesneg fyw yng Nghymru a pharhau yn uniaith Saesneg, os hoffant. Gan fenthyg geiriau Hegel, mae statws y Saesneg yn y drefn hon yn enghraifft o 'being-for-itself'. Gan fod yn rhaid i siaradwyr Cymraeg ddysgu a defnyddio'r Saesneg, ymddengys nad oes gan y Gymraeg yr hawl i fodoli yn annibynnol. Profa'r Gymraeg aralledd, felly.[37]

Os ystyriwn hanes addysg yng Nghymru, gwelwn nad yn y cyfnod presennol yn unig yr ymdrinnir â'r Gymraeg fel iaith israddol o'i chymharu â'r Saesneg. Yn adroddiad 1847 ar gyflwr addysg yng Nghymru, a adwaenir hyd heddiw fel 'Brad y Llyfrau Gleision', nododd comisiynydd llywodraeth San Steffan, Jellynger C. Symons, fod y Gymraeg yn 'vast drawback to Wales, and a manifold barrier to the moral progress ... of its people ... It dissevers the people from intercourse which would help advance their civilization, and bars the access of improving knowledge to their minds.'[38] Un o brif ddibenion yr adroddiad oedd archwilio 'the means afforded to the Labouring Classes of acquiring a Knowledge of the English Language'; felly, gallwn dybio mai Saesneg oedd yr iaith a fyddai'n caniatáu cynnydd moesol a gwella gwarineb y Cymry, ym marn y comisiynwyr a'r llywodraeth a fu'n eu cyflogi.[39] Fel y gwêl Fanon fod disgwyl i bobl y Caribî Ffrengig ddysgu Ffrangeg safonol er mwyn ymddangos yn fwy 'human', yn ôl adroddiad 1847, byddai'r Cymry'n datblygu'n bobl fwy gwaraidd pe baent yn medru'r Saesneg.[40] Nododd y comisiynydd H. R. Vaughan Johnson, '[t]he remedy for these evils is obvious', heb grybwyll yn uniongyrchol mai dysgu Saesneg i'r Cymry oedd ganddo mewn golwg.[41] Cysylltid y Saesneg â gwareiddiad, pwyll a rhesymeg i'r fath raddau nes ei bod hi'n hollol amlwg i'w ddarllenwyr mai dyna yr oedd yn ei olygu – yn ôl Gwyneth Tyson Roberts, '[t]he solution was so evident that it did not need to be made explicit'.[42]

Er bod Neil Evans, Paul O'Leary a Charlotte Williams yn ein rhybuddio rhag dehongli Cymru fel trefedigaeth i Loegr, heb ein bod ni'n cwestiynu'r rôl a chwaraeodd y Cymry wrth ehangu tiroedd ymerodrol Prydain, mae'n werth nodi'r tebygrwydd rhwng adroddiad y Llyfrau Gleision a rhai o ddogfennau enwocaf hanes yr Ymerodraeth Brydeinig.[43] Un o'r rhain yw cofnod Thomas Babington Macaulay ar addysg Indiaidd (1835) a gyflwynwyd fel rhan o drafodaethau Cyngor India ynglŷn â phasio deddf addysg newydd yn nhiroedd Prydain yn India. Tra awgrymodd comisiynwyr y Llyfrau Gleision mai'r prawf o anwarineb yr iaith Gymraeg a'i siaradwyr oedd eu barn y bodolai 'no Welsh literature worthy of the name',[44] yn ôl Macaulay, deilliai diffygion y drefn addysg Indiaidd o'i phwyslais ar destunau (a rhai llenyddol yn eu plith) a ysgrifennwyd yn yr ieithoedd Arabeg a Sansgrit a oedd, yn ei dyb ef, yn israddol i'r hyn a ysgrifennwyd mewn ieithoedd Ewropeaidd:

> I have no knowledge of either Sanscrit [*sic*] or Arabic. But I have done what I could to form a correct estimate of their value. I have read translations of the most celebrated Arabic and Sanscrit [*sic*] works. I have conversed, both here and at home, with men distinguished by their proficiency in the Eastern tongues. I am quite ready to take the oriental learning at the valuation of the orientalists themselves. I have never found one among them who could deny that a single shelf of a good European library was worth the whole native literature of India and Arabia. The intrinsic superiority of the Western literature is indeed fully admitted by those members of the committee who support the oriental plan of education.[45]

Yn ogystal ag arddangos agwedd debyg tuag at lenyddiaethau ac ieithoedd India i'r agwedd a geir gan gomisiynwyr y Llyfrau Gleision tuag at iaith a llenyddiaeth Cymru, mae Macaulay yn rhannu eu synnwyr bod rhai ieithoedd a'u diwylliannau cysylltiedig yn gynhenid rhagorach nag eraill. Mae'r diwylliant Indiaidd yn cael ei lunio fel diwylliant 'arall'; caiff ei werth ei bennu trwy ei gymharu â gwerth diwylliant y Gorllewin, a chanfyddir bod diwylliant y Gorllewin yn uwchraddol. Mae cyfeiriad Macaulay at 'intrinsic superiority' traddodiad llenyddol y Gorllewin, er gwaethaf ei gyfaddefiad nad yw'n medru'r ieithoedd Sansgrit neu Arabeg, yn dangos cymaint yw ei sicrwydd ynglŷn â 'gwirionedd' ei honiadau, yn debyg iawn i sicrwydd y comisiynwyr addysg yng Nghymru.

Ymdebyga agwedd Macaulay tuag at ddiwylliannau ac ieithoedd India i'r hyn a elwir yn 'Orientaliaeth',[46] fel y'i disgrifir yng nghyfrol bwysig Edward W. Said, theorïwr arloesol ym maes astudiaethau ôl-drefedigaethol, *Orientalism* (1978). Canolbwyntia dadansoddiad Said ar ardal a elwir 'the Orient', sef ardal y Dwyrain Canol, a drefedigaethwyd gan Brydain a Ffrainc fel rhan o'u gorchestion ymerodrol. Dadleua Said fod 'Orientalism' yn system ontolegol, sef system a ddefnyddir er mwyn rhoi trefn ar y byd. Yn ôl y drefn hon, caiff ardal y Dwyrain Canol, ei phobloedd, ei hieithoedd a'i harferion eu portreadu yn nhermau aralledd, gan greu'r cysyniad a adwaenir fel 'the Orient'. Defnyddid yr aralledd honedig hwn dros ganrifoedd gan rymoedd ymerodrol er mwyn cyfiawnhau eu pŵer dros yr ardal. Nid yw syniadau am yr Orient, felly, yn adlewyrchu unrhyw wirionedd am yr ardal: yn hytrach, mae'r Orient yn rhywbeth a grëwyd gan gynrychiolwyr (megis gwleidyddion, academyddion ac awduron) yr ymerodraethau a orchfygodd yr ardal er mwyn cadarnhau eu hawl i reoli yno ac er mwyn arddangos eu goruchafiaeth ym mhob maes.[47] Gan fenthyg termau Hegel, gallwn gasglu bod Orientaliaeth yn cadarnhau sicrwydd a chyfanrwydd y Gorllewin (a elwir yn 'Occident') trwy bortreadu aralledd y

Dwyrain ('Orient'). Fel y gwelwyd yn y dadansoddiadau blaenorol o'r berthynas rhwng yr 'hunan' a'r 'arall', disgrifia Said y berthynas hon fel un ddilechdidol. Dadleua: '[t]he [Orient and the Occident] support and to an extent reflect each other'.[48] Yn ogystal â diraddio diwylliant y Dwyrain, mae agweddau fel yr un a arddengys Macaulay yn cuddio'r amrywiaeth a berthyn i'r Gorllewin hefyd, a'i hieithoedd a'i diwylliannau gwahanol. Meddylier, er enghraifft, am Gymru neu'r Gymraeg. Yn ddaearyddol, perthynant i'r Gorllewin, ond go brin y byddai Macaulay wedi dewis unrhyw destun Cymraeg i ymddangos ar ei silff o lenyddiaeth Ewropeaidd uwchraddol.

Hybridedd a synergedd

Tra gellir dehongli geiriau Macaulay fel agwedd ar rym trefedigaethol, mae'r damcaniaethwr Homi Bhabha yn dadlau bod ei araith am addysg India yn arddangos y tensiynau sydd wrth wraidd y broses o drefedigaethu, ac sydd, yn y pen draw, yn ei thanseilio. Er mwyn sicrhau y caiff India ei threfedigaethu'n drylwyr, dadleua Macaulay y bydd cyflwyno addysg Seisnig i India yn arwain at greu 'a class of persons Indian in blood and colour, but English in tastes, in opinions, in morals and in intellect' fel lladmeryddion rhwng y trefedigaethwyr a'r bobl a drefedigaethwyd.[49] Mae'r unigolion hybrid hyn yn meddu ar hunaniaeth debyg iawn i'r unigolion a chanddynt groen du sy'n cael ei guddio gan fygydau gwyn yng ngwaith Fanon. Mae Bhabha yn dadlau bod yr unigolyn hybrid hwn yn dynwared (*mimic*) y trefedigaethwr, ac yn arddangos deuoliaeth agwedd (*ambivalence*). Yn ôl Bhabha, dynwared yw 'one of the most elusive and effective strategies of colonial power and knowledge',[50] a disgrifia'r rheswm am hyn:

> Colonial mimicry is the desire for a reformed, recognisable Other, as *a subject of a difference that is almost the same but not quite*. Which is to say, that the discourse of mimicry is constructed around an ambivalence; in order to be effective, mimicry must continually produce its slippage, its excess, its difference.[51]

Trwy ddynwared, mae'r unigolyn a drefedigaethwyd yn gallu ymddangos yn debyg iawn i'r trefedigaethwr, ond ni all fyth fod yn union yr un fath ag ef.

Ar y naill law, felly, mae dynwared yn pwysleisio aralledd a gwahaniaeth y dynwaredwr. Noda Bhabha fod y dynwaredwyr yn meddu ar hunaniaethau sy'n rhannol neu'n anghyflawn.[52] Yng nghyd-destun lladmeryddion Macaulay fe ddywed: 'to be Anglicized is *emphatically* not to be English'.[53] Yng nghyd-destun Cymru a chymdeithas amlddiwylliannol, mae hyn yn galw i gof ddisgrifiadau Charlotte Williams o'i 'Not-identity; an awkward reminder of what I was or what I wasn't'.[54] Ond ar y llaw arall, mae dynwared yn tanseilio'r broses drefedigaethol, gan leihau'r gwahaniaethau sy'n bodoli rhwng y trefedigaethwyr a'r rheini y maent yn eu trefedigaethu. Gan ddisgrifio rôl dynwared yn y broses o drefedigaethu, noda Bhabha, '[t]he success of colonial appropriation depends on a proliferation of inappropriate objects [hynny yw, y dynwaredwr trefedigaethol] that ensure its strategic failure, so that mimicry is at once resemblance and menace'.[55] Mae'r dynwaredwr trefedigaethol yn tanseilio'r gwrthgyferbyniadau deuol – gorllewin/dwyrain, gwyn/du, Saesneg/Cymraeg, 'hunan'/'arall' – sydd wrth wraidd y broses drefedigaethol ac sy'n ei hawdurdodi. I Bhabha, mae'r dynwaredwr yn gymeriad hybrid sy'n dangos natur ffuantus deuoliaethau o'r fath.

Mae hybridedd (*hybridity*) yn un o gysyniadau creiddiol beirniadaeth ôl-drefedigaethol Bhabha, sy'n dadlau bod pob diwylliant yn hybrid.[56] Dadleua: 'cultures are never unitary in themselves, simply dualistic in the relation of Self to Other'.[57] Yn hytrach, crëir diwylliant mewn gofodau interstitaidd (*interstices*) rhwng diwylliannau, a elwir gan Bhabha yn 'Third Space'.[58] Esbonia Bhabha: 'for me the importance of hybridity is not to be able to trace two original moments from which the third emerges, rather hybridity to me is the "third space" which enables other positions to emerge'.[59] Mae'r Trydydd Gofod yn herio'r drefn ddeuol y mae'r broses drefedigaethol yn dibynnu arni er mwyn gwahaniaethu rhwng y trefedigaethwr a'r rhai a drefedigaethwyd – 'the margin of hybridity ... becomes the moment of panic which reveals the borderline experience. It resists the binary opposition of racial and cultural groups.'[60] Mae gan y gofod hwn oblygiadau i'n dealltwriaeth o aralledd, gan ei fod yn herio'r broses o ddiffinio'r 'hunan' yn erbyn yr 'arall'. Ys dywed Bhabha, 'by exploring this Third Space, we may elude the politics of polarity and emerge as the others of ourselves'.[61] Mae'r Trydydd Gofod yn herio'r sicrwydd a'r cyflawnrwydd sydd eu hangen ar yr 'hunan' er mwyn ei ddiffinio'i hun; mae'r gofod yn pwysleisio aralledd yn yr ystyr ei fod yn ymwrthod â'r cysyniad o gyflawnrwydd, ac yn awgrymu yn hytrach fod hunaniaeth yn gyfuniad o wahanol ddylanwadau. Yn ogystal â hynny, mae'n herio unrhyw sefydlogrwydd a all berthyn i hunaniaeth a diwylliant gan ei fod yn ofod lle mae arwyddion diwylliannol yn gallu cael eu dehongli o'r newydd: 'the same signs can be appropriated, translated, rehistoricized and read anew'.[62]

Mae cymhwyso theorïau ôl-drefedigaethol megis hybridedd neu ddynwared i lenyddiaeth neu sefyllfa ddiwylliannol Cymru yn gallu bod yn weithred ddadleuol oherwydd, fel y nodwyd eisoes, nid oes cytundeb ynglŷn â statws Cymru fel gwlad ôl-drefedigaethol. Mae'r hanesydd Dai Smith yn dadlau bod dadansoddi Cymru yn nhermau ôl-drefedigaethol yn anghywir oherwydd nad oedd hi'n wlad unedig pan ddaeth o dan reolaeth Brenhiniaeth Lloegr yn dilyn marwolaeth Llywelyn ap Gruffudd a difodiant llinach Gwynedd ym 1282. Yn wir, mae'n awgrymu bod undod wedi dod i Gymru yn sgil Deddfau Uno 1536 yn unig, ac yn cymharu'r undod hwnnw â'r diffyg undod a oedd yn nodweddu'r cyfnod canoloesol. Dadleua: '[the 1536 Acts of Union] brought coherence and unity to the internal governance of Wales in a manner not achieved within a Welsh medieval polity either under the Welsh princes or their Anglo-Norman conquerors'.[63] Mae'n nodi hefyd fod y bonedd Cymreig wedi croesawu'r Deddfau Uno cymaint ag y gwnaeth yr awdurdodau Seisnig.[64] Ond mae Jane Aaron wedi anghytuno â dadl Smith, gan nodi sut y mae cymdeithas ranedig yn aml yn nodwedd o wledydd a drefedigaethwyd: 'Surely it is the norm that colonised people both before and during the period of colonisation have little concept of themselves as a people and are divided; this is what has made them vulnerable to colonisation in the first place.'[65] Anghytuna Aaron â dadl Smith ynglŷn ag arwyddocâd rôl y bonedd Cymreig yn uno Cymru a Lloegr yn 1536 hefyd, gan ddadlau:

> a small minority, the gentry, agreed to [the Acts of Union] because through them they were given new powers and freedoms (provided of course they spoke English) . . . winning the accord of local rulers is a very common feature of colonisation; in the nineteenth century many Indian states were annexed to the British crown without bloodshed through the willingness of princes and large landowners to become subordinate allies of Britain in return for greater security over their possessions and privileges. This did not make nineteenth-century India less of a British colony.[66]

Mae eraill, megis y theorïwyr ôl-drefedigaethol Bill Ashcroft, Gareth Griffiths a Helen Tiffin, yn cwestiynu i ba raddau y gall gwlad fel Cymru neu wledydd ymylol eraill y Deyrnas Unedig hawlio statws ôl-drefedigaethol oherwydd iddynt fod yn gyfrifol am drefedigaethu eraill fel rhan o'r Ymerodraeth Brydeinig yn y bedwaredd ganrif ar bymtheg a'r ugeinfed ganrif. Dadleuant: 'the complicity [of Wales and Scotland] in the British imperial enterprise makes it difficult for colonised people outside Britain to accept their identity as post-colonial'.[67] Yn gysylltiedig â hyn, mae rhai damcaniaethwyr, fel Neil Evans, Paul O'Leary a Charlotte Williams, wedi awgrymu y gall dehongli Cymru fel gwlad ôl-drefedigaethol gael ei ystyried fel gweithred niweidiol os ydym am ddatblygu cymdeithas Gymreig amlddiwylliannol.[68]

Mae Charlotte Williams yn feirniadol o'r effaith y mae tensiynau rhwng y Cymry a'r Saeson, a siaradwyr Cymraeg a siaradwyr Saesneg, a'r duedd i'w dehongli gan ddefnyddio fframwaith ôl-drefedigaethol, yn ei barn hi, yn ei chael ar y modd y cynrychiolir lleiafrifoedd ethnig ym mywyd y genedl. Dadleua mai'r tensiynau hyn, rhwng pobl Cymru a phobl Lloegr, a siaradwyr Cymraeg a siaradwyr Saesneg, a gaiff eu gweld fel 'the real issue of Welsh racism', sy'n peri bod achosion o hiliaeth tuag at gymunedau ethnig lleiafrifol yn cael eu hanwybyddu, neu o leiaf, eu hystyried yn eilradd.[69] Awgryma fod hyn yn arwain at ddatblygu cenedl ddeuddiwylliannol, yn hytrach nag un amlddiwylliannol. Cred mai'r gymuned Gymraeg ei hiaith sy'n gyfrifol am y sefyllfa hon: 'what may be in danger of being created is a bicultural, rather than a multicultural Wales, in which on one side of a simple two-sided coin [hynny yw, yn y gymuned Gymraeg ei hiaith] there is little or no attempt to acknowledge and accommodate significant diversity'.[70] Yn ôl Williams, mae'r ymrafael dros iaith wedi arwain at ddychmygu'r ffin rhwng Cymru a Lloegr, neu rhwng ardaloedd Cymraeg a Saesneg eu hiaith, yn nhermau hil. Noda sut y defnyddir disgŵrs mewnfudo – '"swamping", "floods", "tides" and "carriers of disease"' – i ddisgrifio'r rheini sy'n mudo o Loegr i gadarnleoedd y Gymraeg.[71] Dadleua Williams fod y termau hyn yn gosod fframwaith hiliol i'r tensiynau gan eu bod yn ymdebygu i'r termau a ddefnyddir mewn dadleuon mwy eang ynglŷn â mewnfudo i ddisgrifio dyfodiad mudwyr nad ydynt yn wyn i Brydain. Ar un llaw, felly, gwelwn sut y gall mudwyr gwyn, Saesneg eu hiaith, o Gymru neu Loegr i ardaloedd Cymraeg eu hiaith gael eu portreadu fel yr 'arall' gan yr iaith a ddefnyddir yno. Ond ar y llaw arall, noda Williams hefyd sut y disgrifir y mudwyr hyn fel 'white settlers' gan fudiadau megis Cymdeithas yr Iaith Gymraeg, gan ddychmygu'r Cymry (ac yn enwedig y siaradwyr Cymraeg yn eu plith) fel 'the "black" oppressed'.[72] Yn y sefyllfa hon, felly, y Cymry, a'r Cymry Cymraeg yn arbennig, sy'n ymddangos fel y rhai sy'n cael eu portreadu fel yr 'arall'.

Ond nid ymgyrchwyr iaith yn unig sydd wedi ceisio gweld cyfatebiaeth rhwng sefyllfaoedd y Cymry Cymraeg a lleiafrifoedd neu grwpiau ymylol eraill. Yn y blynyddoedd diwethaf, mae nifer o gyfrolau academaidd wedi ymddangos sy'n cyflwyno astudiaethau cymharol o lenyddiaeth, diwylliant a hanes pobl Cymru a grwpiau ymylol eraill, a chysylltiadau diwylliannol rhwng Cymru a'r grwpiau hyn.[73] Mae'r awdur a'r academydd Grahame Davies, er enghraifft, yn gyfrannwr blaenllaw i astudiaethau ar berthynas y genedl â'i lleiafrifoedd ethno-grefyddol. Mae ei antholeg, *The Chosen People* (2002), yn olrhain perthynas y Cymry â'r Iddewon dros y canrifoedd hyd at y presennol, ac mae *The Dragon and the Crescent* (2011) yn archwilio'r cysylltiadau rhwng Cymru a chrefydd Islam, ddoe a heddiw. Yn ogystal â hynny, maent yn casglu at ei gilydd, ac yn dadansoddi cyfraniadau Iddewon a Mwslimiaid at fywyd diwylliannol Cymru ac at faes llenyddiaeth Gymreig. Mae Davies yn cydnabod yn *The Dragon and the Crescent* y caiff Cymru'n rhy aml ei diffinio o safbwynt ei pherthynas â Lloegr a bod hynny'n tynnu sylw oddi ar yr amrywiaeth o wahanol bobl a diwylliannau sy'n cyd-fyw oddi mewn i'w ffiniau ei hun:

> The default mode of negotiating questions of history, belonging, and national consciousness has often been a binary narrative in which the Welsh are defined by an oppositional, subordinate relationship with England. In fact, the testimony of Welsh portrayals of Islam gathered here disturbs that simplistic dualism and shows that many Welsh people give evidence of a much broader relational repertoire.[74]

Noda hefyd yr agweddau hiliol sydd i'w canfod mewn rhai o'r gweithiau a ddadansoddir ganddo. Disgrifia ddarnau o waith gan Saunders Lewis a Geraint Goodwin sydd wedi'u cynnwys yn *The Chosen People* fel rhai sy'n arddangos 'genuinely anti-semitic prejudice ... remarks which appear in sinister perspective in the light of the later atrocities'.[75]

Ond er gwaethaf ei wrthrychedd a'r ymgais i ymwrthod â rhamanteiddio'r berthynas rhwng Cymru a'r ddwy grefydd, mae cyflwyniadau Davies i'r cyfrolau yn datgelu llawer ynglŷn â'i safbwynt ef at y gwaith a thrwy ba lens yr hoffai i'w ddarllenwyr weld y berthynas. Wrth gyflwyno'i gyfrol ar ymateb llenorion yng Nghymru i Iddewiaeth, dywed ei fod wedi disgwyl i'r testunau y byddai'n eu darganfod arddangos 'the values on which the Welsh pride themselves: respect for cultural diversity; compassion towards the suffering; solidarity with the oppressed'.[76] Er iddo gyfaddef fod y rhagdybiaeth honno wedi'i phrofi'n anghywir gan amrywiaeth yr agweddau y daeth o hyd iddynt, datgana ar ddiwedd ei gyflwyniad i'r antholeg fod yma 'a definite thread ... of mutual identification between two small peoples which have faced oppression, disenfranchisement and scorn'.[77] Yn ei gyflwyniad i *The Dragon and the Crescent*, noda ei obaith y bydd y gyfrol yn cyfrannu at 'wider contemporary debate about Islam and the West by taking as its field the literature of one small European nation, one whose own relationship with the dominant culture and language of the West has itself been complex and ambivalent',[78] gan awgrymu bod yna debygrwydd rhwng perthnasau cymhleth Cymru ac Islam a phrif ffrwd y diwylliant Seisnig ac Eingl-Americanaidd. Gellir dadlau, felly, fod Davies yn gweld rhyw fath o gyfatebiaeth yn y ffordd mae'r Cymry a'r lleiafrifoedd ethno-grefyddol hyn wedi gorfod profi a gwrthsefyll gorthrwm a hanfodaeth ddiwylliannol.

Adlewyrchir dadl Davies yma yn ei gerdd 'Rough Guide' lle y mae adroddwr y gerdd yn cyfaddef ei fod yn cael ei ddenu at leiafrifoedd ethnig, ieithyddol, hiliol a chrefyddol ar draws y byd oherwydd ei fod ef ei hun, fel Cymro, yn perthyn i ddiwylliant lleiafrifol. Mae'r chwarae ar eiriau yn y gerdd a'r ffordd y mae'n cyfosod yn ddigrif hunaniaethau Iddewig a Phalesteinaidd – 'Y fi yw'r Cymro Crwydr; / yn Iddew ymhob man. / Heblaw, wrth gwrs, am Israel. / Yno 'rwy'n Balesteiniad'[79] – yn dangos bod llais y gerdd yn ymwybodol mor chwerthinllyd yw ei honiad ei fod yn gallu uniaethu â lleiafrifoedd eraill oherwydd ei fod yn aelod o leiafrif ei hun. Ond mae ei ddatganiad, 'Ond na, wrth grwydro cyfandiroedd y llyfrau teithio, / yr un yw'r cwestiwn ym mhorthladd pob pennod: / "Dinas neis. 'Nawr ble mae'r geto?" ar ddiwedd y gerdd yn dangos mor anodd ydyw i'r unigolyn ymwrthod â'r safbwynt hwn.[80]

Mae Charlotte Williams hefyd, er gwaetha'r ffaith ei bod wedi beirniadu'r rheini sydd am ddiffinio Cymru a Chymreictod yn ôl eu perthynas ddeuol, honedig israddol â Lloegr, yn defnyddio diffiniadau o'r math hwn yn ei nofel hunangofiannol, *Sugar and Slate* (2002), sy'n archwilio ei phrofiadau fel Cymraes sy'n gymysg ei hil. Wrth ddisgrifio'r paratoadau a wnaeth cyn symud gyda'i gŵr o Gymru i Gaiana i fyw, noda'r hyn a deimlodd wrth fynychu sesiwn hyfforddi ar gyfer darpar-fudwyr o Brydain. Meddai: '[e]verybody else ... [was] very white and very English and I suddenly felt very black and very Welsh'.[81] Nid defnyddio perthynas Cymru a Lloegr yn unig a wna Williams i ddisgrifio'i sefyllfa; uniaetha ei phrofiad fel Cymraes â'i phrofiad fel menyw ddu hefyd. Er gwaetha'r hyn a ddywed gwaith ysgolheigaidd Williams am effaith niweidiol disgrifiadau cyfochrog o'r fath ar amlddiwylliannedd Cymru yn y byd go iawn, maent yn ymddangos yn ddefnyddiol iawn i ddisgrifio'i Chymru ffuglennol. Mae modd dadlau bod yna ddwy Charlotte Williams wahanol, yr academydd neu'r cymdeithasegydd ar y naill law, a'r awdur creadigol ar y llall. Mae'n bosib dadlau bod ei chyfraniad llenyddol tuag at y ddadl ynglŷn ag amlddiwylliannedd yng Nghymru yn fwy ystyriol o ran ei phortread o densiynau diwylliannol amrywiol Cymru na'i gwaith ysgolheigaidd. Yn wir, gellir awgrymu bod awduron ffuglen gyfoes ar y cyfan yn cynnig dadansoddiadau haenog a theimladwy o amlddiwylliannedd Cymreig, sy'n fwy blaengar na'r sylwebyddion academaidd neu wleidyddol. Dyma a awgrymwyd gan Neil Evans, Paul O'Leary a Charlotte Williams eu hunain yn y ddau olygiad o *A Tolerant Nation?*, gan nodi rhai o'r testunau a drafodir yn yr astudiaeth hon hefyd.[82] Serch hynny, yn y naill fersiwn na'r llall, nid ydynt yn enwi'r un testun Cymraeg ei iaith ymhlith yr enghreifftiau hyn – dengys y drafodaeth sy'n dilyn fod modd cynnwys sawl testun Cymraeg hefyd sy'n cynnig portread blaengar o'r Gymru amlddiwylliannol.[83]

Mae gweithiau llenyddol Charlotte Williams a Grahame Davies yn dangos bod ystyried Cymru neu Gymreictod fel yr 'arall' o'i gymharu â Lloegr neu Seisnigrwydd yn elfen bwysig wrth ddiffinio hunaniaeth Gymreig, er gwaetha'r ffaith eu bod yn awgrymu yn eu gwaith academaidd fod angen edrych y tu hwnt i'r berthynas ddeuaidd hon. Mae Kirsti Bohata wedi dangos bod dehongli Cymru gan ddefnyddio theorïau ôl-drefedigaethol yn gallu cymhwyso'r ddau safbwynt gwrthgyferbyniol. Noda sut y gall yr aralledd a'r hunanddieithrio a ddisgrifir gan Fanon fod yn berthnasol wrth archwilio teimladau o israddoldeb ymhlith y Cymry.[84] Dadleua hefyd fod cymhwyso theorïau ôl-drefedigaethol i wlad fel Cymru yn caniatáu inni ddehongli ei strwythurau gwleidyddol, cymdeithasol neu ddiwylliannol mewn modd sy'n dangos gwerthfawrogiad o'r ffaith y gall unigolyn neu grŵp o bobl fod yn ddominyddol o un safbwynt ac yn israddol o safbwynt arall, gan nodi y dylai beirniaid ochel rhag 'the hierarchical victimology permeating some areas of postcolonialism'.[85] Fel y noda Ken Goodwin: 'There is a sense in which the theory of postcoloniality ought to encourage the view that we are all colonial, imperialist, and postcolonial in various proportions.'[86] Mae'r dull hwn o ddehongli diwylliannau, sy'n cydnabod y posibilrwydd fod gan yr un hunaniaeth sawl gwedd, yn ddefnyddiol nid yn unig wrth feddwl am statws ôl-drefedigaethol dadleuol Cymru, ond wrth feddwl am amlddiwylliannedd hefyd. Mae hynny'n arbennig o wir am amlddiwylliannedd yng Nghymru, lle mae'r ddadl hyd yma yn canolbwyntio i raddau ar ba grwpiau sydd wedi'u hymylu fwyaf, ond bod angen cydnabod hefyd fod gwahanol grwpiau'n gallu ymddangos fel gormeswyr a dioddefwyr ill dau. Mae angen gofalu, er enghraifft, rhag rhoddi gormod o bwyslais ar y berthynas ddeuaidd rhwng Cymru a Lloegr wrth ddiffinio Cymreictod, ond heb anghofio ychwaith fod cyswllt y genedl Gymreig â'i chymdogion y tu hwnt i Glawdd Offa wedi bod yn elfen ffurfiannol yn hunaniaeth a hanes y wlad hefyd.

Ymddengys fod angen model sy'n sicrhau na chyfyngir hunaniaethau Cymreig i ddeuoliaethau. Gan esbonio elfen broblematig y term 'hybrid' sy'n awgrymu cyfuniad o ddau beth neilltuol, awgryma Bohata fod y cysyniad o synergedd (*synergy*) yn cynnig fframwaith defnyddiol wrth feddwl am hunaniaethau sy'n gyfuniad o sawl elfen neu nodwedd:

> The term 'synergy' provides a more positive alternative to the problematic 'hybrid', as it emphasizes the productive qualities of complex and multiple forces (rather than the two essential strands which are implied through the biological reproductive elements of hybridity), which contribute to something new that is not reducible to any of its constitutive elements. This idea of synergetic cultural production might be especially helpful in the Welsh context, since one of the most limiting discourses of Welsh cultural identities has been that which is confined to binary constructions of Welshness as being reciprocally linked to degrees of difference from, or similarity to, Englishness.[87]

Gall model fel synergedd ganiatáu hunaniaethau sy'n gyfuniad o nodweddion neu safbwyntiau gwahanol. Mae'n fodel sy'n awgrymu bod pob hunaniaeth yn gyfuniad o elfennau, ac ni ellir anwybyddu'r cymhlethdodau hyn na symleiddio hunaniaeth i un elfen benodol – nid oes modd eu pegynu. Mae hynny, a chyfeiriad Bohata at gynhyrchu, yn awgrymu y gall hunaniaethau newydd gael eu creu ar seiliau hen ddiffiniadau, gan ychwanegu elfennau newydd. Mae hyn yn adleisio awgrym Bhabha ynglŷn â sut y mae'r Trydydd Gofod yn gofyn ein bod yn cwestiynu ein hawdurdod ein hunain dros hunaniaeth er mwyn osgoi deuoliaethau. Yn seiliedig ar y drafodaeth ar aralledd mewn ffuglen gyfoes defnyddia'r gyfrol hon y model hwn o greu ac ail-greu er mwyn cynnig fframwaith newydd ar gyfer dehongli ac ymdrin ag amlddiwylliannedd yng Nghymru.

Yn y pedair pennod sy'n dilyn, ystyrir sut y mae'r nofelau a'r straeon byrion dan sylw yn defnyddio aralledd eu cymeriadau mewn ffyrdd creadigol, er mwyn pwysleisio'r hybridedd a'r amrywiaeth a berthyn i'w hunaniaethau, ac yn aml er mwyn dychmygu Cymru fwy cynhwysol a llai pegynol. Yn y bennod nesaf, edrychir ar sut y mae awduron cyfoes wedi arbrofi â ffurf y nofel a'r stori fer. Canolbwyntir yma ar natur aml-leisiol y testunau dan sylw yn yr astudiaeth hon sydd yn ymgorffori fersiwn o'r frwydr rhwng yr 'hunan' a'r 'arall' yn eu strwythur er mwyn ceisio herio diffiniadau pegynaidd o Gymreictod. Yn y drydedd bennod, gan dynnu ar waith damcaniaethwyr am yr ystrydeb drefedigaethol, canolbwyntir ar sut y mae ffuglen gyfoes yn herio ystrydebau a chyferbyniadau deuaidd hanfodaidd sy'n cael eu defnyddio i ddiffinio Cymreictod trwy greu gofodau synergaidd lle gall eu cymeriadau archwilio'u hunaniaethau hybrid. Wedyn, rhoddir sylw yn y bedwaredd bennod i un ddeuoliaeth benodol sy'n effeithio ar sut y diffinnir Cymreictod, sef y berthynas rhwng y Gymraeg a'r Saesneg. Dengys yma sut y mae'r testunau'n adleisio rhai o'r dadleuon a drafodir yma am berthynas y ddwy iaith yn y Gymru gyfoes, a thrafodir sut y dychmygir gofod y dafarn fel gofod creadigol lle y gall y siaradwyr Cymraeg a Saesneg fel ei gilydd herio diffiniadau hanfodaidd o Gymreictod ar sail iaith. Ac yn olaf, try'r astudiaeth i edrych ar y portread o fudo a mewnfudo mewn ffuglen gyfoes. Pwysleisir yma'r ddelwedd o groesi ffiniau daearyddol a hanesyddol, a sut y mae'r broses honno yn caniatáu i safbwyntiau newydd ar Gymreictod ddod i'r golwg, gan hyrwyddo dealltwriaeth o Gymreictod fel hunaniaeth nad yw'n statig ond sy'n gallu newid yn gyson er mwyn wynebu datblygiadau ac amrywiaethau newydd.

Ar hyd yr astudiaeth, dadleuir yn gyson fod y ffuglen yn awgrymu bod diffiniadau o Gymreictod sy'n seiliedig ar ddeuoliaethau neu ystrydebau statig yn annigonol er mwyn cynrychioli'r amrywiaeth ddiwylliannol ac ieithyddol sy'n bresennol yng Nghymru. Wrth ddod i gasgliad, awgrymir sut y mae ffuglen, a'r modd yr eir ati i'w darllen a'i dadansoddi yng Nghymru, yn gallu dadadeiladu'r deuoliaethau neu ailddehongli'r ystrydebau hyn, gan arwain at ddychmygu cenedl fwy cynhwysol. Gan bwyso a mesur perthynas ffuglen â'r byd go iawn, awgrymir bod darllen ffuglen Gymraeg a Saesneg ochr yn ochr â'i gilydd nid unig yn tarfu ar y cyferbyniadau deuol sydd fel petai'n gosod yr ieithoedd yn erbyn ei gilydd, ond yn cynnig, yn ogystal, y posibilrwydd o ddarllen a dehongli'r amrywiaeth ddiwylliannol a berthyn i Gymru o'r newydd.

2

'Yr un alaw, gwahanol eiriau': Herio Awdurdod yn y Nofel Aml-leisiol

Mae'r dyfyniad yn nheitl y bennod hon yn eiddo i Angharad Gwyn, prif gymeriad nofel Mererid Hopwood, *O Ran* (2008). Wrth deithio ar drên o'i chartref yn Llundain i ddinas ei magwraeth, Caerdydd, myfyria Angharad ar ei phlentyndod, a sut y bu hi a'i chyfoedion yn ei hysgol Gymraeg a'r ysgol Saesneg ar draws yr heol yn rhannu'r un profiadau trwy gyfrwng gwahanol ieithoedd a thafodieithoedd. Adlewyrcha hyn ffurf y nofel ei hun, wrth i Angharad adrodd hanes ei phlentyndod o'i safbwynt hi, gan herio'r ddelwedd gyhoeddus a phoblogaidd o'i thad enwog a gyflwynir gan ei gyfoedion a'i gydnabod mewn cyfrol deyrnged iddo. Ond ymhlyg yn ei geiriau hefyd mae'r awgrym bod yr holl blant yn rhannu ymdeimlad o Gymreictod er gwaetha'r ffaith eu bod yn ei brofi neu'n ei fynegi trwy gyfrwng gwahanol ieithoedd, ac er gwaethaf gwahaniaethau yn eu cefndiroedd daearyddol. Mae *O Ran* yn destun amlhaenog, aml-leisiol a gwrthgyferbyniol, â'i ffurf yn adlewyrchu sut y gall hunaniaeth yr unigolyn a'r genedl fel ei gilydd fod yn hybrid – yn weoedd o wahanol haenau, lleisiau a ffactorau.

Er y gellid dadlau bod elfen o ansefydlogrwydd yn perthyn i nofelau fel hyn a'r unigolion neu'r hunaniaethau a bortreedir ganddynt, mae nofel Mererid Hopwood, ynghyd â'r nofelau eraill a drafodir yn y bennod hon – *Sugar and Slate* (2002) gan Charlotte Williams, *There Was a Young Man from Cardiff* (1991) gan Dannie Abse, a *Pan Oeddwn Fachgen* (2002) gan Mihangel Morgan – yn gweld elfen gadarnhaol yn y cyfle a rydd eu ffurf iddynt i herio syniadau awdurdodol am Gymreictod, yn ogystal â hunaniaethau eraill sy'n llunio'u profiad o'r byd (megis Iddewiaeth yn achos nofel Abse, neu hunaniaeth rywedd yn nofel Morgan). Mae'r modd y dychmygant hunaniaeth fel rhywbeth agored a newidiol yn rhywbeth sy'n caniatáu datblygiad syniadau am Gymreictod amlddiwylliannol. Pwysleisia ffurf y nofelau aralledd eu cymeriadau hefyd, ac er bod hynny o reidrwydd yn golygu eu bod yn archwilio teimladau'r cymeriadau o ddiffyg perthyn ac anghyflawnder, rhydd hefyd gyfle i'r darllenydd weld y byd o safbwynt y sawl sy'n ceisio herio disgwyliadau a normau cymdeithasol. Nid ydynt yn debygol o fod yn 'too intoxicating a brew' i ddarllenwyr fel rhai o'r nofelau ôl-fodernaidd mwy radical a gyhoeddwyd rhwng canol yr 1980au a chanol y 1990au, megis *Seren Wen ar Gefndir Gwyn* (1992) gan Robin Llywelyn.[1] Ond mae eu ffurf, a'r drafodaeth ar hunaniaeth y maent yn ei chynnal, yn arddangos tueddiadau ôl-fodern, ac yn herio syniadau caeedig ac awdurdodol am Gymreictod, fel yr oedd nofelau mwy delwddrylliol ac arbrofol cynt.

Mae'r testunau a archwilir yma yn destunau hybrid yn yr ystyr eu bod yn cyfuno dau *genre* neu fwy. Mae *Sugar and Slate*, er enghraifft, yn hunangofiant sydd hefyd yn addasu'r nofel ddiwydiannol, ac sy'n cynnwys barddoniaeth a rhyddiaith. Hunangofiant ffuglennol a gawn hefyd gan Dannie Abse, ond ar ffurf nifer o straeon byrion ac adrannau 'Focus' sy'n cyflwyno hanes ffigyrau enwog, megis Joseph Stalin. Mae nofel Mererid Hopwood yn cynnwys darnau o gyfrol deyrnged i un o'i chymeriadau ffuglennol, yn ogystal â gwrthnaratif merch y cymeriad hwn sydd efallai yn tynnu ar elfennau o gefndir ac o fywyd yr awdures ei hun.[2] Cawn yr argraff bod cefndir Mihangel Morgan yn sail i'w nofel yntau, testun sy'n gyfuniad o hunangofiant ffuglennol, nofel dditectif ac astudiaeth ieithyddol. Mae'r nofelau hyn, fel sawl nofel Gymreig gyfoes arall yn defnyddio'u ffurf aml-leisiol, hybrid er mwyn llunio testunau sy'n arddangos deuoliaeth agwedd tuag at fetanaratifau awdurdodol, sy'n nodweddiadol o feddylfryd ôl-fodernaidd.[3] 'Metanaratif' yw'r enw a roddir ar naratif mawr sy'n honni ei fod yn adrodd gwir hanes cymdeithas benodol ac yn esbonio ei bodolaeth, a hynny oherwydd ei fod yn rhagweld cyflawni nod neu syniad canolog y gymuned honno. Enghraifft o fetanaratif yw syniad canolog Marcsiaeth sy'n rhagweld cwymp cyfalafiaeth a thrawsnewid cymdeithas i un sosialaidd yn rhan anochel o ddatblygiad y byd.

Mae'r cyfnod ôl-fodern wedi esgor ar gryn amheuaeth ynghylch metanaratifau. Un o brif ddamcaniaethwyr maes ôl-foderniaeth yw Jean-François Lyotard a ddiffiniodd ôl-foderniaeth fel 'an incredulity towards metanarratives'.[4] Wrth egluro effaith theorïau ôl-fodernaidd ar agweddau tuag at fetanaratifau sefydlog megis Marcsiaeth, disgrifia Peter Barry fetanaratifau (gan aralleirio Lyotard) fel 'the would-be authoritative "overarching", "totalising" explanations of things – like Christianity, Marxism or the myth of scientific progress'.[5] Ychwanega hefyd '"Grand Narratives" of progress and human perfectibility, then, are no longer tenable, and the best we can hope for is a series of "mininarratives", which are provisional, contingent, temporary and relative and which provide a basis for the actions of specific groups in particular local circumstances'.[6] Mae disgrifiad Barry o 'mininarratives' yn gweddu i'r hyn a geir yn y nofelau sydd dan sylw yn y bennod hon gan fod y storïau yn cyflwyno amrywiaeth o naratifau sy'n cynrychioli safbwyntiau goddrychol penodol, gwahanol sy'n newid dros amser, neu sy'n ddibynnol ar fininaratifau eraill i greu darlun mwy cyflawn. Bydd yr ymdriniaeth ddilynol â'r naratifau hyn yn berthnasol i'r drafodaeth hon ar aralledd, gan fod ffurf aml-leisiol y nofelau yn tanseilio'r syniad bod un naratif yn gallu cynnig esboniad cyflawn o hunaniaeth y cymeriadau dan sylw, yn yr un modd ag y mae'r 'arall' yn tanseilio gallu'r 'hunan' i'w adnabod ei hun yn gyflawn.

Mae'r nofelau hybrid hyn yn cyflwyno sawl llais i'r darllenydd, ac mae'r cyfuniadau hyn o leisiau gwahanol yn golygu na cheir yn aml yn y nofelau dan sylw un llais yn tywys y darllenydd mewn modd unionlin. Mae'r lleisiau'n cyflwyno'r straeon o sawl safbwynt gwahanol a gwrthgyferbyniol, er mwyn arddangos hunaniaethau cymhleth eu cymeriadau. Efallai bod synied fel hyn am hunaniaeth gymhleth yn arwyddocaol o sefyllfa'r nofel Gymreig yn fwy cyffredinol, a'i hanes a'i hunaniaeth gymhleth. Mewn darlith ar hanes datblygiad y nofel Gymreig o'r 1600au hyd ddechrau'r ugeinfed ganrif, dadleuodd Katie Gramich y gellir ystyried *genre* y nofel yng Nghymru yn un hybrid ers ei dyddiau cynharaf, lle y gellir gweld enghreifftiau o ddylanwad arddulliau llên teithio, pregethau a mathau eraill o ysgrifennu ar ei ffurf.[7] Mae ysgrifennu nofel yn y cyd-destun Cymreig yn ddiddorol ynddi ei hun, oherwydd mae'n bosib meddwl amdani fel ffurf estron a ddatblygodd yn weddol hwyr yng Nghymru, o'i chymharu â gwledydd eraill megis Lloegr. Wrth drafod datblygiad y nofel Gymraeg yn yr ugeinfed ganrif, cyniga John Rowlands ambell reswm dros hyn:

> The late emergence of the Welsh-language novel is a truism which cannot be explained away. In a country priding itself on the widespread literacy among its gwerin or peasantry, and on the volume of its publications during the [nineteenth] century, the failure to take the novel seriously (it was in fact called a ffugchwedl, 'a false tale' or 'fictitious tale') may have been due to a large degree to the lack of an educated middle class.[8]

Mae'r awgrym hwn fod y nofel yn perthyn i'r dosbarth canol estron a dominyddol yn rhywbeth a bwysleisia Raymond Williams wrth esbonio ymddangosiad hwyr y nofel ddiwydiannol yn y Gymraeg a'r Saesneg yng Nghymru hefyd. Esbonia'r heriau sosioeconomaidd a diwylliannol a wynebai'r awduron Cymreig, dosbarth gweithiol wrth fynd ati i ysgrifennu yn y dull hwn:

> unlike the English [h.y. o Loegr] nineteenth-century examples, when [the Welsh industrial novels appear] they are, in majority, written from inside the industrial communities; they are working-class novels in the new and distinctive twentieth-century sense . . . [the authors'] characteristic problem was the relation of their intentions and experience to the dominant literary forms, shaped primarily as these were by another and dominant class.[9]

Yr hyn y mae Raymond Williams yn ei olrhain felly yw datblygiad *genre* hybrid, lle mae ffurf Seisnig a themâu Cymreig yn dod at ei gilydd i greu cynnyrch celfyddydol newydd. Yn ôl Wiliam Owen Roberts ac Iwan Llwyd Williams, mae llawer o bwyslais, yn arbennig efallai mewn diwylliant ieithyddol lleiafrifol fel y Gymraeg, ar ffurfiau llenyddol traddodiadol, megis y canu caeth. Sonnid sut, ym myd llenyddiaeth iaith leiafrifol megis y Gymraeg, gyda chyn lleied o feirniaid yn gweithio yn y maes a'r diffyg amrywiaeth barn sydd i'w chanfod yno, 'haws o lawer yw glynu wrth foddau mynegiant y traddodiad (er enghraifft, cywydd, awdl, englyn): delweddau y traddodiad; chwedloniaeth y traddodiad; mythau y traddodiad; ieithwedd y traddodiad; nostalgia y traddodiad, heb unwaith amau dilysrwydd y cyfan'.[10]

Yn nhraddodiad y nofel yng Nghymru ers dechrau'r ugeinfed ganrif, y dull realaidd sydd wedi tra-arglwyddiaethu, tan yn gymharol ddiweddar.[11] Ond fel y nodwyd eisoes, nid yw'r nofelau dan sylw yn cael eu hadrodd mewn modd unionlin gan adroddwr sefydlog. Nid nofelau realaidd mohonynt, felly. Gosododd y beirniad toreithiog yn y maes, yr Hwngariad György Lukács, ger ein bron fanteision y dull realaidd a diffygion dulliau newydd, arbrofol o ysgrifennu rhyddiaith. Roedd Lukács yn ysgrifennu cyn datblygiad ôl-foderniaeth, ac yn ysgrifennu yma er mwyn clodfori'r dull realaidd a ddefnyddia rhai o nofelwyr y bedwaredd ganrif ar bymtheg, megis y Ffrancwr Honoré de Balzac. Iddo ef, y dull realaidd yn unig a allai ddarlunio cymeriadau a bydoedd cyflawn:

> True great realism thus depicts man and society as complete entities . . . Measured by this criterion, artistic trends determined by either exclusive introspection or exclusive extraversion equally impoverish and distort reality. Thus realism means a three dimensionality, an all-roundness, that endows with independent life characters and human relationships.[12]

Mae ffuglen realaidd yn dibynnu ar sefydlogrwydd. Yn aml ceir adroddwr hollwybodus, ac mae'r naratif yn symud tuag at ddatrys sefyllfa mewn modd sy'n cadarnhau'r drefn gymdeithasol awdurdodol. Ond er mwyn i'r drefn hon gael ei chadarnhau mae'n rhaid i'r cymeriadau, yr adroddwr, a hyd yn oed y darllenydd fod yn gyfarwydd â'i rheolau a'i chodau. Dyma esbonio pwyslais Lukács ar 'man and society as complete entities'. Gellir cysylltu hyn â syniad Lukács mai creu 'types' yw'r ffordd orau o gyfleu 'the complete human personality'.[13] Byddai'r 'types' hyn yn adnabyddadwy i'r sawl sy'n gyfarwydd â'r drefn gymdeithasol, ac felly yn ei chadarnhau unwaith eto. Mae geiriau Lukács yn adleisio datganiad Friedrich Engels mewn llythyr at y nofelydd Margaret Harkness '[r]ealism . . . implies . . . the truthful reproduction of typical characters under typical circumstances'.[14]

Mae'n bwysig nodi bod Lukács, fel Engels, yn ysgrifennu o safbwynt Marcsaidd, a gellir dadlau bod hyn yn lliwio ei farn am oruchafiaeth realaeth. Noda Peter Barry fod beirniadaeth lenyddol Farcsaidd yn tueddu i ymdrin â hanes 'in a fairly generalised way. It talks about conflicts between social classes, and clashes of large historical forces, but, contrary to popular belief, it rarely discusses the detail of a specific historical situation and relates it closely to the interpretation of a particular literary text.'[15] Mae beirniadaeth Farcsaidd, fel y'i dehonglir gan Barry, yn ddibynnol ar fetanaratifau; mae'r syniad am rymoedd hanesyddol yn galw i gof y modd y mae metanaratif yn rhagweld bod hanes y gymdeithas sy'n ei arddel yn symud tuag at gyflawni ei syniad canolog. Yn yr ystyr hwnnw, gellir dadlau bod y nofel realaidd yn ymdebygu i fetanaratif gan fod ei stori yn symud tuag at ddatrysiad disgwyliedig. Mae'r duedd a ddisgrifia Barry ym meirniadaeth Farcsaidd i gyffredinoli yn adleisio'r hyn a ddywed Lukács ac Engels am 'types' a 'typical characters under typical circumstances'.

Mae'n ddiddorol ystyried dyfyniad Lukács yng nghyd-destun y syniad o gyflawnrwydd a grybwyllwyd ganddo hefyd. Trafodwyd yn y bennod flaenorol sut y mae'r 'hunan', yn ôl gwaith Hegel, yn brwydro â'r 'arall' er mwyn cadarnhau sicrwydd neu gyfanrwydd ei hunaniaeth. Mae'r syniad o gwblhad yn perthyn i'r termau 'cyflawnrwydd' a 'chyfanrwydd' fel ei gilydd, sydd unwaith eto'n adleisio'r ffordd y mae metanaratif yn rhagweld cwblhau syniad canolog y gymdeithas y perthyna iddi. Ond yn y testunau y bydd y bennod hon yn eu trafod, nid yw'r cymeriadau yn ymddangos yn gyflawn na'n gyfan – mae ganddynt hunaniaethau rhanedig. Nid yw'r nofelau sydd dan sylw yn arddel bydolwg sy'n honni bod undod cymdeithasol neu genedlaethol, neu wirionedd awdurdodol yn bodoli ac mae eu ffurff fel petai'n adlewyrchu hynny. Yn hytrach na metanaratif, mae eu hymgais i archwilio hunaniaethau eu cymeriadau yn ddibynnol ar yr hyn y mae Barry'n ei ddisgrifio fel '"mininarratives", which are provisional, contingent, temporary and relative'.[16] Er mwyn creu'r mininaratifau hyn mae'r nofelau yn mabwysiadu dull aml-leisiol a ddisgrifir gan y beirniad llenyddol Rwsiaidd, Mikhail Bakhtin. Mae Bakhtin yn dadlau bod y nofel yn *genre* sy'n amwys, â'i hieithweddau yn enghreifftio'r hyn a elwir ganddo yn 'double-voiced' neu'n 'double-languaged'.[17] Mae hyn yn gweddu i'r nofelau hybrid sydd dan sylw yn y bennod hon, yn ogystal â'u cymeriadau hybrid a'r cymdeithasau hybrid y maent yn eu portreadu.

Mae'r hyn a ddywed Bakhtin am natur aml-leisiol y nofel yn ddefnyddiol iawn wrth feddwl sut y mae ffurf y nofelau hyn yn caniatáu i'r awduron gyflwyno cymeriadau, straeon a themâu sy'n herio hanesion neu ddisgyrsiau swyddogol, sefydlog. Yn ei ddadansoddiad o ddisgẃrs yn y nofel, mae Bakhtin yn dadlau bod y nofel yn cynnwys sawl math o iaith neu ieithwedd. Gall y rhain gynnwys: traethu'r adroddw(y)r; iaith y cymeriadau; yn ogystal â thestunau eraill oddi mewn i'r nofel, megis llythyron neu ddyddiaduron, neu ddarnau o'r testun sy'n adleisio testunau eraill, megis gweithiau athronyddol.[18] Mae'r rhain yn bodoli ar sawl lefel ieithyddol wahanol sy'n arddangos eu nodweddion arddull eu hunain.[19] Er eu bod yn ymddangos fel ieithweddau ar wahân, noda Bakhtin eu bod yn cyfuno yn y nofel i ffurfio system lle y maent yn 'subordinated to the higher stylistic unity of the work as a whole, a unity that cannot be identified with any single one of the unities subordinated to it'.[20] Maent yn destunau sy'n defnyddio amrywiaith (*heteroglossia*), felly.[21]

Mae Bakhtin yn dadlau bod testun y nofel yn ddeuleisiol, bod pob ymadrodd yn gweithio ar ddwy lefel ieithyddol wahanol, ac maent felly yn 'contradiction-ridden, tension-filled'.[22] Â Bakhtin ymlaen i gymharu dulliau traethu yn nofelau'r ddau Rwsiad enwog, Leo Tolstoy a Fyodor Dostoyevsky, er mwyn pwysleisio ei theori ynglŷn â goruchafiaethau'r dull traethu aml-leisiol. Ystyria fod Tolstoy yn traethu gan ddefnyddio'r dull a elwir ganddo yn 'authoritative discourse', testun lle y ceir nifer fechan o leisiau a safbwyntiau. Nodweddion y dull hwn, yn ôl Bakhtin, yw '[i]ts inertia, its semantic finiteness and calcification, the degree to which it is hard-edged, a thing in its own right, the impermissibility of any free stylistic development in relation to it'.[23] Ymddengys yr hyn a ddywed Bakhtin am ddisgẃrs awdurdodol yn berthnasol i drafodaeth ar yr 'hunan' a'r 'arall' yn nhermau Hegel. Mae'r ffaith ei fod yn 'thing in its own right' yn ein hatgoffa o'r ffordd y mae'r 'hunan', yn ôl Hegel, yn bod er ei fwyn ei hun, heb fod yn ddibynnol ar unrhyw beth arall. Mae ganddo berthynas amlwg ag awdurdod a phŵer hefyd: '[a]uthoritative discourse may embody various contents: authority as such, or the authoritativeness of tradition, of generally acknowledged truths, of the official line and other similar authorities'.[24]

Dadleua Bakhtin mai'r hyn sy'n gwrthwynebu disgẃrs awdurdodol yw 'internally persuasive discourse', sy'n ddull aml-leisiol, ac a ddefnyddir gan Dostoyevsky.[25] Cred fod y defnydd o'r dull aml-leisiol hwn yn bwysig iawn wrth lunio stori sy'n dangos 'someone [who] is striving to expose the limitations of both image and discourse'.[26] Mae'r frwydr a wêl Bakhtin yn digwydd rhwng gwahanol fathau o ddisgyrsiau mewnol yn golygu nad oes modd i ddisgẃrs awdurdodol ddatblygu – '[it] is not *finite*, it is open'.[27] Mae nofelau o'r math hwn yn defnyddio sawl llais gwahanol nid yn unig er mwyn dangos anfodlonrwydd gydag awdurdod a dulliau swyddogol o drefnu'r byd, ond er mwyn ceisio creu lle i'w cymeriadau yn y byd hwnnw, er mwyn darganfod eu llais eu hunain:

> The importance of struggling with another's discourse, its influence in the history of an individual's coming to ideological consciousness, is enormous. One's own discourse and one's own voice, although born of another or dynamically stimulated by another, will sooner or later begin to liberate themselves from the authority of the other's discourse. This process is made more complex by the fact that a variety of alien voices enter into the struggle for influence within an individual's consciousness.[28]

Yn ogystal ag adleisio brwydr barhaus yr 'hunan' a'r 'arall', mae gan y disgrifiad hwn o'r frwydr i ddefnyddio'ch llais eich hun berthnasedd amlwg nid yn unig i sefyllfa ddwyieithog Cymru, ond i gymdeithasau amlddiwylliannol neu ôl-drefedigaethol yn gyffredinol. Mae yma gyswllt â syniadau Fanon am iaith yn y cyd-destun trefedigaethol, ond mae yma hefyd ymdeimlad o ddeuoliaeth agwedd, chwedl Bhabha, yn yr awydd am ryddhad oddi wrth awdurdod rhywun arall. Mae Bakhtin yn ystyried bod y dull hwn o draethu yn dangos 'a profound and unresolved conflict with another's word'.[29] O ganlyniad, ymddengys theori Bakhtin yn un addas iawn i'w chymhwyso i sawl nofel Gymreig gyfoes. Bydd y drafodaeth sy'n dilyn yn dangos sut y mae'r nofelau dan sylw yn defnyddio dulliau aml-leisiol er mwyn herio disgyrsiau awdurdodol – er mwyn dangos 'conflict with another's word' – sy'n llunio hunaniaethau Cymreig. Bydd y rhain yn cynnwys disgyrsiau llenyddol, megis yr hyn a geir yn y nofel ddiwydiannol neu'r cofiant, neu ddisgyrsiau cymdeithasol neu hanesyddol awdurdodol, megis metanaratifau am rywedd, y Gymru Gymraeg a hanes Iddewiaeth yn yr ugeinfed ganrif.

'Very black and very Welsh': ailddehongli'r Gymru ddiwydiannol yn Sugar and Slate

Llais Charlotte Williams yw un o'r lleisiau mwyaf amlwg yn y dadleuon ynglŷn ag amlddiwylliannedd yng Nghymru, ac mae ei nofel hunangofiannol, *Sugar and Slate*, yn cynnig un o'r portreadau mwyaf cynnil a sensitif o amrywiaeth ddiwylliannol Cymru a'i holl gymhlethdodau. Mae cynnwys trafodaeth ar ei gwaith creadigol yn fodd o herio'r duedd i feddwl am dde Cymru fel canolbwynt amlddiwylliannol y genedl. Mae hynny oherwydd bod *Sugar and Slate* yn olrhain hanes a phrofiadau Charlotte Williams fel Cymraes ddu a fagwyd yng ngogledd Cymru, ac ardal Llandudno yw canolbwynt y rhannau hynny o'r nofel sydd wedi'u lleoli yng Nghymru. Mae atgofion cymeriad Charlotte yn y nofel am ei bywyd yn golygu bod rhannau eraill y nofel yn canolbwyntio ar wledydd gogledd Affrica, lle y treuliodd amser pan oedd yn blentyn ifanc oherwydd gofynion gwaith ei thad, a Gaiana yn Ne America, lle y symudodd gyda'i gŵr i fyw am gyfnod.[30] O ganlyniad, mae'r nofel hunangofiannol hon yn dangos sut y mae rhannu Cymru'n ddwy mewn dulliau ystrydebol – y gogledd gwledig, unffurf a'r de trefol/diwydiannol, amlddiwylliannol – yn eithrio rhai unigolion rhag teimlo eu bod yn perthyn i'r wlad. Yn hynny o beth mae nofel Charlotte Williams yn cyfeirio at dde Cymru yn dra aml, boed yn uniongyrchol neu'n anuniongyrchol, er mwyn ceisio pwysleisio'r disgyrsiau hanfodaidd am Gymreictod a natur y Gymru amlddiwylliannol. Mae'r disgyrsiau hyn yn cynrychioli 'another's word', chwedl Bakhtin, ffyrdd eraill o ddiffinio perthyn i Gymru, ac mae'r rhain, ym marn Charlotte Williams, wedi ei gwneud yn anodd iddi berthyn. Mae *Sugar and Slate* yn tanseilio'r ffyrdd ystrydebol o ddiffinio Cymreictod, felly, er mwyn creu gofod sy'n cynrychioli ei hunaniaeth.

Mae natur hybrid nofel Williams yn arwydd o'r ymgais hon i gynnig safbwyntiau amrywiol ar amlddiwylliannedd Cymreig, yn hytrach na chynnig diffiniad awdurdodol ohono. Yn ogystal â'r darnau rhyddieithol, hunangofiannol, mae'r testun yn cynnwys cerddi, rhai o eiddo Williams ei hun, a llythyron oddi wrth wahanol aelodau o'i theulu. Yn ogystal â hynny, mae'r ffaith bod y nofel yn olrhain teithiau rhwng Affrica, Gaiana a Phrydain yn golygu bod ei stori'n adleisio caethfasnach Cefnfor yr Iwerydd, ac mae ei hymgais i'n hatgoffa o rôl Cymru yn y gweithredoedd hynny hefyd yn golygu bod y testun yn rhyw fath o hanes Cymreig amgen. Yn hynny o beth, mae'r gwaith yn ymgais gan Williams i ddod o hyd i'w lle yn y Gymru gyfoes. Mae ffurf ddrylliedig y nofel yn adlewyrchu ei hunaniaeth ddrylliedig, anghyflawn – ei hatgofion o '[growing] up in a small Welsh town amongst people with pale faces, feeling that to be half Welsh and half Afro-Caribbean was always to be half of something but never quite anything whole at all',[31] a'i chyfeiriad at ei '[n]ot-identity'.[32] Mae'r cyflwr hwn o ddiddymdra, o beidio â theimlo'n gyflawn, yn arwydd o'i haralledd. Mae C. L. Innes yn dadlau bod yr ymdeimlad hwn o israddoldeb ac ansicrwydd ynglŷn â hunaniaeth yn peri bod ysgrifennu hunangofiannol yn nodweddiadol o lenyddiaeth ôl-drefedigaethol. Gan dynnu ar waith Frantz Fanon, fe esbonia: 'Fanon comments that the colonial denial of the humanity of the colonized drives them "to ask the question constantly 'Who am I?'". Hence it is not surprising that autobiography in fiction and poetry become pervasive modes in postcolonial writing.'[33]

Ond mae ffurf hybrid, aml-leisiol y gwaith hefyd yn caniatáu iddi danseilio'r angen hwn i fod yn gyflawn yn ei Chymreictod, gan wadu bodolaeth y fath beth â hunaniaeth genedlaethol unffurf, sefydlog. Tua diwedd y nofel, noda sut y mae ei Chymreictod hi yn cymathu elfennau o ddiwylliannau eraill, gan obeithio am ddyfodol i'w hwyres, Ruby, lle nad oes un ffordd yn unig o berthyn i'r genedl:

> We may look to Africa or the Caribbean for our inspirational cues, we may inherit fragments of a traditional culture from our parents, but these we reformulate and reinvent and locate in our home places.
>
> I dream Ruby's Wales, a future Wales where the search for one voice gives way to a chorus of voices that make up what it is to be Welsh.[34]

Gan adleisio geiriau nofel Mererid Hopwood a drafodwyd eisoes, mae'r gyfeiriadaeth yma at gyfuniad o leisiau yn galw i gof syniadau Bakhtin am yr aml-leisiol, ac yn gwneud hynny at bwrpas synergaidd hefyd. Mae hyn yn fwy na dod â dau wahanol ddiwylliant at ei gilydd. Mae'n weithred o greu rhywbeth newydd.

Mewn ysgrif s'yn trafod ei hymgais i archwilio ei hunaniaeth gan ddefnyddio testunau llenyddol sydd wedi creu argraff arni, noda Williams ei bod wedi gwrthod testunau gan awduron o'r Caribî, megis gwaith Jean Rhys neu Grace Nichols, yn ogystal â thestunau Cymraeg, gan awduron megis Kate Roberts a Marion Eames, gan nad oedd am archwilio'r ddwy dreftadaeth hyn fel endidau gwrthwynebol, ar wahân.[35] Ond yn ogystal â hynny, noda sut y teimlai fod glynu at syniadau rhagdybiedig yn ei hatal rhag mynegi ei hunaniaeth ei hun, gan dynnu ar yr ieithwedd a ddefnyddia yn *Sugar and Slate*.

> I felt inadequate to the predominant representations of Welsh cultural identity and inadequate against some notion of 'Caribbean-ness'.

However, it was within this quest that I came to a profound rejection of the 'half-half' binary as it had been presented to me. I grew up half-Welsh, half-black, half-caste, half-white, never whole ... There could be no singular mode, or even binary mode, of identifying across these potential positionings ...[36]

Yn hytrach na cheisio diffinio'i hunaniaeth trwy gyfuno gwahanol hunaniaethau sydd eisoes wedi'u diffinio gan eraill, mae Williams yn arddel agwedd synergaidd tuag at hunaniaeth, sy'n tynnu ar Drydydd Gofod Bhabha. Disgrifia Williams hyn fel 'a constant mixing of heritage and traditions and a constant movement towards their identification and reformulations. It is within the remix that the spaces open up for the claiming and the negotiation of multiple identities.'[37]

Mae nofel hunangofiannol Williams fel petai'n dilyn y dull a ddisgrifir ganddi uchod. Yn hynny o beth mae'n adleisio'r hyn a ddywed Bakhtin am y modd y mae nofelau aml-leisiol yn adlewyrchu 'a profound unresolved conflict with another's word'.[38] Geiriau rhywun arall yn yr achos hwn yw diffiniadau hanfodaidd am yr hunaniaethau Cymreig a Charibïaidd sy'n rhan o dreftadaeth Williams, yn ogystal â disgyrsiau hanfodaidd amlddiwylliannedd yng Nghymru. Mae ei sgwrs â'i ffrind Suzanne o Gaerdydd yn adlewyrchu'r disgẃrs awdurdodol sy'n cyfyngu amlddiwylliannedd Cymreig, a chymunedau du ac ethnig lleiafrifol i'r brifddinas, neu, a dweud y gwir, i un rhan ohoni hyd yn oed:

I thought Suzanne was lucky. She's Cardiff black and that's at least a recognised, albeit tiny, patch of Wales shaded with a little colour. She knew people who looked and thought like her. She belonged to something called a black community. She had history on her side.

'You're not so bothered about the roots business Suzanne, because you've got roots,' I said. 'Africans have been in Cardiff for a hundred and fifty years at least. You don't need to go checking out your ancestors, they're right there on your doorstep explaining you.'

...

'...You're Welsh all right. I envy you that,' I said.

'You've got that one wrong for a start. I belong to a little bit of Cardiff, not Wales at all. Wales, what's that?' she asked.[39]

Yma, nid unigolion neu gymunedau o gefndiroedd ethnig amrywiol y tu hwnt i Gaerdydd yn unig (fel Williams a'i theulu) sy'n profi aralledd oherwydd y duedd i feddwl am y brifddinas fel lleoliad y Gymru amlddiwylliannol. Mae cymuned ddu Trebiwt ei hun, y gymuned y mae Suzanne yn perthyn iddi, yn teimlo ei bod wedi'i chyfyngu i berthyn i ran fechan o Gymru yn unig, yn hytrach na'r wlad gyfan. Nid ydynt yn teimlo'n gyflawn yn eu Cymreictod oherwydd disgyrsiau awdurdodol am Gymru sy'n lleoli'r Gymru amlddiwylliannol yn ninasoedd y de, a Chaerdydd yn arbennig, ac sy'n dychmygu nad oes amrywiaeth ddiwylliannol yn perthyn i ardaloedd mwy gwledig y gogledd. Mae cyfraniad *Sugar and Slate* i'r astudiaeth hon yn ymwneud â'r cymhlethdod hwn. Er ei bod wedi'i lleoli yng ngogledd Affrica, Gaiana a gogledd Cymru, ac er na welwn Charlotte yn ne Cymru heblaw am un olygfa yn 'Cymdonkin [*sic*] Park' yn Abertawe yn ystod ei phlentyndod,[40] mae gan nofel hunangofiannol Williams lawer i'w ddweud am amlddiwylliannedd ac aralledd yn ne Cymru, yn ogystal ag ardaloedd eraill y wlad. Mae'r testunau dan sylw yn yr astudiaeth hon yn aml yn cymharu'r ardal hon ag ardaloedd eraill o Gymru, a chymeriadau'n teithio o un man i'r llall. Mae hynny'n wir am *Sugar and Slate*, ac elfen bwysig ohoni yw'r modd y mae rhaniadau pendant rhwng de a gogledd, diwydiannol a gwledig, Saesneg a Chymraeg, du a gwyn, yn cael effaith ar deimladau Charlotte o aralledd.

Mae *Sugar and Slate* yn herio sawl disgẃrs am Gymru a Chymreictod, felly. Un ffordd yr eir ati i herio'r disgyrsiau hyn yn y testun yw trwy ddadadeiladu'r ddelwedd o'r Gymru ddiwydiannol. Yn ogystal â chyfuno cerddi, naratifau hunangofiannol a llythyron sy'n caniatáu i wahanol rannau o stori Williams dynnu'n groes i'w gilydd, mae *Sugar and Slate* yn ymdebygu ar brydiau i *genre* y nofel ddiwydiannol Gymreig, fel y'i diffinnir gan Raymond Williams (fel y trafodir yn y man). Ailddehongla'r testun y gofod diwydiannol hwn er mwyn ailfeddwl rhai diffiniadau pegynol sy'n cefnogi disgyrsiau hanfodaidd am Gymreictod, megis rhai sy'n rhannu Cymru'n dde diwydiannol, amlddiwylliannol, Saesneg ei iaith a gogledd gwledig, monoddiwylliannol, Cymraeg ei iaith. Gwna hyn hefyd er mwyn herio disgyrsiau sy'n portreadu'r Cymry fel rhywrai sydd wedi dioddef oherwydd system drefedigaethol. Mae lle i ddadlau bod y ddelwedd o Gymru ddiwydiannol yn un a gysylltir â rhyw fath o ormes drefedigaethol. Wrth grybwyll yr heriau sy'n wynebu'r sawl a geisiai ddehongli Cymru o safbwynt ôl-drefedigaethol, noda Chris Williams:

> It should not take long for us to recognize that any parallels that might be drawn between Wales and any of the former 'non-white' colonies ... are little more than self-indulgent and potentially offensive illusions. Where, in the history of modern Wales, is the Welsh equivalent of the Amritsar Massacre? (And no, neither the Merthyr nor the Newport Risings qualify.)[41]

Er ei fod yn dadlau nad oes modd dehongli digwyddiad megis Terfysg Merthyr ym 1831 yn yr un modd â therfysgoedd mwy gwaedlyd a ddigwyddodd ar draws yr Ymerodraeth Brydeinig, mae geiriau a thôn y dyfyniad hwn o waith Chris Williams yn awgrymu y gellir disgwyl y byddai rhai'n synied am y berthynas anghyfartal rhwng gweithwyr diwydiannol a'u meistri yn y bedwaredd ganrif ar bymtheg fel un drefedigaethol. Byddai modd dadlau bod y duedd hon i feddwl am y berthynas rhwng gweithwyr diwydiannol a'u meistri yn nhermau perthynas anghyfartal rhwng y Cymry a'r Saeson yn parhau, ar sawl ffurf ddiwylliannol. Yn rhaglen deledu y BBC *The Indian Doctor* (2010), sy'n dilyn hanes meddyg o India sy'n symud i gwm diwydiannol yn ne Cymru, gwelir y motiff hwn eto. Yng nghyfres gyntaf y rhaglen, rheolir y pwll glo gan Sais sy'n peryglu bywydau ei weithwyr (sy'n Gymry i gyd) trwy anwybyddu rhybuddion diogelwch er mwyn creu elw a hybu ei yrfa ei hun.[42]

Er bod Charlotte Williams weithiau'n tynnu ar y berthynas ddeuaidd hon rhwng Cymru a Lloegr yn *Sugar and Slate*, fel y gwelwyd yn y bennod flaenorol, pan ddaw i drafod y Gymru ddiwydiannol mae'n ymwrthod â'r pegynu hwn. Mae adeiledd y nofel, sy'n seiliedig ar deithiau Charlotte rhwng Cymru, gogledd Affrica a'r Caribî, a'i chyfnod ym maes awyr Piarco, Trinidad, yn aros am awyren sydd wedi'i gohirio, yn ehangu'r gofod diwydiannol Cymreig. Wrth i Charlotte deithio ar draws y byd, edrydd sut y cyflawnai llwythau eraill siwrneiau cyfochrog, ganrifoedd ynghynt, gan greu cyswllt tywyll rhwng ei hanes hi, hanes y gymuned ddu, a hanes y Gymru ddiwydiannol:

> Perhaps the iron bar may have gone down in history as a simple fact of the industrial development of parts of Wales were it not for other world events [. . .] It was the ingenious coupling of iron hunger with a sudden increase in the need for labour on the West Indian sugar plantations that sealed a terrible fate. As the sugar industry grew in the Caribbean so did the need for manpower and this could only ever mean one thing – the evolution of a malignant trade. The African iron hunger was fed and strengthened by the trade in human beings [. . .] a great movement of human cargo to the Caribbean. Only by trading their fellow man could the Africans acquire the iron they needed so badly. Iron had become the back-bone of industrial development in many areas of Britain; in Wales in particular, the iron masters grew wealthier and wealthier, ploughing back the profits of spices and sugar and slaves to make more and more iron bars and then manacles, fetters, neck collars, chains, branding irons, thumb screws . . .[43]

Yn hytrach na chanolbwyntio ar y berthynas ddeuol â Lloegr, trwy bwysleisio'r defnydd a wnaed o haearn Cymreig yn y gaethfasnach ryngwladol, mae Charlotte Williams yn cysylltu'r Gymru ddiwydiannol ag Affrica a'r Caribî, gan hawlio lle i'w hynafiaid du yn hanes y genedl. Yn fwy diddorol, mae'r ffaith y cydnebydd fod y Cymry a'r Affricanwyr fel ei gilydd yn gyfrifol mewn rhyw ffordd am barhad y fasnach hon yn golygu bod ei stori'n ymwrthod â phegynu syml rhwng gormeswyr a dioddefwyr.

Yn hynny o beth mae *Sugar and Slate* yn ailasesu disgyrsiau awdurdodol, pegynol sy'n llunio'r hunaniaeth Gymreig, a thrwy ddatgysylltu'r cyferbyniadau deuaidd hyn, daw'r Gymru ddiwydiannol yn ofod trosiadol lle y gall hunaniaethau Cymreig, Affricanaidd a Charibïaidd Williams gyd-fyw yn annisgwyl. Mae hyn yn amlwg yn nheitl ei nofel hunangofiannol lle y mae siwgr planhigfeydd y Caribî yn ymuno â'r llechi a gloddiwyd yng ngogledd Cymru ers oes y Rhufeiniaid a thrwy gydol twf diwydiannol y bedwaredd ganrif ar bymtheg a dechrau'r ugeinfed ganrif. Mae'r sylw a rydd Charlotte Williams i ogledd Cymru yn arbennig o bwysig – trwy adrodd hanes ei magwraeth yn ardal Llandudno mae'n dadadeiladu un o'r disgyrsiau awdurdodol eraill am Gymru sy'n dychmygu'r de fel ardal drefol, ddiwydiannol ac amlddiwylliannol a'r gogledd fel ardal wledig, ynysig a chaeedig. Yn ogystal â cheisio dadadeiladu'r ddelwedd o'r Gymru ddiwydiannol, mae *Sugar and Slate* yn addasu'r nofel ddiwydiannol Gymreig a gaiff ei diffinio gan Raymond Williams.

Fel y trafodwyd eisoes, yn ei ddarlith *The Welsh Industrial Novel*, a draddodwyd ym 1978 ac a gyhoeddwyd y flwyddyn ganlynol, dadleua Raymond Williams fod nofelwyr diwydiannol Cymreig yr ugeinfed ganrif wedi wynebu heriau wrth geisio addasu ffurf Seisnig, dosbarth canol y nofel, ffurf a oedd yn perthyn i ddiwylliant gwahanol, dominyddol. Er ei fod yn nodi bod y nofelwyr diwydiannol Cymreig wedi'u dylanwadu gan *genre* yr hunangofiant, a oedd yn hygyrch iddynt, dadleua Raymond Williams fod yr awduron hyn yn osgoi rhoi rôl ganolog i'r unigolyn fel y gwna'r ffurf honno a'r nofel yn gyffredinol.[44] Yn hytrach, fe wêl fod y teulu yn ganolbwynt i nofelau diwydiannol Cymreig:

> The most accessible immediate form in [the Welsh industrial] novel is the story of a family. This gives the writer his focus on primary relationships but of course with the difficulty that what is really being written, through it, is the story of a class; indeed effectively, given the local historical circumstances, of a people.[45]

Noda hefyd sut y mae rhaniadau mewnol y teulu ffuglennol – yr amrywiaeth o leisiau, efallai – yn cynrychioli rhaniadau'r frwydr wleidyddol hefyd. Fe esbonia:

> the family is ... pulled in one direction after another and yet ... the family persists, but persists in a sense of defeat and loss. [The family becomes] an epitome of political struggle as the conflicting versions and affiliations of that struggle are represented not only generally [in the events of the novel] but inside the family.[46]

Mae'r teulu yn y nofel ddiwydiannol felly yn aml-leisiol, ac yn cynrychioli nifer o wahanol safbwyntiau.

Ond tra noda Raymond Williams fod y nofel ddiwydiannol Gymreig yn defnyddio'r teulu i bortreadu hanes y dosbarth gweithiol, mae *Sugar and Slate* yn defnyddio hanes teulu er mwyn archwilio hanes y gymuned ddu, a thrwy hynny'n archwilio hunaniaeth y gymuned honno a hanes y genedl gyfan o'r newydd. Fel rhywun sy'n gymysg ei hil, roedd Charlotte yn ymwybodol o'r frwydr wleidyddol sydd ynghlwm wrth ei hunaniaeth, hyd yn oed pan oedd hi'n ferch ifanc. Mewn darn sy'n adleisio darlith Raymond Williams, cofia Charlotte sut yr oedd hi'n ymwybodol yn ystod ei hieuenctid fod ei bywyd fel plentyn hil-gymysg mewn gwlad 'gwyn' yn cynrychioli mwy na'i phrofiadau unigol hi ei hunan. Meddai:

> I walked through my childhood carrying a heavy burden of expectations in my satchel. I was an ambassador and a pioneer and I knew it. It was a big responsibility. The need for recognition, for credibility and acceptance was always present – for myself, my family and something called 'my people', whoever they were.[47]

Mae'n amhosibl gwahanu hanes ffurfio hunaniaeth hil-gymysg Charlotte a hanes treftadaeth gymhleth ei theulu, yn ogystal â hanes y Cymry a'r gymuned ddu, hyd yn oed os nad yw'r Charlotte ifanc yn sicr i bwy y mae'n perthyn.

Yn ogystal â chynrychioli brwydr y gymuned ddu, mae'r teulu cymysg hwn a'r gwahaniaethau sy'n bodoli rhwng y gwahanol aelodau yn cynrychioli brwydr y genedl Gymreig a'i holl raniadau pegynol mewnol. Mae hyn i'w weld yn fwyaf amlwg ym mherthynas Charlotte a'i mam. Wrth adrodd atgof amdani'n ei thywys adref o'r ysgol un diwrnod, myfyria Charlotte yr adroddwr ar hyn:

> 'Neis te?' Ma would say when I told her about my school day as we walked home along Queen's Road. Neis. I would read out loud all the Welsh house names as we walked past; Gwynant, Fron Deg, Isallt, turning over her big pink hand in my small brown one, somehow the same but different ... Ma and I felt like one most of the time ... I had Ma's red threads in my hair and her freckles on my brown nose and I felt proud of them. But I knew I couldn't grow to be the same as her.[48]

Mae 'somehow the same but different' yn ymadrodd sydd fel petai'n disgrifio nid yn unig teulu hil-gymysg Charlotte, ond y Gymru a bortreedir yn y nofel hefyd – un genedl a chanddi sawl gwahaniaeth neu raniad rhwng siaradwyr Cymraeg a Saesneg, du a gwyn, gogledd a de, diwydiannol a gwledig, sy'n creu'r 'mixed-up Wales' y cyfeiria Charlotte Williams ati tua diwedd y nofel.[49] Mae'r ffaith bod Charlotte wedi etifeddu gan ei mam arlliw o goch yn ei gwallt yn awgrymu bod y perthnasau teuluol hyn yn cynrychioli hanes y genedl hefyd, gan fod coch yn lliw a gysylltir yn aml â'r genedl Gymreig (meddylier, er enghraifft am y ddraig goch sy'n ymddangos ar faner y wlad, neu'r crysau coch a wisga ei sêr chwaraeon). Mae ei gwallt, felly, yn ein hysbysu ei bod yn perthyn i'r teulu a'r genedl ill dau. Ond mae llaw fach a thrwyn brown Charlotte, a'r modd y'u cyferbynnir hwy â chroen pinc ei mam, yn ein hatgoffa o'r ffaith ei bod hi'n wahanol hefyd. Fel yr awgryma Raymond Williams, nodweddir teulu'r nofel ddiwydiannol gan wahaniaethau a rhaniadau mewnol. Mae cydnabyddiaeth Charlotte ei bod yn wahanol i'w mam, ac ni all fod yn Gymraes ar yr un telerau â hi, yn awgrymu bod brwydr y teulu hwn i ymdopi â'i wahaniaethau a'i raniadau yn cynrychioli brwydr barhaus y genedl Gymreig i addasu i'w hamrywiaeth ei hun.

Rhan o'r amrywiaeth hon yw'r gwahaniaethau ieithyddol, a bortreedir gan yr hollt sy'n bodoli rhwng Charlotte a'i mam yma. Siaradwr Cymraeg oedd ei mam ond nid yw Charlotte na'i chwiorydd yn siarad yr iaith erbyn hyn. A yw'r olygfa hon yn adlewyrchu honiad gwaith academaidd Charlotte Williams fod y Gymraeg yn eithrio pobl na all ei siarad rhag teimlo eu bod yn rhan gyflawn o'r genedl? Yn sicr mae yma ymdeimlad bod Charlotte yn brwydro, neu'n tynnu'n groes i eiriau ei mam wrth iddi ailadrodd yn chwerw y gair 'neis'. Ond mae Charlotte hefyd yn defnyddio'r Gymraeg ei hun wrth adrodd enwau Cymraeg y cartrefi y maent yn eu pasio. Mae syniad o gyfaddawd yma neu o ochrau neu agweddau gwahanol yn dod at ei gilydd yn y ddelwedd o Charlotte a'i mam yn dal dwylo ac yn rhannu iaith. Mae lleisiau'r cymeriadau felly yn arddangos safbwyntiau gwahanol, ond mae'r rhwymau teuluol a chenedlaethol rhwng Charlotte a'i mam yn parhau.

'Fy llais i fy hunan oedd hwn': canfod llais Cymry hybrid Caerdydd yn O Ran

Teulu a chenedl ranedig sy'n ganolbwynt i'r nofel *O Ran* gan Mererid Hopwood hefyd. Defnyddia ffurf dra thebyg i Charlotte Williams: mae'r prif gymeriad, Angharad Gwyn, yn adrodd hanesion byrion am ei bywyd wrth iddi deithio tuag adref (ar drên, yn hytrach nag wrth aros am awyren fel Williams); mae'n nofel ryngdestunol sy'n cyflwyno darnau o gyfrol deyrnged i dad Angharad, Ifan, sy'n gerddor adnabyddus, er mwyn taflu goleuni pellach ar hanes y cymeriadau; ac mae testunau eraill, megis barddoniaeth, yn britho'r nofel. Adroddant stori Angharad, a hanes ei phlentyndod a dreuliwyd yn ei chartref yng Nghaerdydd, a chartref ei theulu estynedig yn Llanybydder. Mae pob darn o'r gyfrol deyrnged i Ifan yn cael ei ddilyn gan atgofion cysylltiedig Angharad naill ai yn y presennol, ar y trên, neu yn y gorffennol. Mae nofel Mererid Hopwood, fel nofel Charlotte Williams, ar un lefel yn rhoi llais i'r fenyw yn wyneb grymoedd patriarchaidd sy'n effeithio ar fydoedd eu prif gymeriadau benywaidd. Mae Angharad a Charlotte fel ei gilydd yn byw yng nghysgod eu tadau creadigol enwog – caiff Angharad ei hadnabod fel 'hogan Ifan Gwyn y cerddor' gan gymuned Gymraeg Caerdydd y nofel,[50] ac mae bywyd Charlotte yn nhestun Williams wedi'i ddominyddu i raddau gan ymgais ei thad, yr arlunydd Denis Williams, i ddeall ei etifeddiaeth Affricanaidd. Mae arddull ddrylliedig y nofel yn adlewyrchu hunaniaeth anghyflawn Angharad a'i hanes anhysbys, sy'n wahanol iawn i'w thad adnabyddus a phoblogaidd. Mae'r nofel yn dilyn taith Angharad i ddarganfod y gwir am Ifan ac am wir amgylchiadau ei genedigaeth. Erbyn y diwedd, wrth ddarllen cyfraniad ei thad i'w gyfrol deyrnged ei hunan, dargenfydd Angharad nad Ifan yw ei thad biolegol; merch ei modryb, Anti June, a dyn a'i threisiodd yw Angharad mewn gwirionedd.

Ond yn ogystal â rhoi llais i'r ferch, mae ffurf *O Ran* a *Sugar and Slate* yn canolbwyntio ar ymdrechion ei hadroddwragedd i ddeall eu gwreiddiau a'u perthynas â'r mannau lle y'u magwyd hwy a'r mannau y daw eu teuluoedd ohonynt, a lle y maent yn byw: Cymru, Affrica a Gaiana yng ngwaith Williams; Cymru ddinesig Caerdydd, Cymru wledig Llanybydder a Llundain yn nofel Hopwood. Yn ogystal ag adlewyrchu'r gwahanol ddelweddau o fenyweidd-dra a gyflwynir i Angharad, mae rhaniadau lleisiol a daearyddol y nofel hefyd yn adlewyrchu bod Angharad yn perthyn i ddwy Gymru wahanol – y Gymru wledig a'r Gymru ddinesig. Er ei bod yn gyfrwng ar gyfer clywed llais y ferch yn tynnu'n groes i ddominyddiaeth ei thad, mae'r nofel yn rhoi llwyfan i lais Cymry Cymraeg Caerdydd hefyd;

Cymry sydd wedi'u magu mewn dinas amlddiwylliannol, gynyddol fodern sy'n Saesneg ei hiaith yn bennaf, ond sydd â'u gwreiddiau teuluol yn y Gymru wledig, fwy Cymraeg ei hiaith, fel sydd gan Angharad hithau. Nid yw Angharad yn perthyn i'r Gymru Saesneg y mae Caerdydd yn rhan ohoni; caiff hi a'i ffrindiau, fel disgyblion Ysgol Gymraeg Bro Taf, eu galw'n 'Welshîs' gan blant yr ysgol Saesneg gyfagos, ac mae'r 'Welshîs' yn galw disgyblion yr ysgol honno yn 'Inglîs'.[51] Ond nid yw hi ychwaith yn perthyn i Gymru Gymraeg ei Myng-gu a'i Anti June yn Llanybydder; mae hi a'i chyfoedion yn denu siom eu hathrawon a'u rhieni wrth iddynt anghofio'u tafodieithoedd gogleddol a gorllewinol, a dechrau siarad Cymraeg 'wallus'.[52] Bron y gellir dweud bod Angharad a'i chyfoedion o gefndir tebyg iddi yn adlewyrchu'r syniadau am iaith a hunaniaeth a gyflwynwyd gan drafodaeth Gwynn ap Gwilym ar 'Gymraeg y Pridd a'r Concrit', a drafodwyd yn y bennod flaenorol. Mae ffurf ddrylliedig y nofel yn fodd o archwilio'r diffyg perthyn a deimla Angharad a sut y mae hi'n gwrthod syniadau hanfodaidd fel y rhain.

Mae straeon Hopwood a Charlotte Williams yn gweld ymgais eu prif gymeriadau i'w diffinio'u hunain fel Cymraesau ac fel menywod yn cydredeg – mae'r ddau'n gysylltiedig. Mae'r ddau'n ddibynnol ar ei gilydd, ac mae hunaniaethau rhyw yn effeithio ar hunaniaethau diwylliannol neu genedlaethol. Fel y crybwylla Homi Bhabha yn ei astudiaeth o rôl y nofel wrth ddiffinio hunaniaeth genedlaethol, mae ffurf y nofel yn ein galluogi i gwestiynu 'that progressive metaphor of modern social cohesion – the many as one – shared by organic theories of holism of culture and community, and by theorists who treat gender, class or race as social totalities that are expressive of unitary collective experiences'.[53] Nid yw *Sugar and Slate* nac *O Ran* yn ymdrin â hunaniaethau ethnig eu prif gymeriadau fel rhywbeth sy'n bodoli ar wahân i ffactorau eraill sy'n effeithio arnynt. Mae eu hunaniaethau fel merched neu fenywod yn adlewyrchu eu hunaniaethau ethnig neu genedlaethol drylliedig hefyd.

Mae hunaniaeth ddrylliedig Angharad yn amlycach fyth pan gyferbynnwn hi â'i thad ac mae arddull aml-leisiol y nofel yn annog y darllenydd i wneud hyn. Yn y nofel, mae Angharad wrthi'n golygu cyfrol deyrnged i'w thad, ac o bryd i'w gilydd mae cyfraniadau'r rheini sy'n ei adnabod ac sydd wedi gweithio gydag ef yn britho'r traethu. Yn un o'r cyfraniadau cyntaf a ddarllenwn, cawn wybod bod Ifan yn ddyn '[c]wbl egwyddorol. Cadarn ei ddaliadau. Cymro i'r carn.'[54] Yn ogystal â chael gwybod ei fod ef, yn wahanol i'w ferch, yn sicr o'i hunaniaeth genedlaethol neu ddiwylliannol ac yn sicr ohono'i hun hefyd, mae'r defnydd o ansoddeiriau megis 'cwbl', 'cadarn' ac 'i'r carn' yn rhoi'r argraff ei fod yn berson cyflawn, yn wahanol iawn i'w ferch a'i hunaniaeth ranedig. Mae cyfanrwydd a sicrwydd yn perthyn i'w gymeriad, yr un nodweddion sy'n perthyn i'r 'hunan' ym model Hegel. Elfen arall sy'n dynodi sicrwydd hunaniaeth Ifan yw ei unigrywedd: clywn ei fod yn '[g]yfeilydd heb ei ail' a chanddo '[a]rddull unigryw ... Ni chlywyd unrhyw beth tebyg yn hanes cyfeiliant piano yng Nghymru erioed o'r blaen.'[55] Ond mae'r tensiynau yn hunaniaeth Ifan hefyd yn dod i'r golwg oherwydd y pwyslais ar y ffaith mai cyfeilydd ydyw. Yn hynny o beth mae ganddo rôl eilaidd wrth berfformio, er gwaethaf ei ddoniau amlwg. Mae ffurf gymhleth y nofel yn tanseilio'r argraff hon a gawn ohono fel person cyflawn hefyd. Wrth i'r cyfraniadau i'r gyfrol deyrnged fynd yn eu blaenau, clywn lais Angharad yn adrodd stori am ei phlentyndod sy'n gysylltiedig â darnau'r gyfrol am ei thad, ond sy'n cyflwyno delwedd ohono sydd dipyn yn wahanol neu sy'n gwrthddweud yr hyn mae ei gyfoedion a'i gydweithwyr yn ei ddweud amdano.

Mae mininaratifau Angharad yn arddangos yr hyn y mae Bakhtin yn ei alw'n 'conflict with another's words' tuag at y rheini sy'n mynnu canmol ei thad. Digwydd enghraifft o hyn yn y modd y mae straeon Angharad am fercheta ei thad yn tynnu'n groes i ddelwedd y gyfrol deyrnged ohono fel dyn a roddodd ei ferch yn gyntaf ar bob achlysur. Noda un cyfraniad i'r gyfrol deyrnged: 'Roedd e'n ofalus iawn o'i ferch. Doedd gan ddim un ddynes arall obaith cystadlu am le yn ei galon. Hi oedd cannwyll ei lygad.'[56] Ond ychydig o dudalennau'n gynt mae Angharad yn nodi ei bod hi'n cofio '[a]degau pan allwn daeru nad oedd Dad wir yn gwybod fy mod i yno o gwbl'.[57] Ychydig dudalennau ar ôl y dyfyniad o'r gyfrol cawn atgof Angharad am ei thad a'i gariad, Elena. Noda: '[r]oedd dad wedi mynd i gyngerdd. Gydag Elena' gan adael Angharad yng ngofal Myng-gu.[58] Mae'r modd y mae'r ddwy frawddeg yn rhyngweithio yn awgrymu agwedd negyddol Angharad tuag at Elena, gan dynnu'n groes i honiadau'r gyfrol deyrnged ar yr un pryd.

Mae ffurf y nofel yn caniatáu creu delwedd a disgwyliadau o hunaniaeth Ifan y mae mininaratifau Angharad wedyn yn tynnu'n groes iddynt. Ac yn wir, wrth i'r nofel fynd yn ei blaen, yn aml iawn mae'r cyfraniadau i'r gyfrol deyrnged yn mynd yn fwyfwy negyddol, gan dynnu'n groes i'r delweddau a'r disgwyliadau blaenorol. Tua hanner ffordd drwy'r nofel, yn hytrach na delwedd o gyflawnder Ifan, cawn ddisgrifiad ohono gan un o'r cyfraniadau fel '[g]ormod o genedlaetholwr. Gormod o sosialydd. Gormod o egwyddorion.'[59] Mae'r daliadau cadarn a oedd yn gryfderau iddo, a oedd yn ei wneud yn gyflawn, bellach yn ymddangos fel gwendidau. Ond wrth i Angharad barhau i adrodd ei hanes hi, ac wrth i'r darllenydd ddechrau ei hadnabod yn well, mae'r ddelwedd o Ifan yn mynd yn llai ac yn llai sicr, ac mae'r straeon am Ifan yn yfed ac yn mercheta, ynghyd â'i obsesiwn â'i waith yn rhoi delwedd o ddyn sy'n gynyddol wamal. Wrth i'w hanes gael ei adrodd mewn pytiau gan bobl eraill, ymddengys fod hunaniaeth Ifan yn ddrylliedig hefyd. Mae'r ffordd y mae'r nofel yn defnyddio sawl gwahanol haen er mwyn cynnig gwahanol argraffiadau neu ddelweddau croes yn adleisio'r hyn a ddywed Mikhail Bakhtin am sut y mae gwahanol ieithoedd, ieithweddau a lleisiau'r traethu yn effeithio ar ffurf y nofel, sef eu bod yn creu 'a contradictory and multi-languaged world'.[60] Wrth i'r nofel fynd yn ei blaen, ymddengys fod Angharad yn cryfhau wrth i'w thad ddirywio, yn y presennol wrth iddo agosáu at ei farwolaeth ac yn yr atgofion o'r gorffennol oherwydd ei bersonoliaeth ddinistriol; mae'r cymeriadau'n tynnu'n groes i'n hargraffiadau gwreiddiol ohonynt.

Ffordd arall y mae Angharad yn tynnu'n groes yw trwy ddatblygu ei llais ei hun a gwelwn hyn wrth iddi ddechrau gwneud mwy na chynnig mininariatifau cysylltiedig sy'n tanseilio honiadau'r gyfrol deyrnged yn unig. Mae hi'n dechrau cynnig sylwadau uniongyrchol ar y cyfraniadau y mae hi'n eu golygu. Gwna hyn yng nghyd-destun perthynas ei thad ac Elena, ac yng nghyd-destun ei hunaniaeth ei hun fel Cymraes hybrid. Cyfraniad Elena i'r gyfrol yw llun o Ifan a hithau'n mynd i gyngerdd.[61] Gwna Angharad sylw yn y fan yma er mwyn cofnodi ei hatgof hi o'r noson hon, sef cael ei 'gollwng yn Rhiwbeina' i aros gyda ffrind tra oedd ei thad a'i gariad yn mynd i'r gyngerdd.[62] Ond nid er mwyn cydnabod ei rôl hi ei hun yn yr hanes yn unig y mae Angharad yn torri ar draws y cyfraniadau. Mae ei llais yn cynrychioli'r rheini sydd â chefndir diwylliannol ac ieithyddol tebyg iddi, sy'n perthyn i'r Gymru ddwyieithog ac, yn enwedig, gymdeithas Gymraeg Caerdydd sy'n perthyn ar yr un pryd i'r Gymru Gymraeg a'r Gymru Saesneg. Gwelwn hyn yn bennaf wrth i'w llais dorri ar draws y cyfraniadau i'r gyfrol deyrnged gan gynnig rhyw fath o sylwebaeth arnynt. Y tro cyntaf y digwydd hyn, ar ôl darllen broliant y gyfrol, ychwanega Angharad '[f]ydd Dad ddim yn hapus fod hwn yn gofiant dwyieithog'.[63] Fel golygydd y cofiant, Angharad ei hun sydd wedi penderfynu hyn – gallai fod wedi cyfieithu'r cyfraniadau Saesneg er mwyn plesio'i thad, ond mae hi wedi dewis ffurf i'r gyfrol sy'n adlewyrchu amrywiaeth ieithyddol sy'n nodweddiadol o'i hanes yng Nghaerdydd, a'i hunaniaeth sydd fel petai rhwng dau le a dwy iaith. Mewn achos arall, cawn ddisgrifiad o gyfansoddiadau Ifan yn y gyfrol deyrnged: 'The melodies . . . carry the audience far away from the troubles of urban life to a calm and tranquil idyll that is rural life.'[64] Ar ôl hyn, ychwanega Angharad:

'Gwaeddodd llais y tu mewn i'm pen: CYFOG. Fy llais i fy hunan oedd hwn.'[65] Mae Angharad yn gwrthod yn ddiamwys syniad nawddoglyd y cyfrannwr sy'n rhamantu am gefn gwlad; mae'n ymwrthod â'r pegynu ystrydebol hwn rhwng y wlad a'r ddinas, sy'n cyfarfod yn ei hunaniaeth hi. Mae'r ffaith ei bod hi'n cyfeirio'n benodol at ei llais yma yn pwysleisio'r ffaith ei bod hi'n gallu ei mynegi a'i diffinio'i hun yn erbyn y pegynu hyn.

Ond er bod Angharad yn darganfod ei llais, mae hi'n gwrthod cynnwys ei phennod ei hun yn y gyfrol deyrnged, ac yn wir ni ddarllenwn yr hyn y byddai wedi'i gyfrannu. Mae'n gwrthod hefyd gynnwys cyfraniad ei thad, lle y mae'n cyfaddef nad ef a'i ddiweddar wraig, Mary, yw rhieni biolegol Angharad, ynghyd â'r ffaith bod ei fercheta wedi gyrru ei wraig i'w marwolaeth. Yn y gyfrol, felly, caiff Ifan barhau, i raddau helaeth, i fod y dyn y mae pawb yn ei adnabod – caiff aros yn gyflawn. Ni chaiff unrhyw un wybod ei feiau na'r gwirionedd am ei deulu drylliedig. Ond mae gan benderfyniad Angharad i beidio â chynnwys ei phennod ei hun, unwaith eto, oblygiadau deublyg. Ar un llaw, mae'n caniatáu iddi ei rhyddhau ei hun o fod yn 'hogan Ifan Gwyn', ac yn torri rhywfaint ar ei chysylltiad â'i thad. Ond ar y llaw arall, gan nad oes neb yn gwybod y gwirionedd am ei pherthynas â'i thad a'r ffaith nad ei ferch fiolegol yw hi, mae Angharad yn parhau i gael ei diffinio o safbwynt ei pherthynas ag ef. Yn hynny o beth, trwy beidio â chyfrannu ei phennod hithau na phennod ei thad, mae hi'n dewis parhau i fod yn 'hogan Ifan Gwyn'; mae'n dewis aros yn anghyflawn ei hunaniaeth.

Ni wyddwn beth fyddai cynnwys ei phennod wedi bod, ond gallwn dybio y byddai'n debyg i gynnwys y nofel ei hun. Mae'r nofel, felly, yn ymddwyn fel fersiwn answyddogol o hanes teulu Angharad, fersiwn o'r stori sy'n gweithio yn erbyn yr hanes a gyflwynir gan y gyfrol deyrnged. Mae hyn yn ymdebygu i nofel hunangofiannol Charlotte Williams a'i hymgais i ysgrifennu cofnod amgen o hanes diwydiannol Cymru. Mae'r ddau destun felly yn tynnu ar dechneg ffurfiol a ddefnyddir gan awduron mewn cyd-destunau ffeminyddol neu ôl-drefedigaethol i gynnig fersiwn amgen o stori adnabyddus er mwyn goleuo'r gwerthoedd cymdeithasol, y disgyrsiau a'r delweddau awdurdodol, a'r rhagfarnau sy'n sail i'r testun gwreiddiol hwnnw. Un enghraifft o'r *genre* hwn yw *Wide Sargasso Sea* (1966) gan Jean Rhys, sy'n ail-ddweud stori'r nofel *Jane Eyre* (1847) gan Charlotte Brontë o safbwynt un o'r cymeriadau ymylol er mwyn tynnu'n sylw at yr agweddau patriarchaidd ac imperialaidd sy'n rhoi bod i'r nofel honno. Yn ogystal â thynnu sylw at wendidau'r tadau, syniadau am y berthynas rhwng hunaniaeth a lle (ac iaith yn nofel Hopwood) sy'n cael eu dinoethi a'u tanseilio yn y nofelau hyn.

O 'four corners of the world' i 'Wales, Glamorgan, Cardiff, Cyncoed': yr Iddew Cymreig rhyngwladol yn There Was a Young Man From Cardiff

Argraff wahanol iawn a rydd deitl un o amryw gyfraniadau Dannie Abse i *genre* ffuglen hunangofiannol – mae *There was a Young Man From Cardiff* yn awgrymu sefydlogrwydd perthynas y dyn ifanc dan sylw â phrifddinas Cymru. Ac yn wir, mae nifer o'r straeon rhwng cloriau'r gyfrol yn adrodd hanes cymeriad Abse yn ystod ei blentyndod a'i ieuenctid yng Nghaerdydd. Lleolir y rhan fwyaf o'r straeon yng Nghaerdydd neu Aberogwr, ac mae'r syniad o le yn nodwedd bwysig yn y nofel, sy'n cyfrannu at y ddelwedd o Gymru fel cartref. Ond yn ogystal â'r straeon hyn, ceir chwe *vignette* gyda'r pennawd 'Focus', a thri o'r *vignettes* hyn wedi'u lleoli y tu hwnt i dde Cymru – un yn Fienna ym 1938, un ym Moscow ym 1953 ac un yn Llundain ym 1968. Nid yw'n ymddangos bod y tair stori hyn yn ymwneud o gwbl â hanes persona Abse. Lleolir y straeon 'Focus' eraill yng Nghaerdydd, Pen-y-bont ac Aberogwr, gyda chymeriad yr awdur yn ymddangos mewn dau ohonynt (stori Caerdydd a stori Aberogwr). Ymddengys felly fod y manylion hyn yn ansefydlogi hunaniaeth cymeriad Abse, y testun a'u perthynas â'i gilydd.

Ymddengys fod Abse yn defnyddio'r straeon am Fienna, Moscow a Llundain er mwyn ceisio lleoli Cymru yn y byd ehangach. Mae'r straeon hynny yn canolbwyntio ar faterion gwleidyddol rhyngwladol pwysig – dechreuadau'r Holocost a'r Ail Ryfel Byd, marwolaeth gwleidyddion pwysig (Joseph Stalin yn yr achos hwn) a phrotestiadau yn erbyn Rhyfel Fiet-nam. Ond ynghlwm wrth y delweddau hyn y mae datblygiadau rhyngwladol eraill hefyd – gwrth-Semitiaeth ledled Ewrop, sefydlu'r Undeb Sofietaidd a thwf Comiwnyddiaeth, a phrotestiadau ar draws y byd ym 1968. Ond mae'r straeon eraill, y straeon am Gymru, yn rhoi pwyslais ar yr elfen leol gyda manylion am leoedd ac ardaloedd y byddech yn disgwyl eu clywed oddi wrth rywun a oedd yn gyfarwydd iawn â hwy. Ceir cyfeiriad cyson at enwau heolydd neu ardaloedd Caerdydd, parciau'r ddinas, a sefydliadau sy'n bwysig i'r gymuned, megis ysgolion, llyfrgelloedd ac ysbytai cymunedol, ac mae'r un peth yn wir am straeon Aberogwr. Yr argraff a gawn yma yw bod Cymru yn fach, yn gartref iddo, ac yn lle cyfarwydd. Cyfeirir at hynny yn y stori 'Madagascar' wrth i'r adroddwr drafod dechreuadau ei yrfa fel bardd:

> In December, 1948, Hutchinson had published my first book of poems in an edition of 500 copies. It was distributed worldwide, according to

> Hutchinson. They had outlets in Australia, New Zealand, Canada, India, Ceylon, Rhodesia, South Africa, Nigeria, the Gold Coast, Sierra Leone and the USA. Sir Stafford Cripps, our 'Iron Chancellor', had declared that the prime goal for Britain was 'higher productivity' and more 'export for dollars'. So there they were; busy busy, with all their might, flogging five hundred copies of my five shilling book in all kinds of foreign nooks, up hill and down dale, to the four corners of the world, saving the United Kingdom – which included Wales, Glamorgan, Cardiff, Cyncoed – from financial ruin.[66]

Mae'r cyferbyniad yn amlwg rhwng y cyfeiriad at wledydd o bedwar ban byd, y rhan fwyaf ohonynt yn wledydd yr Ymerodraeth Brydeinig neu'r Gymanwlad, a sefydlwyd ym 1949, a bychander Cymru, fel gwlad oddi mewn i Brydain a'r ffordd y mae'r adroddwr yn ffocysu ar ardal lai a llai wrth fynd yn ei flaen. Mae yma elfen o ryfeddod wrth iddo ystyried bod ei farddoniaeth yn cael ei darllen mewn gwledydd pell er mwyn hybu economi ei wlad a'i ardal leol ei hun. Wrth gyfeirio at hynny, mae'n ein hatgoffa o swyddogaeth hanesyddol y bardd wrth wasanaethu un teulu neu fro. Adlewyrchir hynny yn y stori hon gan waith Abse fel meddyg – yma, dychwela i Gaerdydd i weithio ym meddygfa ei ewythr Max tra ei fod ef i ffwrdd, lle y mae'n gwasanaethu'r gymuned leol.

Yn aml iawn, mae'r elfennau rhyngwladol hyn yn ymyrryd â bywyd yng Nghymru yn y straeon. Mae hyn yn arbennig o wir am y straeon 'Focus'. Fel y crybwyllwyd eisoes, mae'r straeon a leolir yn Ewrop yn portreadu digwyddiadau o bwys rhyngwladol; mae'r stori 'Focus 1933: Vienna' yn adrodd hanes Iddew o Awstria, Egon Friedell, sy'n ceisio osgoi cael ei ddal gan yr SS gan fod yr Almaen bellach wedi meddiannu ei wlad; mae'r stori 'Focus 1953: Near Moscow' yn cynnig portread o Lavrenty Beria, 'Chief Executioner and Master of Concentration Camps, Death's pimp',[67] gweinidog yn llywodraeth Joseph Stalin, ger gwely angau ei arweinydd, ac yn ein goleuo ynglŷn â'i wrth-Semitiaeth[68] a sut y bu'n erlid a lladd yn ôl cyfarwyddyd y 'Father of all Soviet Peoples';[69] mae'r stori 'Focus 1968: London' yn trafod protestiadau yn y ddinas ym 1968 yn erbyn Rhyfel Fiet-nam, a chawn weld sut y mae'r heddlu yn aros nes bod y camerâu teledu a'r newyddiadurwyr wedi gadael am y nos cyn ymosod ar y dorf o wrthdystwyr. Y llinyn sy'n rhedeg trwy'r straeon hyn yw trais, ofn a thywallt gwaed, ac, wrth gwrs, mae'r elfen o wrth-Semitiaeth yn y straeon 'Focus 1933: Vienna' a 'Focus 1953: Near Moscow' yn ein hatgoffa o'r ffaith bod Abse ei hun, a'i bersona ffuglennol, yn Iddew. Cysylltir yr erledigaeth, felly, â hanes yr Iddewon yn rhyngwladol. Ond fe gyferbynnir yr erledigaeth hon â'r ddelwedd o Gymru fel cartref, a Chaerdydd fel rhywle diogel y mae'r Abse ifanc yn adnabod ei strydoedd, ei maestrefi a'i thirnodau. Mae perthynas agos cymeriad Abse â'i ddinas enedigol, a pha mor gartrefol y teimla yno, yn tarfu ar fetanaratifau am hanes yr Iddewon fel crwydriaid parhaus, ac fel pobl sydd wedi'u herlid o wlad i wlad ar draws y canrifoedd gan agweddau gwrth-Semitaidd. Adlewyrchir hynny eto yn nefnydd prin ond arwyddocaol Abse o'r Gymraeg. Yn aml, defnyddia ei gymeriadau yr ymadrodd llafar 'Duw', a yngenir yn 'jiw', neu'n 'Jew'. Crëir cyswllt yma rhwng y wlad a hunaniaeth grefyddol cymeriad Abse.

Ond mae'r gwaed a dywelltir yn y straeon Ewropeaidd fel petai'n gorlifo i rai o'r straeon eraill. Yn 'Focus 1933: Cardiff' mae'r Abse ifanc yn gwrando ar ei frawd, y gwleidydd (neu ddarpar-wleidydd yn y stori hon), Leo Abse, yn annerch y dorf am y ddadl dros Sosialaeth. Ond er ei fod yn cyflwyno'i araith yng Nghaeau Llandaf, mae'r stori 'Focus 1953: Near Moscow' fel petai'n llifo i mewn i'r dweud pan ystyriwn y disgrifiadau o'r gwynt; mae'r brawddegau '[a] wind, cold-edged, had come in from the East, perhaps from the refrigeration of Siberia'[70] a '[t]he cloudlight continued to alter as the totalitarian wind dived down to invade Llandaff Fields'[71] yn ein hatgoffa, er eu bod yn anacronistig, o'r erchyllterau a gyflawnwyd gan Stalin. Mae'r stori 'Focus 1945: Bridgend' yn cysylltu â stori 'Focus 1933: Vienna' hefyd gan ei bod yn trafod dyfodiad carcharorion rhyfel Almaenig i wersyll Special Camp Eleven ym Mhen-y-bont yn ystod yr Ail Ryfel Byd. Mae'r ffaith bod Cymru yn y gwaith hwn yn rhan o fyd ehangach yn golygu nad yw'n gymaint o hafan ag yr ymddangosai ar brydiau i'r Iddew Cymreig.

Mae'r ffaith nad yw pethau yn union fel y maent yn ymddangos yn thema sy'n rhedeg drwy ffurf y gwaith cyfan ac yn ychwanegu at y ffordd mae'r nofel yn cyflwyno sylwebaeth ar brofiad Abse fel Iddew Cymreig. Yn ei 'Author's Note' i'r gyfrol, noda: 'in *There Was a Young Man From Cardiff* ... I have deleted my past, and despite approximate resemblances, substituted it with artifice. If I am disbelieved, so much the better.'[72] Mae'r cyferbyniad rhwng y gwirionedd a'r hyn sy'n ymddangos fel y gwirionedd yn ysgogiad sylfaenol i'r gwaith hwn, felly. Yn ddigon eironig, yn y straeon 'Focus' y gwelwn hynny fwyaf. Maent yn llawn twyll. Yn 'Focus 1933: Vienna', er enghraifft, mae Egon Friedell wedi newid ei enw o Egon Friedman er mwyn ceisio osgoi erledigaeth gan y Natsïaid, ond yn y diwedd, darganfuant y gwir a dônt ar ei ôl. Yn 'Focus 1945: Bridgend' mae'r gorsaf-feistr Mr Hill yn ei wisg gwaith yn ymddangos yn ddigon pwysig i dwyllo'r carcharorion rhyfel Almaenig nes eu bod yn meddwl ei fod yn 'army officer of great importance'[73] ac yn moesymgrymu i'w gyfarwyddiadau. Yn fwy eironig byth, er mai nofel hunangofiannol yw hon, nid Abse yw canolbwynt y straeon 'Focus' o gwbl, heblaw am 'Focus 1986: Ogmore-by-Sea', sef stori olaf ond un y gyfrol.

Nid dyn ifanc o Gaerdydd mohono mwyach yn y stori hon, ond hen ddyn yn Aberogwr, ac unwaith eto mae'r elfen ryngwladol yn nodweddu'r hanes. Yn gefnlen i'r stori y mae trychineb Chernobyl, ffrwydriad yn un o weithfeydd ynni niwclear Wcráin yn y flwyddyn dan sylw a gafodd effaith ar draws y byd, gan gynnwys yng Nghymru, lle'r achosodd glaw ymbelydrol. Unwaith eto, felly, mae Cymru yn rhan o'r byd ehangach. Ond er bod hwn yn ddigwyddiad rhyngwladol, nid yw, fel rhai o'r straeon 'Focus' eraill, yn trafod gwrthdaro nac erlid rhwng gwahanol ddiwylliannau neu garfanau o bobl. Yn wir, ymddengys fod angen goresgyn rhaniadau o'r math hwn pan ddywed cymeriad Abse:

> If a man believed in a deity, any deity, goddess, god or God, he would, in that Cathedral, have prayed in English or Welsh or no language at all, for the neutralisation of the death wind. And in Ogmore, this morning, as I stood in my pyjamas, while the opera-dramatic clouds, grey, cream, or frowning darker, tracked so visibly westwards, my own lips moved.[74]

Gan ei fod eisoes wedi'i ddisgrifio'i hun fel 'Welsh Jewish Atheist' mae Abse fel petai'n symud y tu hwnt i'r disgrifiad penodol o'i hunaniaeth genedlaethol, ddiwylliannol a chrefyddol.[75] Mae defnydd Abse o wahanol enwau ar dduwiau a'r cyfeiriad at ddwy iaith Cymru yn pwysleisio'i hunaniaeth fel Cymro ac fel Iddew, ond mae'r gair 'neutralisation' yn awgrymu bod angen edrych y tu hwnt i'r rheini. Mae'r ffaith ei fod yn diystyru ei anffyddiaeth ac yn dechrau gweddïo erbyn y diwedd yn dangos ei fod yn diosg yr hunaniaethau yr oedd wedi'u defnyddio i'w ddiffinio'i hun. Mae'n edrych y tu hwnt i'r gwahaniaethau a'r rhaniadau diwylliannol sydd wedi creu ei gymeriad personol, yn edrych y tu hwnt i'w ardal leol, ac yn gweddïo am derfyn ar effaith y trychineb ar draws y byd i gyd. Mae gwaith Abse, fel *Sugar and Slate*, yn ceisio lleoli Cymru mewn perthynas â digwyddiadau byd-eang, ac felly'n rhan o'r byd ehangach sydd wrth gwrs yn cyferbynnu'n llwyr â'r stori leol am Gaerdydd y disgwyliwn oherwydd teitl y gwaith.

'Neb yn gwisgo'r trwser, ys gwetson nhw': Pan Oeddwn Fachgen *a'i her i awdurdod rhyweddol ac ieithyddol*

Tra awgryma Dannie Abse fod *There Was a Young Man From Cardiff* yn ffuglen hunangofiannol, efallai ei bod hi'n decach disgrifio *Pan Oeddwn Fachgen* gan Mihangel Morgan fel hunangofiant ffuglennol. Yr hyn a gawn rhwng cloriau'r nofel yw hunangofiant bachgen a hanes ei fagwraeth yng Nghymoedd de Cymru yn ystod y 1960au. Mae'r bachgen (nas enwir) yn drawsryweddol (*transgender*), yn hoff o wisgo dillad merched, a chaiff ei drawsffurfiadau rhywedd eu hefelychu gan ffurf y nofel. Tua'r diwedd, mae'r arddull hunangofiannol, yn ogystal â llais yr adroddwr, yn newid; try'n nofel drosedd neu dditectif neu *murder mystery* o ryw fath, gyda'r cymydog cyfeillgar, Mr Morris, yn cymryd awenau'r adroddiant ac yn awgrymu ei fod wedi llofruddio'r bachgen a chadw ei drosedd yn gyfrinach am flynyddoedd. Yn ogystal â hynny, cymhlethir awdurdod llais yr adroddwr gan yr hyn sy'n ymddangos fel nodyn gan yr awdur ym mlaen y nofel, sy'n cynnig esboniad ynglŷn â'r dafodiaith a ddefnyddir ynddi: 'Yn yr atgof hwn, yn f'ymgais i fynd yn ôl i'r gorffennol, fe geisiais atgynhyrchu'r iaith fel yr oedd hi yn f'ieuenctid. Prin iawn yw siaradwyr y dafodiaith hon erbyn heddiw ...'[76] Mae yma frwydr, chwedl Bakhtin, rhwng geiriau a lleisiau oherwydd ni wyddwn beth yw natur y testun a geir yma – ai nofel, neu ryw fath o astudiaeth ieithyddol ydyw? Arwyddir y nodyn cychwynnol hwn gan 'M.M.' – ai Mihangel Morgan ydyw neu Mr Morris?[77] Ni allwn fod yn sicr. Ni allwn fod yn sicr ychwaith ynglŷn â phwy yn union yw Mr Morris. Er bod tuedd tuag at fetaffuglen yn yr hyn y mae Mr Morris yn ei ddweud yn niweddglo'r nofel, nid synfyfyrio ôl-fodern ar y broses o lenydda ac ystryw'r gwaith yn unig a geir yma. Mae yma fyfyrio ar wleidyddiaeth rhywedd a gwleidyddiaeth iaith hefyd. Daw aralledd y bachgen i'r amlwg drwy ei ddefnydd o'r iaith Gymraeg a thrwy'r frwydr rhwng gwahanol leisiau'r nofel. Ond mae'r ansicrwydd ynglŷn â'r lleisiau, a'r ffordd y maent yn ymwrthod â stori gyflawn, awdurdodol, yn ogystal â hunaniaeth rywedd – hunaniaeth *queer* fel y'i gelwir yn Saesneg – y bachgen ei hun yn cynnig model amgen o ddiffinio (neu beidio â diffinio) hunaniaeth sy'n ddefnyddiol wrth glymu'r holl nofelau a ystyrir gan y bennod hon ynghyd.

Mae'r nodyn rhagarweiniol gan 'M.M.' yn awgrymu mai prif nod y nofel yw arddangos y dafodiaith Gymraeg hon – neu'r 'Gwmrêg', ys dywed cymeriadau'r nofel – yn hytrach nag ymhél â thema rhywedd trwy gymeriad y bachgen ifanc. Mae iaith yn thema bwysig yn y nofel, ac yn ategu at hunaniaeth an-normadol (*non-normative*) y bachgen, oherwydd cymhlethir ei fywyd ymhellach gan y ffaith ei fod yn cael ei fagu ar aelwyd Gymraeg ei hiaith yng Nghymoedd de Cymru yn y 1960au gyda'r rhan fwyaf o'i gymdogion a'i gyfoedion yn uniaith Saesneg. Nid yw'r fagwraeth Gymraeg hon mewn ardal Saesneg ei hiaith yn bennaf yn annhebyg i fagwraeth Mihangel Morgan ei hun, fel y mae'r nodyn yn ein hatgoffa (os llais yr awdur a gyflwynir yno). Sawl tro yn y nofel, mae'r ffaith bod y bachgen yn siaradwr Cymraeg yn ennyn mwy o sylw digroeso iddo na'i hunaniaeth rywedd amgen. Mewn ennyd amlddiwylliannol yn y nofel, daw 'ymwelwyr o dramor' i ysgol y bachgen. Mae'r disgrifiad ohonynt yn amlygu pa mor 'wahanol' ydynt:

> Maen nhw'n bobol fawr, pobol dal ac maen nhw'n llenwi'r stafell. Maen nhw'n groenddu a'u croen yn wirioneddol ddu – glas, bron . . . Ac mae gan y dynion farciau ar eu trwynau a'u gruddiau tebyg i greithiau . . . Mae'u dannedd yn disgleirio'n wyn yn eu hwynebau tywyll. Siwtiau mae'r dynion yn eu gwisgo. Ond dwyt ti erioed wedi gweld dim byd tebyg i ddillad y merched nac wedi dychmygu bod dillad tebyg i gael yn y byd i gyd.[78]

Wrth i'r ymwelwyr hyn gael eu disgrifio trwy lygaid plentyn daw'r gwahaniaeth y maent yn ei gynrychioli i'r amlwg, yn union fel y 'dannedd yn disgleirio'n wyn yn eu hwynebau tywyll'. Er bod lliw du eu croen yn cael ei bwysleisio, a hynny ynghyd â'u dillad lliwgar yn awgrymu mai o gyfandir Affrica y dônt, mae'r ffaith eu bod yn cael eu disgrifio gan ddefnyddio'r ymadrodd cyffredinol 'ymwelwyr o dramor' yn arwain at eu darllen fel cydgymeriad (*synecdoche*) ar gyfer unrhyw gasgliad o bobl sy'n 'wahanol', boed hynny o ran lliw eu croen, eu hymddangosiad neu eu cefndir diwylliannol neu genedlaethol.[79]

Ond er gwaetha'r gwahaniaethau amlwg sydd rhwng pobl y Cymoedd a'r ymwelwyr hyn, y bachgen ei hun sy'n ymddangos fwyaf rhyfedd i'r plant, a hynny oherwydd ei fod yn gallu siarad Cymraeg. Gofynna'r ymwelwyr am gael clywed ambell air o'r iaith, ac er mwyn ei boeni, mae'r plant eraill (sy'n uniaith Saesneg) yn enwebu'r bachgen i siarad brawddeg o Gymraeg. Ni all feddwl am rywbeth i'w ddweud a meddylia '[b]eth bynnag y dywedi di bydd y bechgyn a rhai o'r merched yn neud hwyl am dy ben di ar ôl y dosbarth', cred a gefnogir gan y ffaith eu bod wastad yn ei boeni am ei fod yn 'Welshy'.[80] Mae'r ffaith bod y bachgen yn gallu siarad Cymraeg yn cael ei weld gan bawb fel nodwedd ddiwylliannol fwy estron na'r 'ymwelwyr o dramor'.

Daw'r Gymraeg, felly, ynghyd â rhywioldeb y bachgen, yn symbol arall o sut y mae ef yn wahanol i bawb arall. Mae ei hunaniaeth drawsryweddol a'i hunaniaeth fel siaradwr Cymraeg ill dwy yn cael eu gweld fel hunaniaethau nad ydynt yn normadol (*normative*). Mae modd dadlau bod y Gymraeg ar ddechrau'r nofel yn cynrychioli gwerthoedd traddodiadol; mae teulu Cymraeg ei iaith y bachgen yn ymddangosiadol berffaith a chytbwys – mae yna dad a mam, a dau blentyn, un ferch ac un mab. Maent yn ymddangos yn deulu traddodiadol gan eu bod yn mynychu'r capel, ac mae'r ferch, Siân, yn priodi ac yn cadw tŷ yn ifanc, gan lynu at ddisgwyliadau traddodiadol o'r ferch. Ond wrth i'r naratif fynd yn ei flaen, caiff y Gymraeg ei chysylltu fwyfwy â rhywedd amgen y bachgen. Wrth gerdded adref o'r ysgol un diwrnod, er enghraifft, mae torf o fechgyn yn galw, '[h]ey! Welshy!' arno ac yn gwrthod gadael iddo fynd heibio.[81] Dro arall, mae'r un bechgyn yn ei lusgo i'r parc ac yn tynnu ei drowsus, cyn gweiddi arno, '[o]h, he have got a bit of a cock after all', gan awgrymu ei fod yn ymddwyn yn ferchetaidd.[82] Trwy osod y ddau episod hyn ochr yn ochr ar yr un dudalen, cawn yr argraff bod y ddwy nodwedd hyn o'i hunaniaeth, ei iaith a'i rywedd, ill dwy yn ei osod ar wahân i bawb arall. Mae'r ffaith yr ysgrifennir y nofel mewn tafodiaith, a siaradwyr y dafodiaith honno, yn ôl Morgan/Mr Morris, yn '[b]rin', yn gwneud dinodedd ac odrwydd y Gymraeg a'i siaradwyr yma yn amlycach fyth.[83]

Yn ogystal â'i hiaith, mae ffurf y nofel hefyd yn adlewyrchu'r poenau deuol hyn sy'n cystuddio'r bachgen. Traddodir y rhan fwyaf o'r nofel yn yr ail berson unigol, sydd hefyd yn anarferol, os ystyriwn mai'r person cyntaf neu'r trydydd person a ddefnyddir gan amlaf mewn nofelau. Er ei fod yn cyfleu cynefindra, mae hefyd yn cyfleu unigedd, yn wahanol i'r lluosog 'chi'. Cawn yr argraff mai'r bachgen, prif gymeriad y nofel, sy'n adrodd y stori gan fod ganddo gyswllt emosiynol â'r digwyddiadau. Ond mae'r defnydd o 'ti' yn rhoi'r argraff nad yw'r bachgen yn ei adnabod ei hun – mae'n ei weld ei hun fel rhywun arall, neu y mae am ymbellhau oddi wrth ei hun. Ond ar dudalennau olaf y nofel, mae'r arddull adrodd hon yn trawsnewid yn gyfan gwbl. Newidia o'r ail berson i'r person cyntaf, ac mae ffurf y nofel yn newid hefyd, o nofel hunangofiannol i rywbeth y gellir ei ystyried yn nofel drosedd neu *murder mystery*.

Ar un wedd, mae'r trawsffurfiad hwn o ran *genre* yn mynegi'r trawsffurfiad rhywedd yr hoffai'r bachgen ei gyflawni. Ond gellir dadlau bod y trawsffurfiad hwn yn dod ag ymdriniaeth y nofel â'r iaith Gymraeg i'r blaen unwaith eto. Yr hyn sy'n achosi'r newid hwn mewn arddull yw llofruddiaeth y bachgen ifanc gan Mr Morris, y dyn ymddangosiadol garedig sy'n byw yn y tŷ gyferbyn gyda'i wraig gyfeillgar, Linda. Mae'r pâr hwn wedi bod yn gysur i'r bachgen ifanc wrth iddo ddioddef rhagfarn ei gyfoedion, felly cawn ein synnu wrth glywed bod Mr Morris wedi llofruddio'r bachgen ac wedi llwyddo i gadw ei weithred yn gyfrinach am flynyddoedd maith. Mae'r trawsffurfio hwn i *genre* y nofel drosedd yn ein hatgoffa o weithiau llenyddol eraill yn yr iaith Gymraeg sy'n gyfuniad hybrid o lenyddiaeth drosedd a *genres* neu ffurfiau llenyddol eraill. Y mwyaf adnabyddus o'r rhain yw *Y Llofrudd Iaith* (1999) gan Gwyneth Lewis, cyfrol sy'n cyfuno ffurf y nofel drosedd neu dditectif â barddoniaeth er mwyn archwilio rôl yr iaith Gymraeg yn y Gymru gyfoes a goblygiadau dirywiad ieithyddol. Mae nofel Morgan fel petai'n adleisio hyn, ac o ganlyniad mae ambell elfen sy'n awgrymu bod y trawsffurfiad *genre* hwn yn ymwneud ag iaith cymaint ag y mae'n ymwneud â rhywedd neu rywioldeb. Mae'r ansicrwydd ynglŷn â ffurf a *genre* y testun yn tanseilio'r rhaniadau pendant rhwng gwahanol ffurfiau ieithyddol. Adlewyrcha hyn y ffordd y mae hunaniaeth rywedd ansicr y bachgen yn tanseilio'r pegynau benywaidd a gwrywaidd. Ac mae'r ffocws ar iaith a thafodiaith Gymraeg cymoedd y de-ddwyrain yn herio goruchafiaeth y Saesneg yn yr ardal honno, goruchafiaeth sy'n peri i'r bachgen deimlo aralledd, fel y gwelwyd eisoes yn yr olygfa lle y daw'r ymwelwyr o Affrica i'r ysgol.

Pan ddaw'r trawsffurfiad hwn, sylweddolwn nad y bachgen ei hun sydd wedi bod yn siarad â ni gydol y nofel. Mr Morris sydd wedi bod yn adrodd hanes y bachgen: 'Ei iaith ef oedd fy iaith i. Ei fywyd, oedd fy mywyd i. A lle roedd 'na fwlch yn ei stori, ei lenwi nes i â'm stori i.'[84] Yn debyg i nofelau Charlotte Williams a Mererid Hopwood, daw cwestiynau ynglŷn â'r llais lleiafrifol a gallu'r cymeriadau i'w mynegi eu hunain i'r amlwg yma. Ond cymhlethir hynny ymhellach oherwydd naws fetaffuglennol y darn hwn o'r nofel a'r cyfeiriad sydd yma at y weithred o ysgrifennu stori. Gellir dadlau bod llais yr awdur ei hun yn ymddangos yma. Trwy ei gyfeiriad at y broses o ysgrifennu – a'r sôn am iaith a stori – a hefyd ei ddiffiniad o stori'r bachgen fel '[f]y mhrosiect', mae'r llais hwn hefyd yn ein hatgoffa o'r nodyn gan yr awdur ei hun ar ddechrau'r nofel.[85] Yno, dywed mai tafodieithoedd y de-ddwyrain yw ei ddiddordeb pennaf ac ni all 'ymgroesi rhag achub ar y cyfle hwn i geisio atgyfodi yr hen fro, yr iaith fel y'i cofiaf hi'.[86] Mae yma awgrym, felly, y gellir darllen y nofel fel rhyw fath o gofnod gan Morgan o'r dafodiaith hon. Mae'r ffaith y lleddir y bachgen yn golygu y lleddir yr iaith hefyd, sydd efallai'n awgrymu bod angen cofnod o'r fath i sicrhau ei goroesiad.

Pwy bynnag y tybiwn sy'n siarad ar ddiwedd y nofel, yr awdur ei hun neu Mr Morris, fe'n gadewir â sawl cymhlethdod arall i'w ddatrys. Cawn wybod mai porffor yw 'hoff liw' y siaradwr.[87] Ar ddechrau'r nofel, gwneir pwynt o gyfeirio at gonfensiynau rhywedd traddodiadol a olygai y '[g]wisgid babanod mewn dillad glas i fechgyn a phinc i ferched', ond erbyn y diwedd, mae'r cyfeiriad at borffor yn awgrymu bod y lliwiau hyn wedi'u cymysgu â'i gilydd, heb fod mor arwahanol bellach.[88] Mae'r llais ar ddiwedd y nofel hefyd yn sôn am ei berthynas â'i wraig. Ymddengys fod eu perthynas yn wahanol gan nad oes 'neb yn "gwisgo'r trwser", ys gwetson nhw.'[89] Yn ogystal â chyfeirio at ddosraniad traddodiadol pŵer oddi mewn i berthnasau heterorywiol normadol, mae'r darn yn awgrymu bod perchennog y llais hwn, yn ogystal â'r bachgen ifanc, yn croeswisgo. Mae yna bosibiliad, felly, mai'r llais sy'n siarad yw llais y bachgen, a bod y weithred o'i ladd yn y nofel yn symboleiddio bod perchennog y llais wedi derbyn ei hunaniaeth gymhleth, neu ei fod wedi gwneud y penderfyniad i arddel yr hunaniaeth hon nad yw'n normadol. Mae'r ffordd y dywedir '[e]i fywyd, oedd fy mywyd i … Fy mywyd i oedd ei fywyd ef',[90] yn dangos bod y ddau yn ymgyfnewid. Gall y trawsffurfiadau sy'n digwydd yn ffurf y nofel gyfleu trawsffurfiad gwirioneddol y bachgen ifanc o ran ei hunaniaeth rywedd. Mae Mihangel Morgan, wrth gwrs, wedi cyflawni trawsffurfiad tebyg yn ei fywyd ei hun, mewn cyd-destun ieithyddol – fe'i ganwyd yn Michael Finch, ond newidiodd ei enw fel oedolyn. Cymreigiwyd Michael i Mihangel, a dewisodd arddel cyfenw ei fam, Morgan. Eto, felly, mae'r syniad o drawsffurfio wedi'i gysylltu ag iaith yng nghyd-destun y nofel, gan dynnu'n sylw at yr hunaniaeth ieithyddol a drafodir yno hefyd. Mae'r hybridedd sydd yma, felly, o safbwynt *genre*, ffurf a llais yr adroddwr yn creu dryswch wrth geisio diffinio'r nofel. Gofynnir ar y clawr cefn ai '[h]anes magwraeth bachgen yn ne-ddwyrain Cymru?' yw'r stori hon. Awgryma hyn ei bod hi'n nofel heb hunaniaeth bendant. A dyna sy'n wir am y lleisiau oddi mewn i'w chloriau hefyd – hunaniaethau rhanedig sydd ganddynt, ac mae'r portread o'r iaith a'r gymuned Gymraeg fel rhywbeth nad yw'n normadol yn nodwedd sy'n ychwanegu at y dehongliad ohonynt fel cymeriadau nad ydynt yn perthyn neu'n dilyn y norm.

Mae ffurf a chynnwys nofel Mihangel Morgan yn gymwys i ddarlleniad yng ngoleuni *queer theory*. Mae darlleniadau o'r math hwn yn dehongli sut y cynrychiolir rhywedd a rhywioldeb mewn testunau llenyddol ac mewn diwylliant yn gyffredinol, er mwyn ceisio dadadeiladu'r pegynau deuaidd rhwng gwrywdod a benywaidd-dra, a heterorywioldeb a chyfunrywioldeb (*homosexuality*). Mae'r nofel yn gymwys i ymdriniaeth o'r math hwn yn rhannol oherwydd ei hymdriniaeth â rhywedd amwys y bachgen a Mr Morris, ond gellir dadlau bod y modd y portreedir teulu Cymraeg ei iaith sy'n byw mewn cymuned Saesneg ehangach yn *queer* hefyd. Noda'r dramodydd Dafydd James mewn erthygl sy'n seiliedig ar ei ddoethuriaeth ar y 'berthynas rhwng perfformiadau theatrig cyfoes a queer theory' fod defnyddio damcaniaethau *queer* yn fodd o 'ystyried yr hunaniaethau eraill sy'n cael eu hepgor o'r systemau deuaidd ... Daeth "queer" felly i gynrychioli her i'r system ddeuol yma – "an identity without an essence" ... Mae gan y term "queer" rym dadansoddol a all herio'r ffordd mae categorïau hunaniaeth yn gweithredu.'[91] Nid yw *queer* yn begwn cyferbyniol i heterorywiol – ni ddylwn ystyried bod *queer* yn gyfystyr â 'hoyw', sef yr 'arall' i 'norm' perthynas neu rywioldeb heteronormadol. Mae *queer* yn tanseilio pendantrwydd y ddau begwn hyn a'r system ddeuaidd sy'n eu cadw ar wahân.

Cyn trafod sut y mae hyn yn berthnasol i nofel Mihangel Morgan, ac yn wir, i'r holl nofelau a drafodwyd yn y bennod hon, mae angen ystyried sut mae mynd ati i drafod *queer* yn y Gymraeg. Nid oes llawer wedi'i ysgrifennu ar y testun hwn yn y Gymraeg, ac felly, un o heriau defnyddio *queer theory* yn y Gymraeg yw bathu enw Cymraeg ar ei chyfer. Defnyddir 'theori hoyw' gan rai.[92] Ond mae perygl bod hyn yn rhoi'r argraff bod y damcaniaethau yn archwilio rhywioldeb mewn modd sy'n pegynu hunaniaethau hoyw a heterorywiol, ac felly'n anwybyddu'r modd y mae'r theorïau yn herio'r model deuaidd hwn. Yn ei erthygl, awgryma Dafydd James y dylem ddefnyddio'r term Saesneg:

> rwyf am barhau i ddefnyddio'r term Saesneg 'queer' ... yn hytrach nag ystyried hyn fel enghraifft arall o fratiaith, neu'n arwydd o ildio i hierarchaeth Seinigrwydd [*sic*], mae'r pwrpas yma, gobeithio, yn un positif i'r Gymraeg: drwy gofleidio'r term Saesneg, fe grëir tyndra ieithyddol anorfod sy'n ein hatgoffa o'r ffordd y gall system ddeuol iaith ein gormesu ni fel cenedl, ond hefyd o'r ffaith bod y tyndra hwnnw yn digwydd o fewn yr iaith Gymraeg.[93]

Ond mae perygl yma eto, yn enwedig yng nghyd-destun yr astudiaeth hon ac eraill sydd am ystyried y berthynas rhwng gwahanol gymunedau diwylliannol yng Nghymru, y bydd defnyddio *queer* yn atgynhyrchu'r pegynau deuaidd rhwng y Gymraeg a'r Saesneg y mae nifer helaeth o ysgolheigion yn ceisio'u hailasesu. A dweud y gwir, dyma sy'n digwydd tua diwedd erthygl James ei hun pan awgryma y dylai'r Cymry 'ystyried ffyrdd amgen o ddiffinio [eu] hunaniaeth a chysylltu gyda chymunedau lleiafrifol, queer eraill ledled y byd'.[94] Yma, mae *queer* wedi camu i berthynas begynol, yn union fel y ddeuoliaeth rhwng 'lleiafrif' a 'mwyafrif', Cymru a Lloegr, neu'r Gymraeg a'r Saesneg. Yn ogystal â hynny, arferir galw rhywbeth yn *queer* am ei fod yn herio'r drefn awdurdodol. Byddai modd dadlau bod arddel y term Saesneg *queer* yn cadarnhau trefn ieithyddol awdurdodol Cymru, a'r Saesneg fel iaith fwyafrifol. Yn ogystal â hynny, cadarnheir mai'r Saesneg yw'r iaith a all gynnal trafodaethau ar hunaniaethau amrywiol ac nid y Gymraeg, honiad y mae beirniaid ym meysydd rhywedd ac amlddiwylliannedd wedi bod yn ceisio'i annilysu.[95]

Mewn ysgrif ddiweddar, cynigia Mihangel Morgan ei hun y gair 'cadi', yn seiliedig ar y term 'cadiffan' a ddefnyddid fel sarhad yng ngogledd Cymru, yn hytrach na *queer*.[96] Yn ei ôl ef, mae gan 'cadi', fel *queer*, 'a past of stigma'.[97] Fel y mae un o brif ladmeryddion y theori hon, Judith Butler, yn ei esbonio, '"[q]ueer derives its force precisely through the repeated invocation by which it has become linked to accusation, pathologization, insult'.[98] Ond noda Morgan fod y duedd i feddwl bod y defnydd radical hwn o *queer* yn gymwys ar draws diwylliannau amrywiol yn anwybyddu amrywiaethau. Fel y dywed:

> When Queer Nation [mudiad dros hawliau LHDT – lesbiaidd, hoyw, deurywiol a thrawsryweddol – a sefydlwyd yn Efrog Newydd] was formed in the 1990s, its founders did not confer with the people of the world, and they did not ask the people of the Rhondda Valley if they approved of it. The word 'queer' in south Wales is still an insult and hurtful.[99]

Cyfeddyf y gellid dweud yr un peth am y term 'cadi' yng ngogledd Cymru, ond awgrymir y gall ei ddefnydd ddadorchuddio 'hidden national narrative' o herio deuoliaethau rhyweddol. Yn wahanol i ddadl Dafydd James dros gadw'r gair *queer*, felly, mae arddeliad Morgan o'r gair 'cadi' yn ein hannog i ailddarllen ac ailddehongli Cymru a'r disgyrsiau awdurdodol sy'n llunio'i hunaniaeth.

Yn hynny o beth, daw'n amlwg bod gan y maes theoretig hwn berthnasedd y tu hwnt i faes rhywedd. Mae hynny i'w weld yng nghynnwys a ffurf y nofelau a drafodwyd yn y bennod hon. Yn ogystal â'r ffaith bod rhai yn herio categorïau a hierarchaethau rhywedd, maent oll yn herio'r deuoliaethau a ddefnyddir i ddiffinio a disgrifio Cymru; maent yn brwydro â disgẃrs awdurdodol sy'n gosod Cymru yn erbyn Lloegr, y Gymraeg yn erbyn y Saesneg, y gwledig yn erbyn y trefol/diwydiannol, y gogledd yn erbyn y de, a'r lleol yn erbyn y rhyngwladol. Yn fwy na hynny, maent yn herio categorïau cyfansawdd hefyd fel Cymry Cymraeg; mae Angharad Gwyn yng ngwaith Mererid Hopwood a'r bachgen yng ngwaith Mihangel Morgan yn herio'r disgẃrs pegynol sy'n diffinio de Cymru fel ardal Saesneg ei hiaith; fel Cymraes ddu yng ngogledd Cymru, mae Charlotte Williams yn herio'r syniad mai de Cymru yw'r Gymru amlddiwylliannol. Mae ffurf hybrid y nofelau hyn, a'r ffordd y maent yn benthyg oddi wrth ffurfiau llenyddol eraill yn golygu eu bod yn *queer* neu 'cadi' yn yr ystyr eu bod yn ymwrthod â chategoreiddio syml. Daw damcaniaeth Bakhtin ynglŷn â'r ymadrodd hybrid a'r 'profound unresolved conflict with another's word' yn fwy perthnasol byth, yn yr ystyr hwn.[100] Mae'r syniad o frwydro â geiriau rhywun arall yn berthnasol i systemau trefedigaethol rhyngwladol, ac yn arbennig i wlad fel Cymru a'i sefyllfa ieithyddol gymhleth. Gellir dadlau bod yr awduron hyn yn brwydro â ffurf estron y nofel, ac yn creu ffurfiau hybrid o ganlyniad. Mae'r hyn sy'n eu gwneud yn gymwys i'w darllen yng ngoleuni theori 'cadi' yn eu gwneud yn hybrid hefyd. Noda Stephen Whittle fod y maes damcaniaethol hwn yn dadadeiladu categorïau a safbwyntiau goddrychol.[101] Mae'n ymdebygu i ddamcaniaeth Homi Bhabha, felly, pan awgryma y gall y Trydydd Gofod, y gofod hybrid, ddadadeiladu hunaniaeth yr unigolyn: '[we can] emerge as the others of ourselves'.[102] Mae'r ffurf hybrid y nofelau hyn yn ofodau lle y dadadeiladir aralledd y prif gymeriadau. Maent hefyd yn ofodau synergaidd ac interstitaidd, sy'n cyfuno nifer o wahanol fathau o ysgrifennu, neu sy'n bodoli rhwng gwahanol *genres*, er mwyn mynegi hunaniaethau cymhleth, amlhaenog eu cymeriadau. Mae'r modd y cyfuna'r nofelau wahanol ffurfiau yn adlewyrchu brwydr eiriol arall, chwedl Bakhtin – brwydrau'r cymeriadau yn erbyn y disgyrsiau awdurdodol sydd wedi cadarnhau eu haralledd. Trwy arddel ffurf aml-leisiol, synergaidd, maent yn creu gofodau newydd lle y gallant herio'r disgyrsiau a thanseilio'u haralledd eu hunain.

3

'Welsh . . . Was ist das?': Herio Ystrydebau a Chreu Gofodau Synergaidd

Yn y modd maent yn herio disgyrsiau awdurdodol, chwedl Bakhtin, ac yn caniatáu i'w cymeriadau archwilio elfennau ymddangosiadol gyferbyniol sy'n dod ynghyd yn eu hunaniaeth, gellir ystyried y nofelau a drafodwyd yn y bennod ddiwethaf yn ofodau hybrid neu synergaidd. Maent hefyd yn arddangos agwedd synergaidd tuag at yr hunaniaeth Gymreig, gan ymwrthod â syniadau hanfodaidd ac ystrydebol am Gymreictod. Pan gwestiyna Lawrence, un o gymeriadau cymysg eu hil *Cardiff Dead* (2000) gan John Williams, natur yr hunaniaeth Gymreig trwy ofyn mewn Almaeneg, 'was ist das?' – 'beth yw hwnnw?' – dengys, ar un llaw, ei fod yn teimlo aralledd yn wyneb y delweddau ystrydebol o Gymreictod a wêl o'i gwmpas. Ond mae'r cwestiwn hefyd yn herio dilysrwydd y delweddau hynny, ac â ef a chymeriadau eraill y nofel ymlaen i ganfod gofod amgen er mwyn archwilio syniadau amgen am Gymreictod hybrid. Dengys y bennod hon sut y mae *Cardiff Dead* a nofelau eraill, *Wild Abandon* (2011) gan Joe Dunthorne, *Caersaint* (2010) gan Angharad Price, ac *In and Out of the Goldfish Bowl* (2000) gan Rachel Trezise, yn archwilio sut y teimla eu cymeriadau aralledd oherwydd y modd ystrydebol y diffinnir hunaniaeth, ond hefyd sut yr ânt ati i herio'r ystrydebau hynny trwy ganfod a chreu gofodau synergaidd sy'n pwysleisio amlddiwylliannedd ac amrywiaeth Cymreictod cyfoes.

Mae ystrydebau yn sail i ddisgyrsiau trefedigaethol ac yn gweithredu fel ffordd o ddiffinio'r nodweddion penodol sydd yn perthyn, yn ôl y trefedigaethwr, i bobl o gefndiroedd hiliol neu ethnig gwahanol. Wrth gwrs, nid yw'r ystrydebau hyn yn wir – yn hytrach maent yn lleihau neu hyd yn oed yn anwybyddu'r cymhlethdod diwylliannol sy'n perthyn i'r grwpiau estron hyn gan eu gwneud yn haws eu rheoli. Mae gan yr ystrydeb ei defnydd i wledydd amlddiwylliannol hefyd gan fod yr ystrydeb yn ei gwneud yn haws 'deall' diwylliannau estron a'u cymhathu i'r genedl. Bydd ymdriniaeth y bennod hon yn dangos sut y cymhlethir y broses hon gan y ffaith bod Cymru a'i phobl yn cael eu diffinio mewn modd ystrydebol hefyd, nid yn unig o ganlyniad i hanes eu perthynas drefedigaethol â Lloegr ond, yn eironig, o ganlyniad i'w hannibyniaeth wleidyddol gynyddol yn sgil y broses ddatganoli.

Homi Bhabha sydd wedi cyflwyno'r theorïau mwyaf adnabyddus ynglŷn â'r ystrydeb yn y cyd-destun trefedigaethol ac ôl-drefedigaethol. Dadleua fod yr ystrydeb wrth wraidd disgẃrs trefedigaethol sy'n ddibynnol ar 'the concept of "fixity" in the ideological construction of otherness'.[1] Mae ei gyfeiriad at sefydlogrwydd yn awgrymu bod disgẃrs trefedigaethol yn ddibynnol ar wybodaeth bendant sy'n galw i gof ymdrechion yr Orientalwyr, fel y'u disgrifir gan Said, i adnabod yr Orient yn ei chyfanrwydd, er mwyn gallu ei rheoli. Trwy graffu ar y syniad o sefydlogrwydd mae modd gweld sut y mae disgẃrs trefedigaethol yn cynhyrchu parau deuaidd; mae'r disgẃrs yn datgan, er enghraifft, fod Affricanwyr yn anwaraidd, sy'n cyfiawnhau ymdrechion Prydeinwyr neu Ffrancwyr neu Felgiaid (ac eraill) i'w gormesu a'u 'gwareiddio', ac yn awgrymu bod y gwledydd imperialaidd hyn yn hanfodol waraidd. Yn achos yr Ymerodraeth Brydeinig, un o brif ladmeryddion imperialaeth oedd y gwleidydd Joseph Chamberlain. Mewn araith gerbron y Royal Colonial Institute ym Mawrth 1897, wrth nodi bod natur yr Ymerodraeth Brydeinig wedi newid, defnyddiodd rai o'r ystrydebau hyn i esbonio pwrpas newydd y fenter drefedigaethol hon:

> the sense of possession has given place to a different sentiment – the sense of obligation. We feel now that our rule over these territories can only be justified if we can show that it adds to the happiness and prosperity of the people, and I maintain that our rule does, and has brought security and peace and comparative prosperity to countries that never knew these blessings before.
>
> In carrying out this work of civilisation we are fulfilling what I believe to be our national mission, and we are finding scope for the exercise of the faculties and qualities which have made of us a great governing race.[2]

Mae disgrifiad Chamberlain o'r Prydeinwyr fel 'a great governing race' ar ddiwedd y darn hwn yn awgrymu eu bod yn meddu ar y rhinwedd hwn yn gynhenid, rhywbeth sydd yn naturiol iddynt oherwydd y 'faculties and qualities' penodol sydd ganddynt. Yn debyg i'r gwareidd-dra diamheuol a berthyn i'r iaith Saesneg yng ngolwg y comisiynwyr addysg a ddaeth i Gymru ym 1847, mae gwareidd-dra a goruchafiaeth yr 'hil' Brydeinig yn rhywbeth a gymerir yn ganiataol gan Chamberlain.

Cyferbynna Chamberlain wareidd-dra'r Prydeinwyr â sefyllfa'r rhai a drefedigaethwyd sydd, yn ei dyb ef, heb brofi gwareiddiad erioed o'r blaen – 'never knew these blessings before'. Yn fwy na hynny, mae'r syniad bod y Prydeinwyr yn rhagori ar y rhai a drefedigaethwyd yn golygu bod ganddynt ddyletswydd i ddefnyddio'r nodweddion hyn i wella bywydau eraill trwy eu gwareiddio. Adleisiwyd yr agwedd hon tuag at rôl y trefedigaethwr yn llenyddiaeth yr oes hefyd, megis yng ngherdd Rudyard Kipling, 'The White Man's Burden' (1899). Mae disgrifio trefedigaethu fel baich y dyn gwyn yn awgrymu bod rhywbeth cynhenid yn ei orfodi i ymgymryd â'r ddyletswydd hon. Dywed y gerdd mai baich y dyn gwyn yw, 'To wait in heavy harness / On fluttered folk and wild – / Your new-caught, sullen peoples, / Half devil and half child.'[3] Mae israddoldeb y bobl a drefedigaethwyd i'w weld yma, nid yn unig yn y disgrifiadau ohonynt fel diafoliaid neu blant, ond yn y defnydd o 'half'. Fel yn nisgrifiadau Charlotte Williams o'i hunaniaeth ei hun, ceir awgrym yng ngherdd Kipling nad yw'r trefedigaethwyr yn ystyried y bobl a drefedigaethwyd ganddynt yn gyflawn, yn bobl go iawn.

Gwelwn yn nhestunau Chamberlain a Kipling hefyd sut y mae sefydlogrwydd y naill begwn a'r llall yn bwysig i lwyddiant disgŵrs trefedigaethol: mae'r ystrydeb am anwareidd-dra'r Affricanwyr yn fodd o brofi bod angen eu trefedigaethu ac yn fodd o gadarnhau uwchraddoldeb y trefedigaethwr. Mae Kirsti Bohata'n nodi sut y datblygodd gwyddorau megis ffisioleg (*physiology*), ffrenoleg (*phrenology*) a chreuaneg (*craniology*) yn y bedwaredd ganrif ar bymtheg fel ffyrdd o gynhyrchu ystrydebau ethnig fel y rhain ar sail nodweddion corfforol gan nodi bod y rhain yn dal i fod yn 'meaningful signifiers' yn y cyfnod presennol hefyd.[4] Nid yw'r bennod hon yn canolbwyntio ar ystrydebau ynglŷn â nodweddion corfforol gwahanol grwpiau – yn hytrach canolbwyntia ar ystrydebau a ddefnyddir i bortreadu arferion neu ddisgwyliadau gwleidyddol neu gymdeithasol yr honnir iddynt 'berthyn' i wahanol grwpiau (er enghraifft, lleoliad daearyddol grwpiau ethnig, neu gredoau gwleidyddol disgwyliedig gwahanol gymunedau). Nid yw ychwaith yn ystyried i ba raddau mae awduron cyfoes yn defnyddio ystrydebau hiliol er mwyn cymeriadu unigolion. Mae'n dadlau bod cymeriadau'r nofelau dan sylw yn ceisio brwydro yn erbyn ystrydebau sy'n eu llunio fel yr 'arall', gan ddangos sut mae delweddau ystrydebol o Gymreictod yn eu heithrio, yn eu gwneud yn anhunfodol, a benthyg geiriau Simone de Beauvoir. Mae'n dangos, felly, fod effaith yr ystrydeb yn achos y Gymru amlddiwylliannol yn ddeublyg: ar un wedd, mae'r ystrydeb yn cadarnhau aralledd yr unigolyn neu'r grŵp y mae'n ei ddisgrifio, gan leihau ei gymhlethdod diwylliannol; yn ail, gan fod yr ystrydeb yn cynrychioli'r gwirionedd honedig am grŵp penodol neu nodweddion hanfodol sydd eu hangen i berthyn i'r grŵp, mae'r unigolion nad ydynt yn cyd-fynd â'r ystrydeb yn profi aralledd hefyd. Mewn ambell enghraifft a ddefnyddir yma mae'r ystrydeb yn arwain at greu trefn ddeuol newydd y mae'r cymeriadau yn ceisio'i thanseilio.

Mae'r ystrydeb yn arwydd bod angen trefn ar y trefedigaethwr sy'n sicrhau bod y gwahaniaethau sylfaenol rhyngddo a'r bobl a drefedigaethwyd yn amlwg, ac mae'r ystrydeb yn diwallu'r angen hwnnw hefyd. Diffinnir sawl cymdeithas neu genedl gan drefnau deuaidd tebyg. Mae Katie Gramich wedi dadlau bod hyn yn arbennig o wir am Gymru, gan awgrymu bod y duedd i begynu gwahanol elfennau o fywyd Cymreig yn arwydd bod y genedl wedi'i llunio gan ddisgyrsiau trefedigaethol:

> the cultural situation of Wales does seem ineluctably divided: north versus south, Welsh versus English, town versus country, industry versus agriculture, chapel versus pub, and so on. Such dualism seems to pervade Welsh culture: is it apparent or real? Edward Said has argued that binary oppositions are a prerequisite of imperialist thought ... I suggest that it might be possible to apply this argument to Wales: the reason that the binary model is still so strong in Wales is that it is still a colonized country, subject to imperialist ways of thinking.[5]

Noda Charlotte Williams dueddiadau tebyg a'u heffaith ar leiafrifoedd ethnig wrth iddi drafod y posibilrwydd o greu cenedl fwy cynhwysol hefyd: 'Long-standing cleavages between north and south, east and west, urban/rural, Welsh-speaking/English-speaking, indigenous/in-migrant, working class/"taffia" are cleavages that mark the experiences of ethnic minority communities as well as the majority population.'[6] Er bod y nofelau dan sylw yn y bennod hon yn cefnogi dadleuon Gramich a Williams fod y rhaniadau hyn yn cael eu defnyddio i ddiffinio Cymru, nid yw'r cymeriadau'n fodlon credu eu bod yn dweud y gwirionedd am eu gwlad. Dulliau ystrydebol o drefnu'r genedl yw'r deuoliaethau hyn iddynt, dulliau nad ydynt yn caniatáu trafodaethau mwy agored ar hunaniaethau Cymreig cymhleth.

Mae effaith hyn ar gymdeithas amlddiwylliannol i'w gweld yn *O Ran*, nofel Mererid Hopwood a drafodwyd yn y bennod flaenorol, yn y sgwrs mae Angharad Gwyn yn ei chael â'r gyrrwr tacsi o dras Bacistanaidd sy'n ei chasglu o orsaf drenau Caerdydd Canolog ar ddiwedd ei thaith o Lundain. Daw i'r amlwg bod y gyrrwr tacsi wedi mynychu'r ysgol Saesneg a oedd gyferbyn ag ysgol Gymraeg Angharad, a myfyria'r ddau ar annigonolrwydd deuoliaethau fel Cymraeg/Saesneg a Chymry/Saeson i ddisgrifio'u hunaniaethau cymhleth:

> 'You're nor one of them Welsh speakers? I used to go to school in Gabalffa. And our yard was next to the Welsh school? Bro Taff? I suppose you used to go there? They used to call us Inglies, and we called them Welshies. Bur really I'm Pakistani. No' really Welshie or Inglie. It's odd. I don' knows whar I am really. No' really Welsh. No' really English. And when I goes to stay with my Pakistani people in Birmingham, I thinks I'm no' really Pakistani either? Know whar I mean? I' does my 'ead in sometimes, i' does. Do 'u knows whar I mean?'
>
> 'I suppose I do.' [meddai Angharad][7]

Er nad yw'r bennod hon yn trafod y pegynu ystrydebol rhwng siaradwyr Cymraeg a Saesneg (gwneir hynny yn y bennod nesaf), mae geiriau'r gyrrwr tacsi ac Angharad yn dangos sut y mae mynnu diffinio hunaniaeth yn ôl categorïau deuaidd megis Cymraeg neu Saesneg, Cymreig neu Seisnig, Pacistanaidd neu Brydeinig/Gymreig yn gallu gwadu presenoldeb hunaniaethau hybrid, cymhleth.

Gwneir hyn yn fwy eglur fyth yn astudiaeth Gabriele Marranci o fywyd y gymuned Bacistanaidd yng Ngogledd Iwerddon. Noda sut y gwnaeth menyw o dras Bacistanaidd alw i gof sgwrs a gafodd â'i mab: 'My son walked in and said: "Mum, are we Prod [Protestant] or are we Catholic?" I said, "you are Muslim". And he said "I know I'm a Muslim, but am I a Prod or am I Catholic?"'[8] Dyma hanesyn sy'n adleisio profiad y gyrrwr tacsi, sy'n dangos sut y mae rhaniadau hanfodaidd oddi mewn i wledydd yn gallu amharu ar allu unigolion o gefndiroedd amrywiol i fynegi eu hunaniaethau cymhleth. Mae'r sefyllfa abswrd lle mae Mwslim yn teimlo ei fod yn gorfod dewis ymrwymo i gymuned grefyddol arall er mwyn perthyn yn dangos sut y mae'r syniadau hanfodaidd ynglŷn â diwylliant yn gallu gwadu bodolaeth amrywiaeth o ddiwylliannau oddi mewn i un wlad. Mae cyfeiriad y gyrrwr tacsi at y ffaith nad yw'n gallu uniaethu â hunaniaeth cymuned Bacistanaidd Birmingham, prif gymuned Bacistanaidd Prydain, yn awgrymu bod cysylltu hunaniaeth benodol gydag ardal benodol yn eithrio pobl. Mae'r modd ystrydebol y priodolir ieithoedd neu ddiwylliannau i ardaloedd penodol yng Nghymru yn rhywbeth y mae'r nofelau dan sylw yn y bennod hon yn ei herio hefyd.

Tra awgryma Katie Gramich fod y drefn ddeuol hon yn parhau i ddominyddu'r ffordd y diffinnir Cymru o ganlyniad i feddylfrydau imperialaidd a'u heffeithiau, mae'r nofelau sydd dan sylw yn y bennod hon yn awgrymu bod yr ystrydebau sydd ar waith yn y gymdeithas y maent yn ei phortreadu yn ganlyniad i nifer o ffactorau gwahanol. Yn y nofel gyntaf, *Wild Abandon* gan Joe Dunthorne, ystrydebau a luniwyd am Gymru, gan Saeson a Chymry fel ei gilydd, sydd dan y llach wrth i gomiwn, â'i aelodau'n hanu o Loegr yn bennaf, symud i Benrhyn Gŵyr er mwyn ffoi rhag cyfalafiaeth a thechnoleg y byd modern. Ond gwneir hwyl am ben eu hymgais i wneud yr hyn a elwir yn Saesneg yn *going native* wrth i'r traethiad danseilio'r ystrydebau am Gymru sy'n eu denu yno yn y lle cyntaf. Mae'r ddwy nofel nesaf a drafodir, *Cardiff Dead* gan John Williams a *Caersaint* gan Angharad Price, yn awgrymu bod Caerdydd wedi datblygu'n rhyw fath o ganolfan (*centre*) drefedigaethol newydd, yn gartref i lywodraeth a sefydliadau sifig, canolbwynt y wasg Gymreig, a dosbarth addysgedig, sy'n cynhyrchu neu'n cyfrannu at ystrydebau am wahanol gymunedau Cymreig.[9] Mae cymeriadau cymysg eu hil y nofelau hyn yn herio'r ystrydebau a gynhyrchwyd. Mae rhai cymeriadau yn gweld bod ystrydebau yn cael eu defnyddio fel esgus i beidio â brwydro yn erbyn disgyrsiau dominyddol sy'n eu gormesu. Dyma yw barn Rebecca, prif gymeriad *In and Out of the Goldfish Bowl* gan Rachel Trezise – mae'n ail-hawlio delwedd o aralledd y Cymry, megis boddi cymoedd yng Nghymru er mwyn cyflenwi dŵr i Loegr. Gwna hynny er mwyn lladd ar ddihidrwydd ei chymdogion sy'n defnyddio'u safle difreintiedig er mwyn peidio â herio'r ystrydebau sy'n eu diraddio.

Gellir dehongli tuedd y testunau i herio ystrydebau yng ngoleuni gwaith Homi Bhabha. Yn ei ôl ef, mae deuoliaeth agwedd yn perthyn i'r ystrydeb, ac mae hynny'n deillio o'r ffaith nad oes modd profi ei bod yn wir. Fe esbonia:

> the stereotype [. . .] is a form of knowledge and identification which vacillates between what is always 'in place', already known, and something that must be anxiously repeated . . . as if the essential duplicity of the Asiatic or the bestial sexual licence of the African that needs no proof, can never really, in discourse, be proved [. . .] it is the force of ambivalence that gives the colonial stereotype its currency: ensures its repeatability in changing historical and discursive conjunctures.[10]

Mae'r testunau sydd dan sylw yn y bennod hon yn dangos sut y mae ystrydebau am hunaniaeth yng Nghymru yn cael eu hailadrodd. Ond mae'r duedd sydd ynddynt i herio'r ystrydebau yn adleisio'r ansefydlogrwydd a ddisgrifir gan Bhabha. Yn y testunau a drafodir yma, mae hiwmor chwyddedig traethiad y nofelau yn aml yn tanseilio'r ystrydebau sy'n achosi eu haralledd. Mae'r traethiad doniol yn tynnu sylw at y 'slippage', chwedl Bhabha, y gwahaniaeth rhwng y portread (hynny yw, yr ystrydeb) a'r gwirionedd.[11]

Mae Raymond Williams yn dadlau bod hiwmor wedi cael ei ddefnyddio fel arf gan y Cymry yn wyneb ystrydebau trefedigaethol. Ond yn hytrach na'i ddefnyddio i danseilio'r ystrydebau, noda Williams fod tuedd gan y Cymry i greu fersiynau comig, gorliwiedig o ddelweddau ystrydebol er mwyn diddanu cynulleidfaoedd yn Lloegr. Noda fodolaeth

> an evident tendency to play to our weaknesses, for commercial entertainment. If the Welsh, as the English sometimes say, are dark, deceitful, voluble and lustful Puritans, find a scene, find a character, play it on English television; admit and exaggerate your weaknesses before they have time to point them out . . . Be what they expect you to be and be it more. Tell the joke against yourself before they do, like Jewish humour in an anti-Semitic time. Show the distinctive bits and pieces they've already cast you for. It's easier and more successful than living with the whole of yourself. It's not me exactly, or you exactly, but by God it's Welsh, and by God it will slay the English.[12]

Er bod Williams yn feirniadol o'r duedd hon, mae tôn y darn, yn ogystal â'i ddefnydd o'r gair 'slay' yn awgrymu'r ddeuoliaeth agwedd y mae hiwmor gorliwiedig yn gallu ei hychwanegu at destun a'r ffordd y mae'n tanseilio ystrydebau. Mae tôn y darn yn tynnu sylw at ba mor anwir a niweidiol yw'r ystrydebau hyd yn oed wrth eu hailadrodd. Mae'r natur ddeuleisiol hon yn cael ei hadlewyrchu yn nofelau John Williams, Joe Dunthorne a Rachel Trezise. Mae'r defnydd o'r gair 'slay' yn ymdebygu i'r chwarae ar eiriau y mae Angharad Price yn ei ddefnyddio yn ei nofel, yn ogystal â'r modd y gall ailadrodd ystrydebau mewn modd doniol eu tanseilio. Mae'r ymadrodd 'slay the English', yng nghyd-destun y darn hwn, yn cyfeirio at y weithred o wneud i'r trefedigaethwr chwerthin ar bortread y bobl a drefedigaethwyd o'r ystrydebau a ddefnyddir i'w diffinio. Ond mae amwysedd yn perthyn i'r gair 'slay', wrth gwrs – mae'n golygu 'lladd'. Mae modd perfformio'r ystrydebau hyn, neu dynnu sylw atynt, er mwyn eu herio a'u tanseilio, ac yn hynny o beth mae modd 'lladd' (yn symbolaidd) y trefedigaethwr – hynny yw, gwaredu ei bŵer a'i ddominyddiaeth.

'Escape to the Country' neu 'into the heart of darkness'?:[13] *Mudo o Loegr i Gymru yn* Wild Abandon

Mae *Wild Abandon* gan Joe Dunthorne yn perfformio ystrydebau am Gymru trwy archwilio'r hen fframwaith trefedigaethol a ddefnyddir i ddiffinio'r berthynas rhwng Cymru a Lloegr. Ond yn y pen draw, nid y cymeriadau sy'n tanseilio'r ystrydebau trefedigaethol ond yr adroddwr, trwy watwar eu hymdrechion llugoer i ymgynefino â Chymru, gan adleisio yr hyn a ddywed Raymond Williams am natur ddeublyg hiwmor mewn cyd-destunau o'r math hwn. Dilyna'r nofel hanes grŵp o bobl, o Loegr yn bennaf, sy'n mudo i Benrhyn Gŵyr er mwyn sefydlu comiwn a byw yno dros gyfnod o ryw ugain mlynedd, gan hyrwyddo gwerthoedd megis hunangynhaliaeth a gwrthgyfalafiaeth. Maent hefyd yn gwrthod byw eu bywydau yn ôl daliadau diwylliannau pwerus, cyfalafol ac yn hyfforddi'u plant i weld sut y mae hysbysebion sy'n hyrwyddo'r diwylliannau hynny yn eu twyllo. Wedi iddynt dreulio cyfnod yn sefydlu comiwn tebyg mewn adeilad yn ardal ariannol Llundain, penderfyna Don, un o'r arweinwyr, ei bod yn amser symud ymlaen at y prosiect nesaf:

> [Don] said they had two choices: either return to the familiar, piss-drinking drudge of city life or run with the summer's energy, the shared skills, the collective joblessness, their youngness, and try a different life, in the countryside. That's all he called it. The countryside. 'The city will still be here, waiting to eat us up, the moment we want to come back.'
>
> . . .
>
> They spent the next couple of weeks doing road trips in two cars . . . searching for an appropriate property. They went to Yorkshire, Northumberland, Dumfriesshire, Mid Wales, North Wales, South Wales . . .[14]

Mae Cymru gyfan yn gweddu i ddiffiniad y grŵp o 'the countryside'. Mae'r defnydd o'r termau cyffredinol 'city' a 'countryside' yn golygu bod y ddau ofod yn gweithio oddi mewn i system ddeuol, gyda Chymru, fel lle sydd wedi'i ddychmygu'n gyfan gwbl wledig yma, yn cyferbynnu'n llwyr â'r ddinas. Mae Pyrs Gruffudd wedi olrhain hanes y ddelwedd o Gymru fel dihangfa wledig rhag pwysau a diflastod bywyd yn ninasoedd a threfi diwydiannol Lloegr:

> [The geographer H. J.] Fleure elevated the Welsh rural population to a position of sociological importance . . . rural Wales in particular was 'the ultimate refuge in the far west . . .' The spiritual qualities of the peasantry

> ... were of importance in combating the materialism of unbridled laissez-faire and its destructive social effects. Industrial civilization, Fleure suggested in 1921, was facing collapse and society's one hope of avoiding collapse was to have a stream of supply from the remote corners ... imparting to urbanites those spiritual values, discernment and creativity that Fleure felt were the possession of rural society ... He rejected the blind attachment to 'Progress' and its effects ... In this way, Wales was conceived ... as 'a fount whence may well up streams of inspiration refreshing the jaded and overstrained business life of our modern England'.[15]

Gellir dadlau bod y grŵp yn ystyried Cymru mewn ffordd debyg, fel dihangfa oddi wrth fywyd afiach – 'piss-drinking drudge' – a dinistriol – 'waiting to eat us up' – y ddinas. Ond er y gellid ystyried y cysylltir Cymru â ffactorau cadarnhaol ym marn aelodau'r comiwn, â thraethydd y nofel yn ei flaen i ddatgelu'r agweddau sydd wrth wraidd y teimladau hyn, sy'n adlewyrchu ystrydebau trefedigaethol.

Mae'r gwrthgyferbyniad hwn rhwng y wlad a'r ddinas yn un o'r ystrydebau hyn. Mae Raymond Williams yn *The Country and the City* yn archwilio'r ffyrdd y mae'r ddinas a'r wlad wedi'u diffinio mewn perthynas ddeuol yn rhyngwladol ers yr Oes Glasurol:

> The rhetorical contrast between town and country life is indeed traditional: Quintillian makes it his first example of a stock thesis, and conventional contrasts between greed and innocence, in these characteristic locations, are commonplace in later Greek and Latin literature ... In the savage satires of Juvenal we find the tone which is more than conventional: a sustained and explicit catalogue of corruption.
>
> What can I do in Rome? I never learnt how
> To lie.[16]

Fel ym meddyliau cymeriadau Dunthorne, mae Williams yn dangos sut y mae'r ddinas wedi symboleiddio trachwant a thwyll ers amser maith. Noda Williams hefyd sut y mae'r ddeuoliaeth rhwng y wlad a'r ddinas yn cyfrannu at ddisgyrsiau trefedigaethol – 'one of the last models of "city and country" is the system we now know as imperialism'.[17] Yn ei hastudiaeth o lenyddiaeth am Gymru yn y Saesneg yn y ddeunawfed ganrif, mae Moira Dearnley yn dangos yr effeithiwyd ar y berthynas rhwng y wlad a'r ddinas yng Nghymru gan statws israddol Cymru o'i chymharu â Lloegr ers o leiaf ddau gant a hanner o flynyddoedd. Yn ei hymdriniaeth â *The History of Ophelia* gan Sarah Fielding (1760), er enghraifft, noda: 'Wales appears to offer readers a credible image of a trackless wilderness in which one might be completely hidden from one's kind for years on years.'[18] Mae hyn yn cyd-fynd â'r delweddau Seisnig o Gymru a ddisgrifia Pyrs Gruffudd. Mae'n bwysig nodi'r ddeuoliaeth sy'n perthyn i'r ystrydeb, hefyd – ar y naill law mae Cymru'n cael ei phortreadu fel lle gwyllt ac anghysbell, ond ar y llaw arall fe'i portreedir fel lleoliad anllygredig sy'n cynnig lloches.

Noda Pyrs Gruffudd, serch hynny, fod y ddelwedd hon o Gymru wledig wedi'i llunio'n rhannol gan y Saeson a'r Cymry fel ei gilydd. Cydnebydd, 'Wales … has been made and remade by peoples other than the Welsh'[19] ond hefyd fod '[t]he Welsh themselves constructed moralized discourses of landscape and rural life by echoing the aesthetics and narratives of English antiquarians …'.[20] Hwyrach i'r Cymry ddefnyddio'r syniadau a'r delweddau hyn 'in opposition to Anglicization and to the imposition of an urban-industrial Britishness on Wales'.[21] Awgrymir felly hybridedd y cysyniad o Gymru wledig fel gwrthbwynt i fywyd dinesig gan fod ganddo wreiddiau yn y diwylliannau Cymreig a Seisnig. Ac yn hynny o beth mae modd dehongli ymddygiad cymeriadau Dunthorne mewn ffordd wahanol. Nid gormesu tir, diwylliant nac iaith Cymru y maent yn ei wneud yn unig – maent yn dynwared y Cymry hefyd. Dyma ddynwared sy'n wahanol i'r broses a ddisgrifia Bhabha, lle y mae'r bobl a drefedigaethwyd yn efelychu'r trefedigaethwyr. Mae aelodau'r comiwn yn dynwared diwylliant gwlad ymylol, ac weithiau ei hiaith leiafrifol hefyd. Gellir dehongli'r dynwared gwrthdro hwn yn nhermau'r broses a elwir yn Saesneg yn *going native* – proses a wêl y trefedigaethwr yn mabwysiadu arferion y diwylliant a drefedigaethwyd – er mwyn archwilio aralledd Cymru o safbwynt y mudwyr Seisnig hyn.

Mae'r modd y mae aelodau'r comiwn yn ceisio efelychu'r Cymry i'w weld yn eu penderfyniad i ddewis enw Cymraeg i fferm y comiwn. Mae Don, hefyd yn ystyried bod defnyddio'r Gymraeg yn cyd-fynd â'u hamcanion i beidio â chydymffurfio â diwylliannau pwerus, cyfalafol:

> One of his [Don's] earliest suggestions was to change the name of the farm to Welsh. Don expressed his support of the Meibion Glyndwr [*sic*] movement – a then still-active group who had been firebombing English-owned holiday homes on Anglesey and the Lleyn peninsula. He said the Anglophone destruction of Welsh culture was unforgivable. To watch Don pronounce Meibion Glyndwr [*sic*] was to see a man battle his own genetics.[22]

Mae Don yn dehongli'r Cymry gan ddefnyddio fframwaith o gyntefigiaeth (*primitivism*). Mae cyntefigiaeth yn diffinio agwedd diwylliant trefedigaethol at ddiwylliannau a drefedigaethwyd ac yn fodd o archwilio'u dirmyg tuag at y bobloedd honedig israddol hyn yn ogystal â'r ofn y mae'r bobl a drefedigaethwyd ei godi arnynt. Gwelir eu dirmyg yn eu hymgais i ddefnyddio a dysgu'r Gymraeg, ymgais, y cawn wybod ar y dudalen nesaf, y gwnaethant roi'r gorau iddi heb fawr o ymdrech.[23]

Gwelwn yn y disgrifiad uchod fod y Cymry, ar ffurf mudiad Meibion Glyndŵr, yn bygwth y mudwyr hyn o Loegr. Yn ei hastudiaeth o gyntefigiaeth mewn llenyddiaeth, ffilm a chelfyddyd, mae Marianna Torgovnick yn dadlau bod y broses o efelychu'r brodorion a elwir yn *going native* yn llunio'r 'brodorion' fel pobl sy'n bygwth y trefedigaethwyr mewn ffyrdd amrywiol: 'a film from the 1980s introduced the hero ... to three African tribes. The first, he was told, would rob him; the second would desert him; the third would eat him.'[24] Ond mae bygythiad arall yn wynebu'r sawl sy'n efelychu'r brodorion. Bygythiad yw hwn i'w goruchafiaeth hiliol neu ethnig fel cynrychiolwyr diwylliant gwyn, Gorllewinol, trefedigaethol, fel yr esbonia Ashcroft et al. ymhellach:

> The term ['going native'] indicates the colonizers' fear of contamination by absorption into native life and customs. The construction of native cultures as either primitive or degenerate in a binary discourse of colonizer/ colonized led, especially at the turn of the [twentieth] century, to a widespread fear of 'going native' amongst the colonizers in many colonial societies ... The threat is particularly associated with the temptation posed by inter-racial sex, where sexual liaisons with 'native' peoples were supposed to result in the contamination of the colonizers' pure stock and thus their degeneracy and demise as vigorous and civilised ... people.[25]

Er nad yw'n cyfeirio at berthnasau rhywiol â'r Cymry, mae'r cyfeiriad at enynnau yn y disgrifiad o'r Sais Don yn ceisio'n aflwyddiannus i ynganu geiriau Cymraeg yn nofel Dunthorne yn ein hatgoffa o'r elfen fiolegol hon.

Er hynny mae'r hiwmor a ychwanegwyd gan watwar yr adroddwr yn datgelu pa mor ffuantus yw'r ymgais hwn at efelychu a chyn lleied o berygl sydd i Don droi'n Gymro bygythiol. Mae'n dangos nad oes modd i Don newid ei enynnau o ganlyniad i dreulio llawer o amser ymhlith y Cymry. Pwysleisir hyn ymhellach gan yr esboniad o benderfyniad y comiwn i ddewis enw Cymraeg i'r fferm a'i dewis o leoliad ym Mhenrhyn Gŵyr. Dyma sut yr ânt ati i ddewis enw'r fferm:

> They bought an English-Welsh dictionary and set about trying to mash together the two words that best captured their geographical location, since Welsh house names tended to be purely descriptive: 'house on a

> triangular piece of land', for instance. There followed a fortnight of gruelling discussion, longlists, shortlists, blind voting and, each day, the sound of people absently repeating different combinations of words – Ty [*sic*] Nant, Cwm Mawr, Trem Coed, Treffoel, Dolclogwyn – to gauge how they felt in the mouth.
>
> Blaen meant 'extremity' and 'beginning', both of which, Don felt, said something about their reasons for being there. It also referred to a place at the head of a valley. They were at the side of an almost-valley. And Llyn, meaning 'lake' or 'pool', referenced the swimmable section of the river in the woods.[26]

Mae'r weithred o ddefnyddio geiriadur i geisio adnabod y diwylliant Cymraeg yn galw i gof waith Edward Said ar Orientaliaeth a'r modd y byddai gwledydd trefedigaethol Gorllewinol yn honni eu bod yn gallu adnabod diwylliannau eu trefedigaethau yn eu cyfanrwydd trwy lyfrau a thrwy astudiaethau ffilolegol.[27] Ar y llaw arall, mae'r ymgais i ddefnyddio a dysgu'r Gymraeg, ac i geisio dangos parch tuag at ddiwylliant 'brodorol' yn golygu yr ymddengys y mudwyr Seisnig hyn yn llawer mwy ystyriol a goddefol na mudwyr ffuglennol eraill i Gymru o Loegr.[28] Mae'r darlun yn un amwys, felly.

Mae dewis yr enw 'Blaen-y-llyn' a'r rhesymau dros wneud hynny yn ychwanegu at amwysedd y dehongliad o aelodau'r comiwn fel rhywrai sy'n mynd trwy'r broses a elwir yn *going native*.[29] Yn ogystal â'r arwyddocâd negyddol ynglŷn â dirywiad (*degeneracy*) neu atafistiaeth (*atavism*), mae gan gyntefigiaeth ystyron cadarnhaol hefyd. Mae'n gyflwr amwys, fel yr esbonia Marianna Torgovnick ymhellach: 'primitive always implied "original," "pure," "simple" – as the dictionary says, "with implications of either commendation or the reverse."'[30] Gan eu bod yn ceisio ffoi rhag systemau cyfalafol a bod yn hunangynhaliol, mae'n ymddangos mai'r ystyron cadarnhaol sydd wrth wraidd dewis y comiwn i ddod i Benrhyn Gŵyr. Ategir hyn gan leoliad y fferm a brynwyd ganddynt. Noda'r adroddwr 'a peninsula had the right implications: something that pushed out from the mainland, making an insular path into the unknown'.[31] Mae'r syniad o fod ar wahân yn cael ei adleisio gan ffurf y penrhyn, ac mae dewis cynnwys y gair 'blaen' yn enw'r comiwn yn cyd-fynd â'r hyn a ddywed Torgovnick am leoliad y cyntefig 'at the farthest edge'.[32] Ond mae'r cyfeiriad at 'the unknown' yn cyflawni un o drosiadau mwyaf cyffredin naratifau *going native*, sef teithio i diriogaeth newydd, anhysbys, ac sydd felly'n beryglus. Dyma sydd wrth wraidd – ac yn ysbrydoliaeth i deitl – y naratif *going native* enwocaf oll, nofel fer Joseph Conrad, *Heart of Darkness* (1899). Yn ogystal â bod yn ddihangfa rhag 'y ddinas', felly, mae'r ardal hon o Gymru yn fygythiol, ac ategwyd anallu aelodau'r comiwn i'w meistroli gan eu hanallu i feistroli'r Gymraeg.[33]

Ond nid dyma'r unig amwysedd sy'n bresennol yn hanes *going native* y comiwn. Unwaith eto mae arddull watwarus llais y dweud yn tanseilio'u hymdrechion, gan ddangos sut y mae'r gwahaniaethau y maent yn eu gweld rhwng diwylliant cynyddgar, cyfalafol de Lloegr a diwylliant cyntefig, hunangynhaliol Cymru yn wahaniaethau ffuantus, a luniwyd gan aelodau'r comiwn eu hunain. Yn y disgrifiad chwyddedig o'r modd yr eir ati i ddewis enw'r fferm, mae gweithredoedd y comiwn yn ymddangos fel pe baent yn perthyn i fyd busnes a masnach, y byd cyfalafol y maent yn ei wrthwynebu. Ac mae'r ymdrech a wneir i ddewis enw sy'n cyd-fynd ag amcanion y grŵp a'i leoliad daearyddol yn ymdebygu i frandio masnachol. Mae'r manylu digrif ar y broses o ddewis enw a lleoliad yn dangos nad ydynt yn bethau syml, gwreiddiol neu bur fel y disgwylir gan bethau 'cyntefig'. Yn ogystal â hynny, mae'r lleoliad ei hunan yn bradychu pa mor hurt yw ymdrechion aelodau'r comiwn yn yr achos hwn. Mae eu lleoliad ger dinas Abertawe yn tanseilio'r rhaniad dychmygedig rhwng y wlad a'r ddinas. 'To the east was Swansea and industry and that which they were trying to escape', medd yr adroddwr, gan atgoffa'r darllenydd bod Abertawe'n hanesyddol yn ganolfan diwydiannol bwysig o safbwynt allforio glo a chopr, ac felly'n symbol o'r byd cyfalafol y mae'r comiwn yn ceisio dianc rhagddo.[34] Mae hiwmor yr adroddwr felly yn tanseilio'r ddelwedd ystrydebol o aralledd Cymru y mae aelodau'r comiwn yn ei harddel. Drwy hynny, mae'r portread o aelodau'r comiwn ei hun yn arddangos deuoliaeth agwedd – maent yn ailadrodd ystrydebau deuol o'r math a ddefnyddir gan goloneiddwyr, ond mae natur ffuantus yr ystrydebau yn gwneud i aelodau'r comiwn ymddangos yn anfedrus ac yn anwybodus.

'Glad to be Welsh then?': Cwestiynu cenedlaetholdeb yn Cardiff Dead

Nid cynrychiolwyr diwylliant trefedigaethol Seisnig yn unig sy'n euog o ailadrodd ystrydebau am Gymreictod mewn ffuglen gyfoes, ond y Cymry eu hunain hefyd. Tra chwery *Wild Abandon* ar y berthynas drefedigaethol rhwng Cymru a Lloegr, mae *Cardiff Dead* gan John Williams a *Caersaint* gan Angharad Price fel petaent yn dychmygu Caerdydd a'r llywodraeth ddatganoledig newydd fel canolfan drefedigaethol newydd sy'n annog hyrwyddo delweddau ystrydebol o Gymreictod, yn ogystal â bod yn gyfrifol am lunio trefn ddeuaidd newydd yng Nghymru. Mae *Cardiff Dead* yn dilyn hynt a helynt band *ska* Cymreig dychmygol o'r enw 'The Wurriyas' yn ystod dau gyfnod penodol yn ei hanes – adeg ffurfio'r band yn 1980au cynnar, ac adeg marwolaeth un aelod, Charlie Unger, ym 1999. Mae ffurf y nofel yn aml-leisiol mewn modd tebyg i rai o'r cyfrolau a drafodwyd yn y bennod flaenorol, gan ei bod yn adrodd y stori o safbwynt dau aelod gwahanol o'r band: Mazz, dyn gwyn o gymoedd Gwent, a Tyra, menyw gymysg ei hil o Tiger Bay a merch i Charlie, ar ddechrau'r 1980au ac ar droad y mileniwm. Mae'r nofel, felly, yn cynnig dau fersiwn o hanes y band. Mae hynny'n arwyddocaol o ystyried cynnwys y nofel sy'n dangos sut y mae'r broses o greu cenedl (*nation building*), o greu diwylliant swyddogol neu awdurdodol, yn gwthio rhai grwpiau i'r ymylon – mae hi'n broses o greu 'arall', neu 'eraill', newydd, neu o gadarnhau aralledd grwpiau sydd eisoes yn cael eu hystyried felly. Mae'r nofel yn gwneud hyn mewn dwy ffordd. Wrth fwrw golwg yn ôl i'r 1980au mae'r nofel yn galw i gof frwydrau rhai grwpiau ymylol yn erbyn llywodraeth Brydeinig y cyfnod – gwelir protestiadau dros yr iaith Gymraeg ac achos Gweriniaethwyr yr Iwerddon, yn ogystal ag aflonyddwch ymhlith gweithwyr diwydiannol. Ond yn rhannau'r nofel sydd wedi'u gosod ym 1999, y llywodraeth Gymreig newydd ym Mae Caerdydd yw'r sefydliad awdurdodol (a chwerthinllyd) y mae'r cymeriadau yn teimlo bod rhaid iddynt ei wrthwynebu.

Tua dechrau'r nofel, mae'r rhan fwyaf o aelodau'r band, yn ogystal â chymuned Trebiwt a'r hen Tiger Bay yn dod at ei gilydd yn angladd Charlie. Nid yw'n gyd-ddigwyddiad bod yr angladd hwn yn digwydd ar yr un diwrnod â chroesawu'r Cynulliad i Fae Caerdydd. Mae marwolaeth Charlie fel petai'n symboleiddio'r ffordd y mae datblygu Bae Caerdydd yn ganolfan ddiwylliannol a gwleidyddol wedi digwydd ar draul hen gymuned y dociau, a sut y mae'r cymunedau amlethnig ymylol hyn wedi cael eu dadleoli er mwyn gwneud lle i fynegiant newydd o Gymreictod swyddogol ac awdurdodol. Ceir delwedd debyg yn nofel Gymraeg Llwyd Owen, *Ffydd, Gobaith, Cariad* (2006), a drafodir mewn rhagor o fanylder yn y bennod nesaf. Yno, mae'r prif gymeriad, Alun Brady, yn ymweld â Bae Caerdydd ar ôl treulio cyfnod yn y carchar ac mae'n siomedig i weld sut y mae'r ardal wedi newid:

> Wrth basio'r fflatiau a'r tir diffaith trefol sy'n gartref i gymunedau croenddu'r ddinas yn bennaf, ac sy'n wrthgyferbyniad llwyr â'r hyn sy lawr yn y Bae, dw i wir yn digalonni. Mae'r ardal mor aflan ag unrhyw beth sydd gan Lundain neu Birmingham i'w gynnig, ac mae'r ffaith bod cymaint o arian yn cael ei fuddsoddi er mwyn datblygu fflatiau fflimsi a

chanolfannau adloniant Americanaidd eu natur i ddosbarthiadau ariannog Caerdydd yn ennyn fy atgasedd – cael eu hanghofio wna'r di-groenwyn. Er nad yw hi mor amlwg ag yn Ne Affrica, Awstralia nac yn nhaleithiau deheuol America, eto i gyd rhyw fath o wahanu, o apartheid, sydd ar waith fan hyn hefyd.[35]

Mae gwrthwynebiad Alun i ddatblygiad y Bae ychydig yn wahanol i'r hyn a geir yn nofel John Williams. Nid yw ei ddiflastod yn cael ei anelu at ryw fersiwn ystrydebol o Gymreictod sy'n cael ei hyrwyddo yno, ond mae'n gweld bai ar y datblygiadau sy'n digwydd yno am wthio o'r neilltu gymunedau amlethnig, fel y rhai a bortreedir yn *Cardiff Dead*.[36] Ac mae hynny er gwaetha'r ffaith bod un o brif ddatblygiadau'r Bae, sef croesawu'r Cynulliad wedi'r bleidlais dros ddatganoli ym 1997, i fod, fel y noda Charlotte Williams, yn 'focus for the officially sponsored celebration of an ethnically inclusive civic National identity'.[37]

Serch hynny, mae'r Cymreictod a hyrwyddir yn *Cardiff Dead* gan sefydliadau cenedlaethol ym Mae Caerdydd yn un sy'n hanfodaidd ac, yn ogystal â hynny, mae'n ymddangos fel rhywbeth ffug. Mewn un olygfa gofiadwy, gwelwn Mazz a Lawrence, hen ffrind i Mazz sy'n gymysg ei hil, yn gwylio seremoni croesawu Cynulliad Cymru i Fae Caerdydd (seremoni ddychmygol sydd mor debyg i'r seremoni go iawn a ddigwyddodd nes ei bod hi'n anodd dirnad ble mae'r ffin rhwng ffaith a ffuglen yn y disgrifiadau a ganlyn):

> . . . a huge crowd assembled in the bay.
>
> There were two stages and a giant TV screen set up in the vacant lot where Lawrence told Mazz they were meant to be putting the Assembly building. In front of the bigger stage there must have been a good thirty thousand people. And there on the stage – you had to see it to believe it – was Shirley Bassey wearing a dress that appeared to be made out of the Welsh flag.
>
> Don't know which one of them started laughing first, Mazz or Lawrence, but after a moment they were both in hysterics, holding on to each other to keep from falling over. Then they started to notice the dirty looks they were getting from all the born-again Welsh patriots around them and that just made things worse. Finally Shirley stopped singing and swept off stage just in time to save Mazz and Lawrence from a good kicking from a bunch of rugby boys.[38]

Mae'r disgrifiad cychwynnol hwn o'r seremoni yn datgelu llawer am bwy mae'r Cymreictod a hyrwyddir ganddi yn ei gynrychioli. Nid yw'n ymddangos ei fod yn eithrio pobl ar sail eu hil o reidrwydd – mae presenoldeb y gantores ddu Shirley Bassey yn awgrymu hynny. Nid yw'r Cymreictod hwn yn un sy'n seiliedig ar siarad Cymraeg ychwaith – mae'n siŵr y byddai'r Gymraeg wedi bod yn rhan o'r seremoni go iawn mewn rhyw ffordd, ond nid oes sôn diriaethol amdani yn nisgrifiadau'r nofel o'r digwyddiadau.

Pa agwedd bynnag a ddengys gwaith John Williams tuag at y Gymraeg a'i rôl yn y broses o greu cenedl a ffurfio hunaniaeth genedlaethol, nid yw'r seremoni a ddisgrifir gan ei nofel yn ddim mwy na chyfres o ystrydebau chwerthinllyd sy'n ymddangos yn hollol hurt i Mazz a Lawrence:

> The next couple of hours Mazz just couldn't stop laughing, watching this absurdist panoply of Welsh cultural life unfolding in front of him. Tom Jones of course. Well, at least big Tom knows he's funny these days. But still, 'The Green, Green Grass of Home' – if the sight of Wales welcoming the brave new world to the sound of 'Green, Green Grass' didn't make you laugh, your kitsch bullshit detector had to be out of order. And the rest of the stuff – well it was hard to choose between the ghastly reading of Under Milk Wood by some terrible old ham and the bunch of, ahem, hip Welsh actors making complete tits of themselves doing some kind of rock poetry until along came the winner in the shape of the bloke with the big hair from the Alarm doing some kind of cod folk song with a male-voice choir backing him. And then came the grand finale, the whole bloody lot of them singing 'Every day I thank the Lord I'm Welsh', which Mazz had kind of assumed was meant to be funny more or less but was here being done in deadly earnest.
>
> 'Fuckin' hell butt,' said Mazz once he'd recovered himself. 'Glad to be Welsh then?'
>
> 'Was ist das?' said Lawrence in a dumb German accent and Mazz started laughing again.
>
> 'Christ,' he said eventually, 'great to know you've got a culture that boils down to one famous play, two sixties cabaret stars, a male-voice choir and a twelve-year-old opera singer, innit?'
>
> 'Should have got the Wurriyas back together again for it mate. Legends of Welsh ska, you could have done "Cwm Rhondda".'[39]

Mae'n arwyddocaol bod y broses o greu cenedl a bortreedir yma yn eithrio rhai. Mae'n bosib dehongli'r 'sioe' hon o Gymreictod gan ddefnyddio theorïau Bhabha am yr ystrydeb yn y cyd-destun trefedigaethol, pan ddywed 'the stereotype ... is a form of knowledge and identification that vacillates between what is always "in place", already known, and something that must be anxiously repeated'.[40] Ond y tro hwn, nid trefedigaethwr sy'n ailadrodd ystrydebau gwag am yr 'arall' a drefedigaethwyd, ond llywodraeth ddatganoledig newydd gwlad ymylol sydd yn dathlu ennill elfen o hunanlywodraeth am y tro cyntaf ers dros saith canrif. Mae'r trais symbolaidd, y bygythiad i hunaniaethau amgen Mazz a Lawrence y gall yr ystrydebau hyn ei beri yn cael ei gynrychioli gan y criw o fechgyn rygbi – un o'r ystrydebau mwyaf adnabyddus – sydd yn bygwth curo'r ddau ffrind. Mae'r dorf, felly, yn ailadrodd neu'n atgynhyrchu'r mathau o ystrydebau sy'n cael eu cynnig iddynt o'r llwyfan.

Mae'r ffaith nad yw Mazz na Lawrence yn derbyn crasfa gan y garfan yn sylw pwysig – nid ildiant i'r metanaratif o Gymreictod ystrydebol a awdurdodir gan y llywodraeth newydd. Yn hytrach mae eu hymateb iddo, yn ogystal ag arddull y nofel, yn arddangos deuoliaeth agwedd tuag at y portread o Gymreictod sydd ger eu bron. Mae cwestiwn Lawrence ynglŷn â Chymreictod, 'Was ist das', yn adlewyrchu cwestiwn Suzanne yn *Sugar and Slate*: 'Wales, what's that?'[41] Dengys ei fod yn cwestiynu beth a olygir gan Gymreictod yn hytrach na derbyn y delweddau ystrydebol o Gymreictod a gynigir gan y seremoni. Mae llais y dweud yn adlewyrchu damcaniaeth Bakhtin am arddull aml-leisiol y nofel yn gyffredinol. Mae'r digwyddiadau a ddisgrifia yn ddigwyddiadau go iawn. Fel y noda Katie Gramich, mae'r disgrifiad ffuglennol hwn yn eithriadol o debyg i'r seremoni go iawn a groesawodd agor y Cynulliad ym 1999.[42] Ar un lefel, felly, mae llais y dweud yn adrodd ffeithiau, yn dweud beth sy'n digwydd. Ond mae'r pentyrru delweddau a'r hiwmor yn adlewyrchu agwedd Mazz a Lawrence tuag at yr hyn a welant. O ganlyniad, felly, mae'r nofel yn tanseilio'r delweddau ystrydebol o Gymreictod sydd i'w gweld ar y llwyfan ac yn eu diarddel.

Fel y noda Katie Gramich, mae hyn yn arwyddocaol o agwedd ddrwgdybus y nofel tuag at genedlaetholdeb a hunaniaethau cenedlaethol awdurdodol yn gyffredinol: 'Williams's novel … mocks the institution of the new Welsh Assembly; his characters laugh openly at it and repudiate the false pomp and tawdry regalia of its opening ceremony … Williams's narrative undermines [the ceremony's] false nationalist rhetoric.'[43] Yn wir, mae'r naratif a'r cymeriadau yn dangos sut y mae'r broses hon o greu neu ddathlu cenedl yn eithrio rhai cymunedau, ac eisoes wedi disodli rhai. Y gymuned sydd wedi'i disodli yn yr achos hwn yw cymuned amlddiwylliannol Trebiwt a Tiger Bay, er mwyn gwneud lle i'r Cynulliad a sefydliadau sifig a chenedlaethol eraill, ynghyd â chanolfannau adloniant a hamdden a fflatiau drudfawr di-rif yn yr hyn a elwir yn Fae Caerdydd. Mae awgrym Lawrence y dylai 'The Wurriyas' ailffurfio ac ymuno yn y seremoni trwy berfformio 'Cwm Rhondda' yn un diddorol, a heriol, yn y cyd-destun hwn. Nid y ddelwedd o fand *ska* yn canu emyn traddodiadol yw'r unig beth hybrid yn y cyd-destun hwn, neu'r unig beth sy'n awgrymu amrywiaeth ddiwylliannol. Gellir dadlau bod 'The Wurriyas' yn fand sy'n cynrychioli nifer o amrywiaethau diwylliannol Cymru: daw Mazz, Cymro Saesneg ei iaith, o gefndir diwydiannol yng Nghymoedd de Cymru; daw nifer o aelodau'r band megis Charlie Unger o gymuned amlethnig Trebiwt; mae ei ferch Tyra yn gymysg o ran ei hil; ac mae yna awgrym hefyd fod cynrychiolaeth gan y Gymraeg yn y band oherwydd presenoldeb aelod ag enw Cymraeg, sef Emyr. Mae'r band, felly, fel petai'n cynrychioli'r amrywiaeth y mae datblygu'r Bae a'r sefydliadau sifig wedi'i disodli. Mae synied amdano yn perfformio fersiwn *ska* o'r emyn enwog yn tanseilio hygrededd y seremoni agoriadol a'i hymgais i gynrychioli neu bortreadu Cymreictod yn ei gyfanrwydd trwy ystrydebau. Yn wir, mae hybridedd y band a'r perfformiad dychmygol o 'Cwm Rhondda' yn herio'r syniad y gellir diffinio Cymreictod o gwbl.

Nid ffenomen anghyffredin mo agwedd ddrwgdybus tuag at genedlaetholdeb neu sefydliadau cenedlaethol mewn gwledydd sydd newydd ennill annibyniaeth neu elfen o ymreolaeth. Mae gwaith Frantz Fanon, *The Wretched of the Earth* (*Les Damnés de la Terre*, 1961), yn archwilio effaith trefedigaethu ar yr unigolyn a'r genedl. Mae'n sylwebu hefyd ar frwydr y trefedigaethau i geisio'u hannibyniaeth, gan nodi bod bwlch ideolegol rhwng arweinwyr mudiadau cenedlaethol a phleidiau gwleidyddol cenedlaetholgar, a'r bobl y maent yn ceisio'u rhyddfreinio. Disgrifia

> the frequent existence of a time lag, or a difference of rhythm, between the leaders of a nationalist party and the mass of the people ... The birth of nationalist parties in the colonized countries is contemporary with the formation of an intellectual elite engaged in trade. The elite will attach a fundamental importance to organization, so much so that the fetish of organization will often take precedence over a reasoned study of colonial society. The notion of the party is a notion imported from the mother country. This instrument of modern political warfare is thrown down just as it is, without the slightest modification, upon real life with all its infinite variations and lack of balance, where slavery, serfdom, barter, a skilled working class, and high finance exist side by side.[44]

Nid yw sefyllfa sosioeconomaidd Cymru a'i phobl yn nofel John Williams yn debyg i'r rhai a ddisgrifir gan Fanon. Mae Cymru, hefyd, yn llawer nes (yn ddaearyddol ac yn wleidyddol) at y 'famwlad' drefedigaethol – yn wir, mae Cymru'n rhan ohoni o un safbwynt. Ond mae'r model a gynigir yma, sef y bwlch rhwng arweinwyr mudiadau cenedlaetholgar a thrwch y boblogaeth, yn un defnyddiol wrth geisio dehongli'r modd yr ychwanega cenedlaetholdeb, gwleidyddiaeth a sefydliadau cenedlaethol at aralledd cymeriadau amlddiwylliannol y nofel.

Mae ymatebion Mazz a Lawrence i'r seremoni yn dangos bod yna fwlch rhwng y mudiad cenedlaethol a rhai o aelodau'r genedl. Ond nid sefydliadau cenedlaethol neu awdurdodau Cymreig yn unig a gaiff eu beirniadu yn y nofel hon. Mae yma feirniadaeth ar y llywodraeth Brydeinig, ynghyd â'r elît addysgedig, sy'n honni eu bod yn siarad ar ran yr 'arall'. Yn rhannau'r nofel sydd wedi eu gosod yn 1980au cynnar, mae Mazz yn ffurfio cyfeillgarwch â grŵp o fyfyrwyr sy'n gwrthdystio dros achos Bobby Sands, aelod o Fyddin Weriniaethol Iwerddon a ymprydiodd i farwolaeth ym 1981. Maent hefyd yn cefnogi cenedlaetholdeb Cymreig a'r ymgyrchoedd dros y Gymraeg, ynghyd â mudiadau hawliau gweithwyr. Er bod Mazz yn sinigaidd tuag at yr achos i ddechrau, daw i edmygu Sands a'i frwydr yn erbyn llywodraeth y Deyrnas Unedig. Sylweddola mai'r hyn nad yw'n ei hoffi am y frwydr yn erbyn y sefydliad Prydeinig yw'r protestwyr dosbarth canol, addysgedig sy'n honni eu bod yn gefnogol o hawliau'r grwpiau ymylol hyn er bod eu rhagfarnau yn datgelu eu bod yn teimlo'n uwchraddol na hwy. Unwaith eto, fel yn nofel Joe Dunthorne, ac yn nisgrifiad *Cardiff Dead* o'r seremoni fawreddog, mae hiwmor adroddiant y nofel yn pwysleisio ffuantrwydd eu geiriau, wrth i'r adroddwr fyfyrio arnynt o safbwynt Mazz:

> Freaked [Mazz] out first time he'd heard someone going on about supporting the IRA; now he knew the form, knew the words to mouth; anti-imperialist struggle, not about religion about civil rights, the Birmingham pub bombings were carried out by MI5 and what about Bloody Sunday, eh?
>
> And of course as a Welsh nationalist it was just the comradely thing to do, lend one's support to our Celtic brothers across the sea. Not of course that Mazz had ever thought about Welsh nationalism for two consecutive seconds before he came to Cardiff. Not beyond the sporting chauvinism level anyway. Course since then he'd met all these nice student girls from Canterbury and Leamington Spa, who had all learned about three words of Welsh and were well into it, and who was Mazz to play down his Celtic roots?[45]

Yn debyg i'r hyn a ddisgrifia Fanon, mae mudiadau cenedlaetholgar neu chwyldroadol y nofel wedi eu meddiannu gan y dosbarthiadau breintiedig ac estron. Mae'r hiwmor unwaith eto yn dangos deuoliaeth agwedd Mazz tuag at y digwyddiadau hyn. Yn ogystal ag edmygu Sands, mae Mazz yn ymuno â'r brotest i'w gefnogi. Ond cawn wybod yma fod ei ddiddordeb yn yr achos yn datblygu yn y lle cyntaf oherwydd ei fod am ganlyn merched – caiff berthynas fyrhoedlog ag un ohonynt, sef merch o'r enw Kate. Mae'r hiwmor yn amlygu mor ffug yw daliadau'r bobl sy'n rhan o'r ymgyrch: mae Mazz a hwythau yn cymryd arnynt i restru'r anghyfiawnderau bron fel petaent wedi dysgu i'w hailadrodd; mae'r merched wedi gwneud ymdrech ddiawydd i ddysgu'r Gymraeg, i ddysgu am y diwylliant neu'r genedl maent yn eu cefnogi; ac mae Mazz yn ymuno â'r achos er mwyn mercheta yn fwy na dim. Gwelwn felly y bwlch rhwng y mudiad cenedlaetholgar a'r bobl y mae i fod i'w cynrychioli.

Mae amheuon Mazz yn iawn. Yn dilyn un gwrthdystiad, aiff Kate â Mazz i dŷ un o'i darlithwyr, Tony, lle mae nifer o wrthdystwyr (sydd i gyd yn fyfyrwyr) yn ymgynnull. Mae agwedd y grŵp tuag at Mazz yn datgelu pa mor debyg yw eu barn am gymunedau lleiafrifol neu ymylol i feddylfrydau imperialaidd, ac mae hyn yn arbennig o wir am Kate:

> 'So good to have some working-class comrades getting involved' [said Tony]. Course it was Mazz's accent had this lot wetting their knickers – hey, look, we've got a genuine prole here.
>
> So this Tony gave Mazz the whole spiel. Up the miners, down with Maggie. Irish struggle is our struggle, troops out. Trots in. Wasn't a bad pitch as it went ... but he'd read Mazz wrong. Had enough of that up-the-miners shit from his dad. Didn't want to hear it down in Cardiff from some smooth fucker like Tony.
>
> ... [Mazz] wandered off in search of a drink.
>
> ...
>
> '... Mazz, he's our most prominent intellectual theorist.' Like she [Kate] was reading off the back of the book. 'He's written two books and he's met all these revolutionaries around the world and I can't believe you could act like that.'
>
> 'Like what?'
>
> 'Like such a wanker, after all he's done for you people.'[46]

Gwelwn yma eto sut mae damcaniaeth Fanon am y bwlch rhwng arweinwyr mudiadau cenedlaetholgar a'r bobl gyffredin yn cynnig fframwaith ar gyfer deall agwedd Mazz tuag at genedlaetholdeb. Ymdebyga'r disgrifiad o araith Tony i'r geiriau y mae Mazz a'r merched wedi dysgu eu hailadrodd. Mae agwedd Kate hefyd yn bradychu teimladau'r dosbarth addysgedig hwn o'i ragoriaeth dros y bobl gyffredin. Gwelir tinc o imperialaeth – hyd yn oed Orientaliaeth, chwedl Edward Said – yn ei geiriau. Mae cyfeiriad Kate at y ffaith bod Tony wedi ysgrifennu llyfrau yn galw i gof sut yr oedd diwylliannau'r Orient yn destunau i'w hastudio, ac yn destunau y gellir eu deall yn llwyr o ganlyniad. Mae'r modd y geilw Mazz, a'i gyd-Gymry neu'i gyd-aelodau o'r dosbarth gweithiol, yn 'you people' yn sarhaus. Ond mae'r awgrym a wna Kate fod Tony a'i debyg wedi gweithredu er mwyn y bobl hyn yn atseinio'r meddylfryd trefedigaethol a'r honiad bod angen trefedigaethu rhai pobl gan nad ydynt yn gallu eu rheoli'u hunain. Cadarnha'r cenedlaetholdeb a hyrwyddir gan y dosbarth breintiedig hwn aralledd Mazz a'r bobl eraill y mae i fod i'w rhyddhau.

Mae'r ffaith bod y cenedlaetholdeb hwn, fel y damcaniaetha Fanon, wedi'i wahanu oddi wrth y bobl gyffredin yn esbonio amheuon Mazz am y cenedlaetholdeb newydd y mae'n ei weld ym Mae Caerdydd. '[T]he guts of the man'[47] yw'r hyn sy'n gwneud argraff arno yn achos cenedlaetholgar Bobby Sands – gwirionedd ei sefyllfa. Mae daliadau Kate a Tony a'u tebyg, ac yn hwyrach y math o genedlaetholdeb a hyrwyddir gan y Cynulliad yn ymddangos yn ffuantus ac yn rhywbeth sydd wedi'i orfodi ar y bobl gan grŵp dominyddol arall.

Rhwng gwyn a du: 'Hogyn coffi llefrith' Caersaint

Mae dirmyg tuag at ddatganoli a'i effaith ar sut y diffinir yr hunaniaeth Gymreig yn destun pwysig mewn nofelau eraill, yn eu plith *Caersaint* gan Angharad Price. Portreada'r nofel, fel y gwnaeth *Cardiff Dead* ddeng mlynedd ynghynt, gymuned amlddiwylliannol sydd yn herio systemau gwleidyddol newydd Cymru sy'n llunio Cymreictod gormesol neu hurt ar ei chyfer. Ond mae rhai gwahaniaethau rhwng portreadau Williams a Price. Tra cyflwyna nofel Williams gymdeithas Saesneg ei hiaith yng Nghaerdydd, mae nofel Price yn dilyn hynt a helynt cymuned Gymraeg ei hiaith yng ngogledd Cymru ('Caersaint' yw'r enw y mae Price yn ei roi i ddarlun dychmygol y nofel o Gaernarfon). Fel yr oedd cyfeiriad at dde Cymru a Chaerdydd yn *Sugar and Slate*, mae yn *Caersaint* ddeialog rhwng Caersaint a Chaerdydd, gan fod y cymeriadau'n ymwrthod â'r canoli a'r safoni mae'r brifddinas a'i sefydliadau dinesig yn eu cynrychioli. Mae'r ddeialog hon eto'n dadadeiladu'r deuoliaethau ffug rhwng y gogledd, Gymraeg, diwylliannol unffurf, a'r de, Saesneg, amlddiwylliannol.

Dyma a ddarlunnir gan yr etholiad sy'n ganolbwynt i'r nofel. Mae Caersaint ar fin etholiad lle mae'n rhaid i'r trigolion ddewis rhwng dau ymgeisydd: Medwyn Parri, dyn busnes y gellir disgwyl iddo ymddwyn fel unben pe bai'n ennill, a chadw'r pŵer iddo ef ei hun; a Jamal Gwyn Jones, sy'n gadael i'r cyhoedd lunio'i faniffesto gan addo y rhydd lais iddynt pe bai'n dod i'r brig. Mae'r cymeriad Babs Inc, newyddiadurwraig o'r gogledd sydd wedi alaru ar ddisgwyliadau golygyddion papurau newydd Caerdydd a Llundain, yn adfer papur newydd lleol, *Llais y Saint*, er mwyn adrodd straeon am y gymuned. Wrth drafod yr etholiad maerol (y cyntaf o'i fath yng Nghymru), mae hi'n rhefru am y diffyg sylw y mae'r etholiad yn ei gael yn genedlaethol:

> 'Dwi wedi trio a thrio cael y cyfrynga cenedlaethol i gymryd diddordeb yn yr etholiad yma. Ond does 'na ddim politics y tu allan i Senedd Caerdydd i'w weld yn cyfri . . .
>
> '. . . Wedi cael llond bol ar eu . . . be alwan ni fo . . .? Eu Gogyddiaeth nhw. Mi welish i drwy'r peth pan o'n i lawr yna'n gweithio ar y *Western Mail*. Gogistan oeddan nhw'n galw Gwynedd. Dydi beth sy'n mynd ymlaen yn fan hyn yn cyfri dim. Niwsans ydan ni. Neu rywbath od. A does 'na nunlla'n ei chael yn waeth na Chaersaint . . .
>
> 'Maen nhw'n ein hofni ni, yli. Achos bod gynnon ni fywyd Cymraeg sy'n dal yn ddigon byw i fod yn wahanol. Ofn inni sboilio'i syniadau bach cyfleus nhw am be ydi Cymru. Mae pobl Caerdydd wedi dechrau tynnu ar ôl y Saeson: fedran nhw ddim diodda cael mwy nag un strand i'w stori.'[48]

Yn ogystal ag wfftio'r 'syniadau bach cyfleus', y diffiniadau deuol, chwedl Katie Gramich a Charlotte Williams, sy'n cael eu defnyddio i ddiffinio Cymru a'i diwylliant mewn modd twt, mae'r ffordd y mae iaith Babs wedi'i britho â geiriau Saesneg yn awgrymu nad oes y fath beth â Chymreictod pur, monolithig yn bodoli, gan adleisio syniadau Bhabha am hybridedd cynhenid diwylliant yn gyffredinol. Yn fwy na hynny, gwelir bod hyd yn oed y rhai sy'n cael eu hanfanteisio oherwydd syniadau hanfodaidd am eu hunaniaeth yn gallu bod yn euog hefyd o ailadrodd ystrydebau am grwpiau eraill o bobl. Pan gyfeiria Babs at bapur newydd y *Western Mail* geilw i gof ystrydebau am Seisnigrwydd a cheidwadaeth ei darllenwyr, ystrydebau a ddatblygodd oherwydd daliadau perchnogion gwreiddiol y papur hwnnw. Pwysleisir yma hefyd felly fod unigolion yn gallu meddu ar sawl gwahanol safbwynt goddrychol.

Mae'r nofel yn awgrymu bod diffiniadau deuaidd neu begynol o Gymru'n annigonol: mae'r gogledd mor amlddiwylliannol â'r de; mae'r Gymraeg yn iaith y profiad amlddiwylliannol gymaint â'r Saesneg; iaith y dosbarth gweithiol yw'r Gymraeg, yn ogystal â'r dosbarth canol. Wrth i Babs barhau â'i haraith lem, mae'n beirniadu'r rhaniadau hyn a'r canoli yn hallt, gan bwysleisio'r amrywiaeth a berthyn i Gymru:

> 'Ond lle fasa'u Cymru a'u Cymraeg nhw heb Gaersaint? Lle fasa'r Alban heb Glasgow? Lle fasa Ffrainc heb Marseille? Lle fasa'r Eidal heb Napoli?

> Mi fasa'n rhaid iddyn nhw gael pinsiad o halan reit dda o rywla arall tasa Caersaint yn cael ei llyncu i mewn i'w map nhw.'[49]

Mae beirniadaeth Babs o Gymreictod canoledig a'r syniad o burdeb diwylliannol yn ymdebygu i'r hyn a ddywed Price am ei chymhelliant wrth ysgrifennu'r nofel. Mewn cyfweliad â Menna Baines noda ei hanfodlonrwydd â'r duedd i ganoli sefydliadau yng Nghaerdydd a'r syniadau hanfodaidd am ddiwylliant y Fro Gymraeg:

> Mae o'n fy niflasu i weithiau, clywed pobl yn sôn am y gogledd, neu'r gorllewin, fel rhyw lefydd Cymreig hen ffasiwn, mewnblyg sydd â rhyw obsesiwn efo purdeb diwylliannol ac ati. 'Di hynny ddim yn wir o gwbl. Mae Caernarfon, er enghraifft, yn lle cosmopolitan ers canrifoedd lawer – ymhell cyn Caerdydd![50]

Mae'r ddeialog sydd rhwng Caersaint a Chaerdydd yn y nofel yn fodd o herio'r syniad mai de Cymru, a'r brifddinas yn enwedig, yw lleoliad y Gymru amlddiwylliannol, a bod ardaloedd fel gogledd Cymru yn glynu at unffurfiaeth ddiwylliannol.

Gan adlewyrchu sylwadau Price uchod mae 'purdeb' yn tyfu'n thema fawr yn y nofel. Ei brif ladmerydd yw'r diweddar Arfonia Bugbird, a oedd, yn ôl ei chymdogion, wedi '[t]reulio'i hoes yn trio bod yn bur'.[51] Er gwaethaf ei hobsesiwn, yn dilyn ei marwolaeth, datgelir iddi adael ei thŷ i 'hannar sant, hannar gwaed a hanner Mwslim. Hogyn coffi llefrith o Saron Bach, via hôm Caersaint', chwedl ei chymydog digywilydd, Trefor Spicer.[52] Yr 'hogyn coffi llefrith' hwnnw yw Jamal Gwyn Jones, a fydd yn ymgeisio'n aflwyddiannus i fod yn faer ar Gaersaint, ac sy'n fab i Gymraes wen leol a dyn o Bacistan. Cysylltir y cysyniad o burdeb ag ethnigrwydd yma, felly, ac adleisir hyn droeon gan gyfeiriadau'r nofel at lanhau. Daw un o'r rhain yn ystod sgwrs rhwng Jamal, Trefor a'i wraig, Miriam, sy'n goleuo'r darllenydd ynglŷn â gwleidyddiaeth hil gymhleth y nofel. Mae Trefor yn cwestiynu Jamal am liw ei groen cyn ymhelaethu ar ei gefndir ethnig cymysg yntau:

> 'Ti ddim yn bad, chwaith, a chysidro. O frown, dwi'n meddwl. Mi fasat ti'n pasio am sant isio sgrwb. Neu un o'r petha 'na sy'n mynd o dan lamp.'
>
> . . .
>
> 'A deud y gwir, ti fawr brownach na Miriam . . . Jipsiwns oedd teulu'i thaid hi. Y Roma yna. Dim Romans Segontiwm, dydi ni ddim mor hen â hynny. Y lleill. Ond bod y cradur bach wedi priodi dynas capal. Dim rhyfadd bod dy fam yn hurt erbyn heddiw, Mir, a'i gwaed hi'n llifo ddwy ffor'.'

. . .

'Gwyn oedd Mam yn 'y ngalw fi,' [medd Jamal] wedyn, gan dynnu'n groes iddo.

. . .

'Gwyn? A chdithau'n half caste? Honna ydi'r ora eto!'

. . . Daeth ebychiad o siom o du Miriam.

. . .

'Hei, hold on, dydw i ddim yn racist, os mai dyna be ti'n feddwl [medd Trefor] . . .

'Padi oedd 'y nhaid i. Ac mi oedd gin Nain ei hun waed Sbanish, fatha'r rhan fwya o bobol Pen Llŷn . . .'[53]

Er iddo wadu ei fod yn hiliwr, mae geiriau Trefor yn hynod o sarhaus ac yn camwahaniaethu rhwng pobl ar sail eu cefndir ethnig. Yn ogystal â hynny, caiff hen ystrydebau eu hailadrodd am raddfeydd o gymysgeddau hil a dirywiad ymhlith pobl sy'n gymysg eu cefndir hiliol a ddefnyddiwyd gan awdurdodau trefedigaethol tua diwedd y bedwaredd ganrif ar bymtheg.[54] Ond mae'r ffaith bod Trefor yn cwestiynu dewis mam Jamal i'w alw'n 'Gwyn' yn creu amheuaeth ynglŷn â sefydlogrwydd y grŵp ethnig 'gwyn' hefyd. Mae cefndiroedd ethnig cymysg Miriam a Trefor yn awgrymu nad oes y fath burdeb ethnig sy'n cael ei gynrychioli gan 'gwyn' yn bod. Mae'r enw 'Gwyn' yn cymhlethu hunaniaeth Jamal, gan awgrymu bod hunaniaeth yn llawer mwy llithrig a goddrychol nag y gall categorïau haearnaidd megis gwyn/du, Cymraeg/Saesneg, gogledd/de eu mynegi. Adlewyrchir hyn yn eironi'r sgwrs lle mae hiliaeth Trefor yn datgelu ei gefndir ethnig cymysg ef ei hun yn y pen draw.

Mae gan hunaniaeth ac enw llithrig Jamal ran bwysig yn ei ymgyrch i fod yn faer ac yn ymdrech y nofel i ymwrthod â fersiynau awdurdodol, swyddogol o hunaniaeth Gymreig. Nid oes gan Jamal enw pendant – fe'i disgrifir ym mhapur newydd *Llais y Saint* fel 'Jamal Gwyn Jones, aka, Jaman Jones, aka Jaman Gwyn, aka Gwyn Jones'.[55] Mae chwareusrwydd ei enw'n awgrymog, yn ogystal â'i fod yn ganolog i'w ymgyrch wleidyddol, a reolir gan Babs Inc. Yn gyntaf, hi sy'n mynnu ei fod yn ei alw ei hun yn 'Jaman Gwyn' at bwrpas yr etholiad. 'Jaman' oedd llysenw Jamal yn yr ysgol ac mae ganddo oblygiadau cadarnhaol a negyddol ar gyfer portread y nofel o gymuned amlddiwylliannol. 'Jaman' yw gair pobl Caersaint am 'anlwc', sydd yn cysylltu'i ethnigrwydd Pacistanaidd (a ddatgenir gan yr enw 'Jamal') â negyddiaeth – yn debyg i ddisgrifiad Trefor ohono fel 'ddim yn *bad* . . . [o] frown'.[56] Ond mae'r ffaith bod ganddo lysenw yn y lle cyntaf yn dangos ei fod yn aelod o'r gymuned – mae gan bawb yng Nghaersaint ei lysenw. Mae'r weithred o newid ei enw yn awgrymog yn y cyd-destun trefedigaethol hefyd, gan ei fod yn ein hatgoffa o'r modd y newidiwyd cyfenwau'r Cymry a'u henwau lleoedd yn dilyn concwest y Saeson, yn ogystal â'r modd y bu cynrychiolwyr yr Ymerodraeth Brydeinig (gan gynnwys y Cymry hwythau) yn rhoddi enwau newydd i gaethweision a deiliaid trefedigaethol (*colonised subjects*) eraill ar draws y byd.[57] Mae'r arlliw trefedigaethol hwn yn fwy arwyddocaol byth o ystyried y modd y mae Jamal yn rhyw fath o byped i Babs a'i hymdrechion i sicrhau bod sylw i etholiad Caersaint yn y wasg genedlaethol; mae'n ymdebygu i'r dynwaredwyr a ddisgrifir gan Thomas Babington Macaulay.

Yn wir, mae dehongli ymgyrch Jamal o safbwynt theorïau Homi Bhabha am hybridedd a'r Trydydd Gofod yn fodd o bwysleisio'r amwyseddau hyn. Penderfyna Babs mai arwyddair ymgyrch Jamal fydd '[y] dyn gwyn. A'r ddalan wen.'[58] Mae ymatebion cyferbyniol ei chydymgyrchwyr, Alun ac Almut, yn ddiddorol:

> 'Y dyn gwyn. A'r ddalan wen.'
> 'Ond blincin dyn du ydi o!' [medd Alun.]
> 'Dwi ddim yn sôn am liw i groen o,' dechreuodd Babs golli ei hamynedd. 'Gwyn yn yr ystyr . . . pur, newydd, agorad . . .'
> 'Heb ei lygru,' awgrymodd Almut, gan ddenu wfft arall gan Alun.[59]

Mae'r ffordd y labela Alun Jamal yn 'ddyn du' yn galw i gof ymgyrchoedd dros gydraddoldeb hiliol yn y 1970au pan fabwysiadwyd 'du' fel term ambarél am unrhyw un nad oedd yn wyn, er mwyn dangos brawdoliaeth ac i bwysleisio'r anghyfiawnder a wnaed iddynt ar sail lliw eu croen. Noda'r beirniad diwylliannol blaenllaw ym maes amlddiwylliannedd, Stuart Hall:

> That notion [of Black identity] was extremely important in the anti-racist struggles of the 1970s: the notion that people of diverse societies and cultures would all come to Britain in the fifties and sixties as part of a huge wave of migration from the Caribbean, East Africa, the Asian subcontinent, Pakistan, Bangladesh, from different parts of India, and all identified themselves politically as Black. What they said was 'We may be different actual color skins but vis-a-vis the social, vis-a-vis the political system of racism there is more that unites us than what divides us'.[60]

Mae defnydd Alun o'r term 'du' yn gwadu amwysedd cefndir hiliol Jamal mae'n gymysg ei hil, wrth gwrs, ac o dras Bacistanaidd, nid o gefndir du y daw. Ond mae'r defnydd a wneir o'r gair 'gwyn' yn cymhlethu pethau. Ar un wedd mae'n ategu'r hyn a ddywedwyd eisoes, ac yn pwysleisio'r hybridedd sy'n perthyn i Jamal – mae ganddo gefndir 'gwyn' hefyd, wrth gwrs. Mae'r enw Jamal Gwyn Jones yn cyfuno enwau y gellir eu hystyried yn Gymreig iawn, fel 'Gwyn' a 'Jones', gydag enw sydd yn perthyn i ddiwylliant arall. Ond cymhlethir y sefyllfa pan ddisgrifia Babs ei chymhelliant dros bwysleisio'r 'Gwyn' yn enw ac arwyddair Jamal: '"Dwi dim yn sôn am liw ei groen o" … "Gwyn yn yr ystyr … pur, newydd, agorad …".'[61] Mae'r gair 'pur' yn cyferbynnu'n llwyr â'r syniad o hybridedd y mae enw a chefndir Jamal yn ei awgrymu. Cysylltir y gair â phurdeb o ran hil, sy'n hollol wrthgyferbyniol i'w dras hiliol gymysg. Ond trwy ei osod gyda'r geiriau 'newydd' ac 'agored', awgrymir rhywbeth amgen. Mae'n rhoi'r argraff na ddylai 'pur' gael ei ystyried fel rhywbeth sy'n dynodi unffurfiaeth, neu rywbeth nad yw'n gynhwysol, ond yn hytrach fel rhywbeth sy'n golygu 'gwreiddiol' yn yr ystyr bod rhywbeth yn ddigynsail, ac felly yn 'newydd' ac yn 'agored' i syniadau. Dyna yn union y mae'r 'ddalan wen' sy'n arwyddair ymgyrch Jamal yn ei olygu. Cyfeiria at y gwagle gwyn sydd ar y posteri a gaiff eu dosbarthu fel rhan o ymgyrch Jamal, lle mae trigolion Caersaint i fod i gynnig eu syniadau a helpu llunio ei faniffesto, fel y cânt eu cynrychioli i gyd ganddo yn ei bolisïau a'i weledigaeth ar gyfer y dref. Mae'r syniad hwn o wagle neu ofod sy'n gyfrwng i bosibiliadau newydd yn adleisio syniadau Homi Bhabha am y Trydydd Gofod, man sy'n sicrhau 'that the meaning and symbols of culture have no primordial unity or fixity; that even the same signs can be appropriated, translated, rehistoricized and read anew'.[62] Mae'r gofod hwn, y 'ddalen wen' ac ymgyrch Jamal, yn un synergaidd hefyd oherwydd ceisir diffinio hunaniaeth Caersaint o'r newydd a datgan ei hamrywiaeth a'i gwrthodiad o syniadau hanfodaidd neu ystrydebol sy'n diffinio Cymru.

'Something other than shagging sheep': deuoliaeth agwedd yn In and Out of the Goldfish Bowl

Mae chwarae â symbolaeth du a gwyn yn fotiff amlwg mewn rhai disgyrsiau a thestunau trefedigaethol ac ôl-drefedigaethol. Mae'r prif gymeriad Marlowe yn nofel fer Joseph Conrad, *Heart of Darkness*, y soniwyd amdani eisoes, yn cael ei ddenu i fynd i Affrica yn y lle cyntaf oherwydd iddo weld gofod gwyn ar fap – gofod gwyn sy'n awgrymu nad yw Gorllewinwyr wedi bod yno i'w fapio.[63] Er y try'r gofod gwyn yn 'heart of darkness' sy'n cynrychioli ofnau'r trefedigaethwr am beryglon pobl gyntefig, mae'n ddiddorol nodi'r posibiliadau a'r newydd-deb y mae'n ei gynrychioli, fel y 'ddalan wen' yn nofel Price. Cymeriad arall mewn ffuglen Gymreig gyfoes a hoffai droi dalen newydd neu sydd am ddechrau â llechen lân yw Rebecca, prif gymeriad nofel Rachel Trezise, *In and Out of the Goldfish Bowl*. Hoffai gael gwared â'r hen ystrydebau am ei chartref yng Nghwm Rhondda, a'r ddelwedd ohono fel lle llygredig gymaint nes iddi ddifaru na chafodd yr ardal ei boddi er mwyn cyflenwi dŵr i Loegr, fel cymoedd eraill yng Nghymru.

Mae Rebecca yn ymosod yn chwyrn ar eiconau o ddiwylliant Cymoedd de Cymru ac o ddiwylliant Cymru gyfan. Mae Katie Gramich eisoes wedi dadlau: '[i]n this text, the Welsh Mam becomes a drunkard and the heroic Welsh collier is revealed as a rapist. The novel is deliberately iconoclastic, therefore . . .'.[64] Wrth fynegi ei chynddaredd tuag at Gwm Rhondda, cwm ei magwraeth, dirmyga Rebecca ystrydebau eraill am fywyd yn y Cymoedd neu yng Nghymru'n gyffredinol:

> I was ashamed suddenly to be someone who sings 'We'll keep a welcome in the hillsides' and then burns down the home of the one we welcomed. I was ashamed to be a troglodyte, a mindless cave-woman wearing blinkers. A sheep who votes Labour because my grandparents did.[65]

Mae Rebecca yn cyfeirio at sawl eicon o ddiwylliant y Cymoedd neu ddiwylliant Cymru – canu, natur groesawgar y bobl, tirlun mynyddig, defaid, ymrwymiad i'r Blaid Lafur sy'n awgrymu cymuned o weithwyr diwydiannol. Ond trwy ei dicter tuag atynt, dengys mor chwerthinllyd ac anghyson ydynt, gan awgrymu nad yw'r hen ystrydebau'n gymwys i ddisgrifio bywyd cyfoes yn y Rhondda. Ond mae hi hefyd wedi mewnoli disgyrsiau trefedigaethol, fel y rhai a hyrwyddwyd gan y comisiynwyr addysg ym 1847 a chan drefedigaethwyr mewn gwledydd y tu hwnt i Gymru hefyd, a ddisgrifia'r Cymry a phobl eraill a drefedigaethwyd fel pobl anwaraidd, sydd heb ddatblygu'n llawn.

Mae Rebecca hefyd yn ymosod ar ddelweddau ystrydebol eraill o fywyd y Cymoedd, 'divorce and downright poverty ... joyriding and class B drugs ... cider drinking in lanes and underage sex'.[66] Er bod y delweddau hyn yn ymddangos braidd yn ystrydebol, mae elfen o wirionedd yn y ddelwedd hon, ac mae stori Rebecca yn adlewyrchu hyn wrth iddi ymgymryd â rhai o'r gweithgareddau a restrwyd uchod. Yn bwysicach na hynny, mae hi'n benderfynol o oresgyn y ddelwedd hon o ddyfodol llwm sydd fel petai'n ei haros. Ond er ei bod hi'n benderfynol o ehangu ei gorwelion, ar yr un pryd ni all weld heibio'r delweddau hynny y mae hi eisiau eu tanseilio

> I began to look at the place of my birth, growth and youth with double vision, one which looked down from above and saw through everyone

> and everything because I knew I could be bigger, and another type at eye level which accepted these common, common people because I was afraid it was all I would ever be.[67]

Mae Rebecca yn arddangos amwysedd neu ddeuoliaeth agwedd tuag at y delweddau hyn. Diffinia Aschroft, Griffiths a Tiffin ddeuoliaeth agwedd fel cyflwr sy'n tarfu ar 'the simple relationship between colonizer and colonized ... colonial discourse ... wants to produce compliant subjects who reproduce its assumptions, habits and values ... But instead it produces ambivalent subjects whose mimicry is never very far from mockery.'[68]

Mae Rebecca am wrthod gweld ei hun, y Cymoedd na Chymru gyfan fel dioddefwyr neu fel rhywun neu rywle israddol. Efallai mai'r enghraifft fwyaf ysgytwol a heriol o hyn yw ei dymuniad i weld Cwm Rhondda'n cael ei foddi:

> Plans had been made long before I was around, to drown the Rhondda, to pour water down and cover the houses, the forests and keep pouring until the water got to the top of the surrounding mountains. To keep pouring until all the people were gone and the whole of the valley was one big reservoir. What a brilliant fucking idea! Plans were never passed, but if they had been some innocent people would have survived dehydration, and the people who once lived in the valley would have moved elsewhere and been culture shocked into doing something other than shagging sheep.[69]

Mae atgofion o foddi cymoedd, megis Cwm Tryweryn, er mwyn cyflenwi dŵr i ddinasoedd Lloegr yn ddelwedd nerthol i sawl un yng Nghymru o berthynas anghyfartal y wlad â Lloegr a'i statws israddol oddi mewn i'r Deyrnas Unedig o'i chymharu â'i chymydog mwy pwerus.[70] Ond mae Rebecca yn gweld positifrwydd yn y ddelwedd hon. Gwêl y cyfle i waredu'r Rhondda o'r gwaeledd sydd bellach yn diffinio'r lle, ac yn ogystal â hynny ystyria'r weithred yn gyfle i Gymru helpu trigolion dinasoedd Lloegr sy'n dioddef syched, gan eu dychmygu hwythau, ac nid y Cymry, fel yr anffodusion. Dyma enghraifft arall o eiconoclastiaeth yn y nofel, ac felly gellir dadlau bod Trezise yn chwalu'r ddelwedd arferol o Gymru a Chymreictod fel gwlad a hunaniaeth a ddiffinnir gan eu perthynas israddol â Lloegr a Seisnigrwydd. Mae yma ddeuoliaeth agwedd hefyd tuag at eiconau a delweddau o israddoldeb y Cymry. Er bod Rebecca wedi mewnoli rhai ystrydebau am ddefaid a thlodi, mae hi'n troi'r weithred o foddi cymoedd Cymreig ar ei phen, gan ei defnyddio i frwydro'n ôl yn erbyn y delweddau hyn o anobaith. Yn hytrach na'i fod yn symbol o israddoldeb y Rhondda, mae Rebecca yn awgrymu y byddai boddi'r cwm wedi gorfodi'r bobl 'to do something other than shagging sheep' – hynny yw, i wneud rhywbeth am eu sefyllfa, i weithredu. Trwy weithredu, byddent yn ymwrthod â'r ddelwedd ystrydebol ohonynt eu hunain fel pobl sy'n wystl i'w dioddefaint a'u difaterwch, ac felly'n tanseilio'r portread ystrydebol ohonynt.

Mae dyhead Rebecca am lechen lân i'r Cymoedd yn ymdebygu i ymgais y nofelau eraill a ystyriwyd yma i herio neu ailwampio'r delweddau ystrydebol a ddefnyddid i ddiffinio hunaniaethau yn hanfodaidd gan eu bod oll yn canolbwyntio ar y posibilrwydd o greu (neu ail-greu) rhywbeth cadarnhaol yn eu lle: ceir dechreuad newydd i aelodau comiwn *Wild Abandon*; sonnir am ailsefydlu band amlethnig 'The Wurriyas' a chanu caneuon hybrid yn *Cardiff Dead*; a chyflwynir y ddalen wen sy'n symbol o ymgyrch gynhwysol Jamal yn *Caersaint*. Mae'r nofelau hyn i gyd yn cynnig gofodau synergaidd, sydd nid yn unig yn ofodau ar gyfer herio ystrydebau cyfyngol, ond sy'n annog gweithredu cadarnhaol mewn perthynas â sut yr ydym yn diffinio hunaniaeth, trwy ddod ag elfennau gwahanol a gwrthgyferbyniol ynghyd. Ond yn fwy na herio syniadau hanfodaidd am yr hunaniaeth Gymreig a'r cyferbyniadau deuaidd a ddefnyddir weithiau i'w diffinio, mae'r nofelau hyn yn herio ystrydebau am wahanol ardaloedd o Gymru hefyd. Cwestiynir y ddelwedd ystrydebol o'r Cymoedd gan Trezise, a chwalir y cyferbyniadau deuaidd rhwng y gogledd a'r de, y gwledig a'r diwydiannol yn *Caersaint* a *Wild Abandon*. Hefyd, mae *Caersaint* a *Cardiff Dead*, mewn gwahanol ffyrdd, yn herio'r syniad mai Caerdydd yw cartref amlddiwylliannedd Cymreig. Dengys, felly, fod Cymru ei hun yn gallu bod yn ofod hybrid hefyd, os awn y tu hwnt i'r ystrydebau daearyddol a ddefnyddir i'w diffinio.

4

'Call me Caliban': Iaith ac Aralledd

Roedd y gofodau synergaidd a drafodwyd yn y bennod ddiwethaf yn caniatáu i'r nofelau dan sylw herio cyferbyniadau deuaidd sy'n cyfyngu ar allu eu cymeriadau i archwilio a diffinio hunaniaeth mewn modd mwy cymhleth. Hyd yma, fodd bynnag, ni roddir sylw penodol i'r cyferbyniad deuaidd y gellid dadlau sy'n effeithio fwyaf ar sut y diffinnir Cymreictod, sef y ddeuoliaeth rhwng siaradwyr Cymraeg a siaradwyr Saesneg. Mae'r ddeuoliaeth hon yn un sydd wedi ennyn sylw nifer o ddamcaniaethwyr ym maes amlddiwylliannedd yng Nghymru, fel y gwelwyd eisoes yn y drafodaeth ar waith Charlotte Williams, Simon Brooks a Daniel G. Williams. Bydd y bennod hon yn craffu'n gyntaf ar waith Rachel Trezise yn ei stori fer 'Jigsaws' o'i chyfrol *Fresh Apples* (2005), a darnau o'r nofel *Y Tiwniwr Piano* (2009) gan Catrin Dafydd yng ngoleuni theorïau am iaith a hunaniaeth yn y cyd-destun trefedigaethol. Trwy hynny, archwilir y ddeuoliaeth ieithyddol hon a sut y golyga y gall siaradwyr y naill iaith a'r llall brofi aralledd ar sail eu hunaniaeth ieithyddol. Wrth gwrs, nid y Gymraeg a'r Saesneg yn unig a siaredir yng Nghymru ac mae'r testunau uchod yn adlewyrchu hyn gan ddangos effaith y tensiynau rhwng y ddwy iaith hyn ar ieithoedd eraill sy'n cael eu defnyddio yn y wlad. Wedyn, edrychir ar *Y Tiwniwr Piano* a nofel Saesneg Catrin Dafydd, *Random Deaths and Custard* (2007), *The Book of Idiots* (2012) gan Christopher Meredith, a *Ffydd, Gobaith, Cariad* (2006) gan Llwyd Owen, a'u portread o un gofod penodol, sef y dafarn Gymreig, yng ngoleuni hunaniaeth ieithyddol gymhleth Cymru. Wrth edrych ar sut y mae'r awduron yn herio'r ystrydeb ieithyddol am y dafarn lle mae pawb yn siarad Saesneg cyn troi i'r Gymraeg pan ddaw Sais drwy'r drws, gwelwn sut y maent yn creu gofod synergaidd lle y gall eu cymeriadau arddangos a thanseilio'u haralledd ieithyddol ac annog trafodaeth ar y berthynas rhwng iaith a Chymreictod mwy cynhwysol.

'She can't speak Welsh yet!': Dysgu Cymraeg (cywir)

Mae tensiynau ieithyddol rhwng y cymunedau Cymraeg a Saesneg eu hiaith yn nodwedd amlwg yn y trafodaethau am amlddiwylliannedd yng Nghymru, fel y trafodwyd eisoes. Er bod Charlotte Williams yn gweld bai ar y drefn sy'n pegynu'r ddwy iaith, weithiau ymddengys ei bod yn beio un gymuned ieithyddol yn fwy na'r llall am y tensiynau hyn, ac am y ffordd y mae'n gwthio materion amlddiwylliannol eraill i'r naill ochr. Y gymuned hon yw'r gymuned Gymraeg. Dyma rai enghreifftiau o waith Williams sy'n arddangos yr agwedd negyddol hon tuag at y gymuned honno:

> The Welsh language lobby cannot continue to talk of the English and incomers as though they were a homogenous whole – and white at that – and ignore the multi-various Welsh identities not based on language ... We consider the real meaning of pluralism and tolerance or we end up with a bilingual nation in which only one side of the 'bi-' seeks out a weak version of multiculturalism while the other is mono-cultural.[1]

> it is reasonable to compel the populace to accept ... Welsh language initiatives ... [but] there are indeed obvious points of tension. For example, whilst there may be sympathy for Cymuned's claims for the designation of Welsh speaking no-go areas, for others this represents the slippery slope to cultural apartheid.[2]

Fel y crybwyllwyd eisoes, hefyd, mae Williams yn feirniadol o'r raddfa o Gymreictod sy'n seiliedig ar y gallu i siarad Cymraeg y mae'n honni sy'n bodoli yng Nghymru ac sy'n eithrio'r rheini nad ydynt yn siarad Cymraeg rhag perthyn yn gyflawn i'r genedl.

Ond mae lle i awgrymu bod y derminoleg Gymraeg a ddefnyddir i ddisgrifio iaith a chenedl, a chymunedau o siaradwyr yng Nghymru yn amwys. Gall defnyddio termau fel 'Cymry Cymraeg' i ddisgrifio siaradwyr Cymraeg roi'r argraff eu bod yn fwy o Gymry na'r 'di-Gymraeg'. Awgryma'r term 'di-Gymraeg' yntau fod rhywun yn ddiffygiol oherwydd ei anallu ieithyddol – mae'n anghyflawn, a benthyg geiriau Hegel. Yn ogystal â hynny gall rannu'r genedl yn 'Gymry Cymraeg' a 'Chymry di-Gymraeg' wrth drafod rhaniadau ieithyddol awgrymu mai'r 'Cymry' yn unig sy'n byw yng Nghymru. Mae hyn yn gwadu'r amrywiaeth o wahanol gymunedau ethnig sy'n byw yng Nghymru, ac sy'n perthyn i'r cymunedau ieithyddol hyn. Mae hyn yn arbennig o niweidiol i'r gymuned Gymraeg efallai, gan fod yr iaith honno'n dueddol o gael ei hystyried gan rai fel iaith sy'n perthyn i grŵp ethnig penodol, nad yw'n berthnasol neu'n agored i gymunedau ethnig eraill.

Yn eu hysgrif sy'n trafod hanes ystyr y term 'Cymry', noda Simon Brooks a Richard Glyn Roberts fod y term wedi'i 'herwgipio . . . a'i wacáu o unrhyw ystyr nad yw'n cyfateb yn union i *Welsh* . . .'.[3] Dengys eu gwaith fod yna sail hanesyddol i ddefnyddio'r term 'Cymry' i gyfeirio at siaradwyr Cymraeg fel y gwneir gan nifer fawr o bobl, yn hytrach na'i ddefnyddio fel gair sy'n cyfateb i 'Welsh' yn y Saesneg. Dadleuant fod 'llawer o'r tyndra sy'n codi o'r myth fod siaradwyr Cymraeg yn dirmygu siaradwyr Saesneg fel pobl anghymreig yn deillio o gyfieithu *Cymry* yn llythrennol yn *Welsh*, a *Saeson* yn *English*'.[4] Mae rhai o'r termau Saesneg a ddefnyddir i ddisgrifio grwpiau ieithyddol a chenedlaethol yn amwys hefyd. Trafodir rhai o'r rhain yn fanylach yn nes ymlaen ond mae'n werth nodi yma fod ymadroddion fel 'proper Welsh' neu 'Welshy' sy'n ymddangos yn gyson yng ngwaith Catrin Dafydd a Llwyd Owen yn cael eu defnyddio gan siaradwyr Saesneg na fedrant y Gymraeg neu nad ydynt yn rhugl ynddi i drafod cymeriadau Cymraeg eu hiaith – prin iawn yw enghreifftiau o siaradwyr Cymraeg yn y ffuglen dan sylw sy'n honni eu bod yn fwy Cymreig nag unrhyw un arall ar sail yr iaith y maent yn ei siarad o ddydd i ddydd. Fel y noda Brooks a Roberts, gellir dehongli'r weithred o gamgyfieithu 'Cymry' yn 'Welsh' yn enghraifft o 'drais symbolaidd' yn erbyn 'rhychwant semanteg y Gymraeg'.[5] Ond mae eu hawgrym y gellir parhau i ddefnyddio'r term '*Saeson* am yr *Welsh* a'r *English* di-Gymraeg fel ei gilydd' yn un sy'n achosi trafferth i siaradwyr Saesneg o Gymru a hoffai arddel hunaniaeth Gymreig.[6] Mae amwysedd y termau o bwys arbennig wrth ystyried y camddealltwriaeth sydd i'w weld rhwng gwahanol gymunedau ieithyddol yn y nofelau dan sylw, ac o ystyried yr aralledd a deimlir gan y ddwy gymuned o siaradwyr fel ei gilydd. Mewn erthygl fwy diweddar, fodd bynnag, cytuna Brooks fod modd i'r term 'Cymry' gyfeirio at siaradwyr Cymraeg yn ogystal â phobl (beth bynnag yw eu hiaith) sy'n hawlio hunaniaeth Gymreig, a bod y ddau ddefnydd hyn yn 'ddilys'.[7]

Mae synied am 'Gymry Cymraeg' neu 'proper Welsh' yn ein hatgoffa o'r termau a ddefnyddir gan Denis Balsom i ddisgrifio hunaniaeth gwahanol ardaloedd o Gymru yn yr hyn a elwir ganddo yn 'The Three Wales Model' (1985). Noda yn yr astudiaeth honno fod hunaniaeth Gymreig yn seiliedig ar ddau ffactor: 'the existence of a territorial entity that defines the boundaries of Wales, and the continued existence of the Welsh language together with a long established linguistic and cultural tradition'.[8] Â'r astudiaeth ymlaen i rannu Cymru'n dair rhan – 'y Fro Gymraeg' (gorllewin a gogledd-orllewin Cymru), 'Welsh Wales' (ardal y Cymoedd diwydiannol ac Abertawe), a 'British Wales' (ardal Caerdydd, Bro Morgannwg, de sir Benfro, canolbarth dwyreiniol Cymru, a'r gogledd-ddwyrain) – a hynny'n seiliedig ar ba iaith a siaredid yno a pha hunaniaeth genedlaethol yr oedd pobl yr ardal yn ei harddel (Cymreig, Prydeinig, Seisnig, neu eraill).[9] Yn ôl Balsom, roedd trigolion 'y Fro Gymraeg' yn siarad Cymraeg ac yn eu disgrifio'u hunain fel Cymry; roedd trigolion 'Welsh Wales' yn siarad Saesneg ac yn eu disgrifio'u hunain fel Cymry; ac roedd y rheini yn 'British Wales' yn siarad Saesneg ac yn arddel hunaniaeth Brydeinig. Er bod y labelu hyn ynddo'i hun yn gwadu'r amrywiaeth ieithyddol ac ethnig sy'n bodoli yng Nghymru, mae'r rhaniadau y mae Balsom yn eu defnyddio yn awgrymu bod perthynas neilltuol rhwng siarad Cymraeg a meddu ar hunaniaeth Gymreig. Ni roddir lawer o sylw i'r posibilrwydd y gall siaradwyr Cymraeg arddel unrhyw hunaniaeth heblaw hunaniaeth Gymreig. Mae model Balsom yn annog y syniad mai dim ond yn y Fro Gymraeg y mae siaradwyr Cymraeg yn byw, tra'i fod hefyd yn portreadu'r siaradwyr Cymraeg hynny fel yr unig grŵp ieithyddol yng Nghymru a all fod yn sicr o'i hunaniaeth Gymreig. Mae'r rheini sy'n siarad Saesneg yn gallu bod yn 'Welsh' neu'n 'British', yn ddibynnol ar ba ran o'r wlad y cyfeirir ati.

Er bod tri degawd a mwy wedi mynd heibio bellach ers i Balsom lunio'r model hwn, efallai bod y syniadau a drafodir ymhlith y ffactorau sydd wedi ychwanegu at y syniad a gyflwynwyd gan sylwebyddion fel Charlotte Williams fod cysylltiad rhwng siarad Cymraeg a meddu ar hunaniaeth Gymreig gyflawn. Er bod nifer o awduron cyfoes yn archwilio'r syniad hwn mewn modd sy'n tynnu'n groes iddo neu'n ei archwilio mewn modd sy'n cynnig darlun mwy cyflawn, mae rhai yn ei atgynhyrchu. Ceir enghraifft o hyn yn y stori 'Jigsaws' gan Rachel Trezise. Yma, mae presenoldeb teulu Eidalaidd y Carpaninis yn un o drefi Cwm Rhondda yn cymell rhai o'r Cymry i lynu'n gryf at symbolau ystrydebol o'u Cymreictod. Wrth iddi dyfu, mae Heidi, Cymraes yn ei harddegau, yn ffurfio cyfeillgarwch agos â Paolo, mab y Carpaninis. Ers eu plentyndod, mae Paolo wedi dysgu geiriau Eidaleg i Heidi. Yn blant ifanc, mae'r ddau yn dweud y geiriau '[t]i amo' wrth ei gilydd yn aml, ac mae Heidi'n dechrau eu dweud yn ei meithrinfa ac yn ei chartref.[10] Ond pan glywa ei thad hi'n siarad Eidaleg, mae'n dechrau poeni:

> 'Ti amo,' I'd say.
> 'What's she saying?' he'd say to my mother. 'She's talking Italian. Jesus, she can't speak Welsh yet!'[11]

Mae ei bryder ynglŷn â gallu Heidi i siarad ambell air o Eidaleg wedi'i gysylltu â'r ffaith nad yw hi'n medru'r Gymraeg. Gellir dadlau bod y pryder hwn yn deillio o'r ffaith bod Heidi yn ymwneud â diwylliannau eraill, heb ddod yn aelod 'cyflawn' o'i diwylliant ei hun. Mae ei ddefnydd o'r gair 'yet' yn awgrymu y bydd dysgu'r Gymraeg yn rhan o'i datblygiad, fel petai'n rhywbeth y mae disgwyl iddi ei wneud er mwyn bod yn berson cyflawn.

Mae ymddygiad ei thad hefyd yn awgrymu bod Cymreictod Heidi dan fygythiad nid yn unig oherwydd ei bod yn ymwneud â diwylliant tramor ond oherwydd bod ei hunaniaeth Gymreig yn anghyflawn. Mae'r ffordd y mae'n ymddwyn tuag at Heidi wrth iddi dyfu yn pwysleisio hyn fwy fyth. Gyda Paolo a hithau'n tyfu'n oedolion, mae'n edrych yn fwyfwy tebygol y byddant yn dod yn gariadon, ond daw'r posibilrwydd i ben pan ddargenfydd tad Heidi y gwir am eu perthynas. Wrth i Heidi baratoi i fynd i barti yn nhŷ'r Carpaninis, medd ei thad wrthi: '"You're not going," he said. "I don't want you going near that café. They're not like us, sweetheart. They're Italian, they're Catholic, they're different to us."'[12] Mae tad Heidi'n gweld y gwahaniaeth y mae'r Carpaninis yn ei gynrychioli fel bygythiad i'w hunaniaeth Gymreig. Cryfheir y ddadl hon os ystyriwn natur y briodas y mae'n ei threfnu rhwng Heidi a Marc, mab ei ffrind gorau: 'Our fathers insisted we chose Cwm Rhondda as one of the hymns, that the reception be held in the rugby club and the ceremony in the Nonconformist chapel.'[13] Mae'r tadau'n dewis symbolau nodweddiadol o'r diwylliant Cymreig i'w cynnwys yn y briodas. Mae rhai o'r nodweddion Cymreig hyn yn ymddangos fel petaent yn gwaredu olion y dylanwadau Eidalaidd ar Heidi. Mae dewis ei thad o nodweddion crefyddol Cymreig fel y capel Anghydffurfiol a'r emyn enwog yn enwedig yn gweithredu yn y modd hwn, fel nodweddion sy'n gwbl wahanol i grefydd Gatholig y diwylliant Eidalaidd y mae eisoes wedi'i chrybwyll.

Efallai y gellid dadlau hefyd fod tad Heidi'n benderfynol bod y symbolau ystrydebol, cryf hyn o Gymreictod yn amlwg yn ei phriodas oherwydd bod symbol arall o Gymreictod ar goll – sef yr iaith Gymraeg. Mae eisoes wedi crybwyll nad yw Heidi'n gallu siarad Cymraeg, a gallwn awgrymu bod ei agwedd ddirmygus tuag at yr Eidalwyr a gallu ei ferch i siarad Eidaleg, yn ogystal â'i ddewis o symbolau Cymreig ar gyfer y briodas yn deillio o'i euogrwydd nad yw ei ferch yn berchen ar yr un symbol o Gymreictod a fyddai, yn ei farn ef, yn ei Chymreigio hi'n fwy. Mae'r stori hefyd yn adlewyrchu dadleuon Charlotte Williams am sut y mae tensiynau ieithyddol yng Nghymru yn eithrio lleiafrifoedd ethnig rhag teimlo eu bod yn perthyn i'r genedl, gan fod pryderon tad Heidi am allu ieithyddol ei ferch yn gyrru ei ragfarnau tuag at ei gymdogion Eidalaidd.

Ond byddai sylwebyddion sy'n gwrthwynebu'r ddadl hon gan Williams yn awgrymu bod siaradwyr Cymraeg yn cael eu heithrio hefyd rhag teimlo eu bod yn aelodau cyflawn o'r genedl, mewn ffyrdd gwahanol. Crybwyllwyd eisoes sut y mae Simon Brooks yn dadlau bod dwyieithrwydd yng Nghymru yn fodd o gadarnhau tra-arglwyddiaeth y Saesneg yn hytrach na hyrwyddo cydraddoldeb rhwng y ddwy iaith a sicrhau statws cyfwerth iddynt. Mewn erthygl arall lle ymatebodd i gwynion y *Western Mail* yn 2012 fod Llywodraeth Cymru wedi gwario £400,000 ar gyfieithu trafodaethau'r Senedd i'r Gymraeg, maentumiodd Brooks fod y ddadl dros hawliau iaith yn ymwneud â phwy sy'n ddinesydd cyflawn. Meddai Brooks: 'It's about what it means to be a Welsh citizen.'[14] Mae cwyno am gostau cyfieithu, neu'r gost o gynnig gwasanaethau Cymraeg yn cyfleu'r syniad nad yw'r Gymraeg (ac felly ei siaradwyr a hoffent ddefnyddio'r gwasanaethau hyn) mor bwysig â'r Saesneg – caiff y Gymraeg fodoli os yw hi'n gost-effeithiol, ond mae'r Saesneg yn cael bodoli er ei mwyn ei hun, a benthyg geiriau Hegel. Nid yw Brooks yn honni y dylai'r Gymraeg fod yn bwysicach na'r Saesneg yng Nghymru, ond yn rhybuddio sut y gall defnyddio ac arddel un iaith yn unig (y Saesneg yn yr achos hwn) eithrio rhai.

Gellir dadlau bod y duedd gan rai i ystyried y Gymraeg fel ail iaith y genedl yn effeithio ar amlddiwylliannedd ehangach Cymru. Er iddi feirniadu rhai o weithredoedd neu agweddau rhai siaradwyr Cymraeg neu ymgyrchwyr iaith, mae Charlotte Williams yn nodi bod sefyllfa'r iaith fel iaith leiafrifol, a'r ffaith bod angen i'w siaradwyr frwydro dros yr hawl i'w defnyddio mewn rhai cyd-destunau yn creu dryswch ymhlith cymunedau ethnig lleiafrifol sy'n credu y dylent gael yr un hawliau i ddefnyddio'u hieithoedd lleiafrifol (hynny yw, maent yn lleiafrifoedd yng Nghymru ac ym Mhrydain) hwythau:

> In many ways, the Welsh language has had something of an unhappy relationship with the claims of other ethnic minority groups in Wales ... many ethnic minority groups have failed to recognise the territorial significance of the language and continue to suggest that other minority languages should have the same status as Welsh.[15]

Awgryma, felly, fod tuedd ymhlith cymunedau ethnig lleiafrifol Cymru i feddwl am y gymuned a'r diwylliant Cymraeg fel un o'r nifer o leiafrifoedd eraill sy'n byw yng Nghymru, yn hytrach nag fel un o brif ddiwylliannau'r genedl. Ond mae ei chyfeiriad at 'other ethnic minority groups' yn y darn hwn yn arwydd bod Charlotte Williams, neu eiriad ei gwaith academaidd o leiaf, yn hyrwyddo'r dull hwn o feddwl am y

Gymraeg. Mae cyflwyniad Neil Evans, Paul O'Leary a hithau i'r gyfrol *A Tolerant Nation? Exploring Ethnic Diversity in Wales* yn datgan hyn yn ei esboniad o'i sail fethodolegol:

> This book focuses primarily on issues affecting visible ethnic minorities. This is not to deny the importance of the Irish, the Poles, the Greeks, Gypsy people, Eastern Europeans and others; nor does it seek to downplay religious minorities such as Jewish and Muslim communities or, indeed, linguistic minorities such as Welsh speakers.[16]

Mae'r Gymraeg yn cael ei lleoli ymhlith cymunedau lleiafrifol amrywiol y genedl, yn hytrach na chael ei hystyried fel un o'i phriod ieithoedd a diwylliannau. Gan gofio cwestiwn Daniel G. Williams am 'wead y pair neu'r fowlen salad', hynny yw beth yw natur y gymdeithas Gymreig sy'n cynnal amlddiwylliannedd, fe gymerir yn ganiataol yn y dadleuon hyn mai Saesneg yw prif iaith y genedl, gyda'r Gymraeg yn un o'r amrywiol gynhwysion sy'n rhan o'r amrywiaeth oddi mewn iddi.[17]

Mae nofel Catrin Dafydd *Y Tiwniwr Piano* yn archwilio'r dadleuon ynglŷn â pherthynas iaith a hunaniaeth yn y cyd-destun Cymreig o sawl cyfeiriad. Mae un olygfa yn y nofel fel petai'n adleisio'r pryderon y mae Brooks yn eu lleisio am y modd y caiff y Saesneg fodoli'n ddigwestiwn tra nad yw'r un peth yn wir am y Gymraeg. Yn yr olygfa hon mae Ceridwen, neu Crid, un o brif gymeriadau'r nofel, wrth ei gwaith fel bydwraig, yn helpu menyw Fwslimaidd, sydd newydd ddod i Gaerdydd o Saudi Arabia, i roi genedigaeth. Mae Crid yn ymwybodol iawn fod y fenyw hon yn perthyn i ddiwylliant gwahanol, ac mae'n awyddus i ddangos ei dealltwriaeth o'r diwylliant hwnnw a'r angen i drin y gwahaniaethau hyn â pharch. Mae'n treulio amser yn ceisio dod o hyd i gyfieithydd, mae'n ymwybodol na chaiff dynion fynychu genedigaeth Fwslimaidd, ac mae'n gwybod rheolau Islam ynglŷn â menywod yn tynnu eu penwisgoedd wrth roi genedigaeth i blentyn.[18] Ond pan ddaw hi'n fater o gyfathrebu â'r fenyw hon, mae'r ffaith bod Crid yn dewis siarad Saesneg yn achosi pryder iddi:

> Safodd Ceridwen uwch ei phen gan wenu.
> 'Don't worry, love, it won't be very long now,' meddai. Pwyntiodd at ei horiawr er mwyn dynodi'r hyn oedd ganddi mewn golwg. Wedi meddwl pa iws siarad Saesneg yn hytrach na Chymraeg? Doedd y fenyw ddim yn deall yr un o'r ddwy iaith.[19]

Yr hyn sy'n fwyaf arwyddocaol yw'r ffaith bod Crid yn parhau i ddefnyddio'r Saesneg wrth siarad â'r fenyw Fwslimaidd, hyd yn oed ar ôl sylweddoli nad oes llawer o werth gwneud hynny. Ar ddiwedd y darn rhydd Crid wybod i'r fam ei bod wedi geni 'a little boy'.[20] Ymddengys fod Crid yn dod i'r arfer â defnyddio'r Saesneg yn lle'r Gymraeg. Saesneg yw iaith awtomatig ei swydd, iaith sy'n *lingua franca* rhyngddi hi a'r mamau y mae hi'n eu helpu. Diffinia Suzanne Labelle *lingua franca* fel 'a language that is not native to either speaker or listener but is used for communication when learning one or the other native language is not practical'.[21] Ond yn y sefyllfa hon mae'r Saesneg yr un mor anymarferol â Chymraeg Crid neu iaith frodorol y fenyw Fwslimaidd, ond mae Crid yn ei defnyddio beth bynnag. Caiff y Saesneg fod er ei mwyn ei hun, ac mae'r defnydd ohoni'n awtomatig, er gwaetha'r ffaith nad yw'r iaith honno'n ddefnyddiol iawn yn y sefyllfa hon. Mae Crid wedi mewnoli disgẃrs tebyg i'r hyn a gafwyd yn adroddiadau'r comisiynwyr addysg ym 1847 a ystyriodd mai'r Saesneg oedd iaith rheswm – iaith ymarferol, chwedl Labelle. Wrth gwrs, gan fod y Saesneg yn iaith ryngwladol, mae'n bosib y byddai'r fenyw o Saudi Arabia yn gwybod ambell air neu ymadrodd, hyd yn oed os nad yw'n ddigon rhugl i gyfathrebu'n hyderus yn yr iaith honno, ond mae hynny ynddo'i hun yn dangos y grym sy'n perthyn i'r iaith Saesneg yn y sefyllfa hon. Mae'r olygfa hefyd yn codi cwestiwn ynglŷn â pha iaith y disgwylir i fewnfudwyr ei dysgu wrth ddod i fyw yng Nghymru. Awgryma'r olygfa mai'r Saesneg yw'r iaith honno, gan adleisio dadl Simon Brooks nad 'cyflwr ieithyddol niwtral'[22] mo dwyieithrwydd yn y Gymru gyfoes.

Nid archwilio'r tensiynau rhwng cymunedau Cymraeg, Saesneg ac ieithoedd eraill yng Nghymru yn unig a wna *Y Tiwniwr Piano*, ond goleuo'r darllenydd ynglŷn â'r tensiynau sy'n bodoli oddi mewn i'r gymuned Gymraeg ei hun. Mae'r prif gymeriad arall, Efan Harry, yn siaradwr Cymraeg a fagwyd yng Nghaerdydd gan rieni o sir Gaerfyrddin, ac mae nifer o'r sefyllfaoedd y mae Efan yn ei ganfod ei hun ynddynt yn gofyn i'r darllenydd ystyried sut y mae diffinio Cymreictod yn wyneb rhaniadau rhwng y Gymraeg a'r Saesneg, y wlad a'r ddinas, yn ogystal â phresenoldeb amrywiaeth o ddiwylliannau a chymunedau ethnig eraill. Mewn un olygfa, mae gallu Efan i siarad Cymraeg, neu, a bod yn fanwl gywir, y ffaith ei fod yn siarad Cymraeg 'anghywir', yn ein hatgoffa o ddadl Charlotte Williams am Gymreictod 'go iawn', ond y tro hwn adlewyrchir tensiynau rhwng gwahanol gymunedau o siaradwyr Cymraeg. Mae Efan yn sgwrsio â meddwyn o'r enw Alwyn mewn tafarn, ac mae Alwyn yn gwneud sylw am acen Efan a'i ddefnydd o'r Gymraeg:

Gwenodd Efan. 'Ble chi'n dod o?'
'O'r un lle â dy fam di.'
. . .
'Sori?' holodd Efan.
'Ti o Gaerdydd yndyt ti? Mae'n amlwg. Ti'n rhoi'r o yn y lle anghywir, ond mae dy rieni di o bant. Mae'n ffycin amlwg'.
. . .
'. . . mae tinc o Sir Gâr ynddot ti . . .'[23]

Mae Efan yn falch iawn o'i hunaniaeth fel Cymro dinesig, ond mae cyfeiriad Alwyn at ei achau mwy gwledig 'amlwg' yn datgelu bod ganddo hunaniaeth fwy hybrid nag yr hoffai ei chyfaddef. Mae ganddo gefndir ieithyddol a theuluol tebyg (o safbwynt daearyddol) i Angharad Gwyn o nofel Mererid Hopwood, *O Ran* – fe'i ganed yng Nghaerdydd ond daw ei rieni o sir Gaerfyrddin. Mae'r ffaith y dywed Alwyn fod iaith Efan yn 'anghywir' yn arwyddocaol. Awgryma fod yr iaith Gymraeg ddinesig yn 'anghywir', ac oherwydd ei fod yn siarad Cymraeg 'anghywir', gellir dadlau yr awgrymir nad yw Efan yn Gymro go iawn. Cawn ein hatgoffa yma o eiriau Frantz Fanon am ymdrechion deiliaid trefedigaethau Ffrengig – 'The Negro of the Antilles will become proportionately whiter . . . in direct ratio to his mastery of the French language.'[24]

Mae hyn yn adleisio'r dadleuon a gafwyd yn erthygl 'Cymraeg y Pridd a'r Concrit' Gwynn ap Gwilym, a drafodwyd eisoes. Yn y dadleuon hyn, awgrymir mai yn y Gymru wledig yn unig y gallai'r 'gwir' gymdeithas Gymraeg fodoli, a bod un math o Gymraeg yn fwy dilys na'r llall. Yn yr olygfa hon, cysylltir ardaloedd mwy gwledig megis sir Gaerfyrddin â chywirdeb ac felly cyflawnrwydd ieithyddol, ac mae'r ffaith y caiff Cymraeg Efan ei chywiro gan rywun o'r ardal hon yn adlewyrchu'r awdurdod a'r dilysrwydd a roddwyd i Gymreictod yr ardaloedd hyn yn erthygl Gwynn ap Gwilym. Dengys y golygfeydd hyn felly sut y mae'r ddwy gymuned ieithyddol yn profi aralledd, ac yn teimlo eu bod wedi'u diarddel, yn nhrefn ieithyddol gymhleth Cymru. Yn ogystal â hynny, trafodant sut y mae gwahanol rannau o'r cymunedau ieithyddol hyn, megis siaradwyr Cymraeg y de-ddwyrain, yn teimlo aralledd hefyd. Ychwanega hyn at y berthynas gymhleth rhwng iaith a hunaniaeth sydd i'w gweld yma.

Trafferth mewn tafarn: herio ystrydebau ieithyddol yn y dafarn Gymreig ffuglennol[25]

Er bod theorïwyr megis Charlotte Williams yn nodi yn eu gwaith fod angen edrych y tu hwnt i gyferbyniadau deuol sy'n gosod siaradwyr Cymraeg yn erbyn siaradwyr Saesneg, mae'r ffocws ar iaith yn y dadleuon ar amlddiwylliannedd yng Nghymru fel petai'n ail-greu'r pegynau ystrydebol hyn. Gwneir hyn heb ystyried cymhlethdodau'r sefyllfa, fel y tystia adran flaenorol y bennod hon iddynt. Mae'r nofelau a drafodir yn y rhan hon o'r bennod yn canfod gofod ar gyfer archwilio'r cymhlethdodau hyn a herio rhai ystrydebau a thybiaethau am berthynas iaith a hunaniaeth yn y Gymru gyfoes. Yn ogystal â hynny, maent yn canfod gofod sydd yn caniatáu iddynt gymhlethu'r darlun deuaidd o iaith yng Nghymru. Y gofod hwn yw'r dafarn Gymreig lle y gall y cymeriadau arddangos, mabwysiadu, tanseilio a gwrthod disgyrsiau ystrydebol. Mae'r dafarn yn ymddangos yma fel rhyw fath o ofod synergaidd, sy'n gorfodi'r cymeriadau, ynghyd â'r darllenydd, i gwestiynu eu rhagdybiaethau am iaith a hunaniaeth yn y Gymru gyfoes. Er mwyn gwneud hyn, maent yn gwyrdroi'r ystrydeb am y dafarn Gymreig, lle mae'r yfwyr i gyd yn siarad Saesneg, cyn troi i siarad Cymraeg ar ddyfodiad dieithriaid Seisnig. Trosglwyddir yr hanesyn hwn ar lafar gwlad a gellir dod o hyd i fersiynau ohono yng nghyhoeddiadau'r wasg a'r cyfryngau poblogaidd. Nododd un o golofnwyr y *Daily Mail* yn 2001 wrth ysgrifennu adolygiad o'r Eisteddfod Genedlaethol:

> my enthusiasm for Welsh culture will not stop me from ... insisting that, whenever I walk into a Welsh pub, the locals all suddenly start speaking Welsh on purpose. It's true. They're not talking in Welsh because it's their language, they're doing it simply to annoy me, and I know that for a fact.
>
> You see, before I enter a Welsh pub, I always travel in my astral body into the saloon bar first, and do you know what? They're invariably standing around discussing the content of last night's EastEnders. In English.[26]

Yn 2012, wrth drafod ei brofiad o symud i sir Fynwy i fyw, geilw golygydd cylchgrawn *Countryfile*, Fergus Collins, y myth hwn i gof eto: '[s]o many people have told me the story of walking into a Welsh pub and the locals, who were speaking English, suddenly speaking Welsh ... I've been to dozens of Welsh pubs and never experienced this. I've been to many where I've been the only English speaker, however.'[27] Er i Collins, yn wahanol i adolygydd y *Daily Mail* wadu dilysrwydd yr ystrydeb hon, nid yw'n ymwrthod â phwysleisio sut y gall y siaradwr Saesneg deimlo ei fod wedi'i eithrio yn y dafarn Gymreig.

Cyn craffu ymhellach ar yr ystrydeb hon yng ngoleuni theori ôl-drefedigaethol, mae'n werth rhoi rhagor o sylw i'r berthynas rhwng y dafarn, llenyddiaeth a hunaniaeth. Wrth gwrs, nid rhywbeth newydd i lenyddiaeth yw golygfeydd tafarn, ac nid rhywbeth arbennig o (neu ystrydebol) Gymreig mo'r duedd hon ychwaith. Mae cyfrol Steven Earnshaw *The Pub in Literature: England's Altered State* yn ymchwilio i rôl y dafarn yn llenyddiaeth a hunaniaeth Lloegr. Un o'r pethau cyntaf y mae'n ei nodi yw'r modd y mae'r dafarn yn gallu bod yn lle cynhwysol ac yn lle tiriogaethol ar yr un pryd: er bod alcohol yn gallu bod yn 'social lubricant, breaking down the barriers of age, gender, race and class', dywed hefyd fod y dafarn yn 'site of random violence – you must avoid catching someone's eye, saying the wrong word, being the wrong colour or having the wrong accent'.[28] Bydd gweddill y bennod hon yn archwilio sut y mae dweud y geiriau anghywir – hynny yw, siarad iaith wahanol – yn arwain at gamddealltwriaeth yn y dafarn Gymreig lenyddol hefyd, gan ei bod yn lleoliad sydd wedi'i nodweddu gan densiynau rhwng siaradwyr Cymraeg a Saesneg Cymru. Ond bydd y bennod hefyd yn dangos sut y mae ffuglen gyfoes yn defnyddio'r tensiynau hyn er mwyn archwilio ystrydebau ieithyddol Cymru a'u herio.

Mae astudiaeth Earnshaw yn olrhain y berthynas hanesyddol rhwng y dafarn Seisnig, llenyddiaeth Lloegr a'r hunaniaeth genedlaethol Seisnig. Mae'n dadlau: 'English literature begins in a pub, an "inn" to be precise', gan gyfeirio at *The Canterbury Tales* (1387) gan Geoffrey Chaucer, un o'r testunau cynharaf i ailgydio yn yr arfer o ysgrifennu mewn Saesneg frodorol (*vernacular*) yn lle'r Ffrangeg a ddefnyddiwyd yn sgil dylanwad y Normaniaid, ac yn sicr y testun enwocaf ymhlith y testunau canoloesol hyn.[29] Gan ddadlau bod cyfeiriadau at William Shakespeare neu ymweliad â'r dafarn yn nodweddu diffiniadau allanol o Seisnigrwydd, fe awgryma: '[t]he inn is a good place for English literature to set out from, because drinking places and literature have both been significant and pervasive in the development of the English nation and English consciousness'.[30] Er hynny, yn hanesyddol nid yw'r dafarn na'r Seisnigrwydd yr honnir iddi ei gynrychioli yn hollol gynhwysol. Er bod Earnshaw yn dadlau y gall alcohol leihau rhaniadau cymdeithasol, awgryma hefyd fod gofod y dafarn, ac o ganlyniad yr hunaniaeth genedlaethol Seisnig ei hun, wedi'u rhannu'n hanesyddol yn ôl dosbarthiadau cymdeithasol. Esbonia: '[i]nns were socially at the top of the hierarchy of drinking places, taverns somewhere in the middle, and alehouses at the bottom attracting the lower orders of society', sefyllfa a barhaodd hyd at y ddeunawfed ganrif.[31] Noda Earnshaw raniadau tebyg yn nhrefn sosioeconomaidd Lloegr, lle y cafwyd 'a society split into two conflicting groups' a ddisgrifir ganddo yn 'elite' a 'popular'.[32] Dadleua y defnyddid rhaniadau o'r math hwn i gategoreiddio llenyddiaeth hefyd. Y rhaniadau hyn sy'n llywio ei ddehongliadau llenyddol, o'i ymdriniaeth â gwaith Chaucer hyd at ei archwiliad o 'class prejudice' yn nhafarn *London Fields* gan Martin Amis (1989).[33]

Er bod Cymru wedi'i dylanwadu gan rai elfennau o ddiwylliant Lloegr oherwydd y berthynas rhwng y ddwy wlad dros y canrifoedd, gellid disgwyl bod rhai gwahaniaethau yn y berthynas rhwng llenyddiaeth, hunaniaeth genedlaethol a'r dafarn yng Nghymru. Yn un peth, mae modd dadlau, fel y mae'r bennod hon eisoes wedi'i wneud, mai rhaniadau ieithyddol sy'n chwarae'r rôl fwyaf blaenllaw mewn trafodaethau ar hunaniaeth genedlaethol yng Nghymru, ac nid rhaniadau sosioeconomaidd. Weithiau, gwneir cysylltiad ystrydebol rhwng siaradwyr Cymraeg a'r dosbarth canol. Cofier i Charlotte Williams restru 'working class/"taffia"' fel un o'r cyferbyniadau deuaidd a ddefnyddir i ddiffinio'r hunaniaeth Gymraeg mewn ffordd hanfodaidd.[34] Cyfeiria 'taffia' at bobl gefnog sy'n gweithio ym meysydd megis y llywodraeth, academia a'r cyfryngau, ac yn aml ystyrir eu bod yn siarad Cymraeg. Bydd gwahaniaethau dosbarth fel hyn yn elfen a ystyrir yn y fan yma wrth ddadansoddi'r berthynas rhwng y ddwy iaith hefyd.

Nid yn y cyfnod presennol yn unig y portreedir y dafarn Gymreig fel gofod rhanedig mewn llenyddiaeth, wrth gwrs. Efallai mai'r enghraifft enwocaf o lenyddiaeth Cymru sy'n cyfuno trafodaeth ar raniadau diwylliannol â lleoliad y dafarn yw'r gerdd 'Trafferth Mewn Tafarn' gan Dafydd ap Gwilym (*c*.1350). Mae'r cywydd hwn yn olrhain hanes yr adroddwr wrth iddo gwrdd â merch hardd mewn tafarn un diwrnod a'i ymgais i gyrraedd ei gwely y noson honno. Ond ar ei daith drwy'r dafarn at wely'r ferch cwympa'r adroddwr dros ddodrefn gan ddeffro tri Sais:

> Lle'r oedd gerllaw muroedd mawr
> Drisais mewn gwely drewsawr
> Yn trafferth am eu triphac,
> Hicin a Siencin a Siac.
> Syganai'r delff soeg enau,
> Aruthr o ddig, wrth y ddau:
>
> 'Mae Cymro, taer gyffro twyll,
> Yn rhodio yma'n rhydwyll;
> Lleidr yw ef, os goddefwn,
> 'Mogelwch, cedwch rhag hwn.'[35]

Er mai tensiynau ethnig rhwng y Cymry a'r Saeson, ac nid tensiynau ieithyddol yn neilltuol, sy'n cael sylw yma, mae'n bwysig nodi bod modd dadansoddi'r gerdd hon yng ngoleuni theorïau Bhabha am yr ystrydeb drefedigaethol a'r Trydydd Gofod, fel y gwna Angharad Naylor.[36] Yn fuan iawn, penderfyna'r Saeson mai Cymro yw'r unigolyn sydd wedi ymlwybro i'w hystafell, ac felly mae'n rhaid mai 'lleidr yw ef', gan adleisio hen ystrydeb ethnig drefedigaethol sy'n cyflwyno'r Cymry fel pobl dwyllodrus.[37] Mae cynghanedd llinell 52 yn cysylltu'r geiriau 'drisais' a 'drewsawr', gan awgrymu mai'r Saeson, ynghyd â'r gwely, sy'n drewi. Yn ogystal â hynny, noda Naylor fod portread y gerdd o Saeson meddw yn adlewyrchu ystrydeb ganoloesol hefyd.[38] Yng ngherdd Dafydd, mae'r adroddwr o Gymru wedi dod yno o rywle arall – datgana yn llinell gyntaf y gerdd, '[d]euthum i ddinas dethol'.[39] Yn ogystal â hynny, gellir dadlau, gan fod y Saeson yn aros yn y dafarn, eu bod hwythau wedi dod yno o rywle arall hefyd. Dyma enghraifft felly o ofod hybrid, fel Trydydd Gofod Bhabha, lle mae hunaniaethau yn dod at ei gilydd ac yn cael eu herio.

Yn ogystal â llenyddiaeth yr Oesoedd Canol, mae ffuglen Gymraeg a Saesneg yn yr ugeinfed ganrif yn defnyddio'r dafarn fel gofod er mwyn trafod tensiynau cymdeithasol ac ieithyddol hefyd. Mae teitl nofel Emyr Humphreys, *Outside the House of Baal* (1965) yn cyfeirio at y dafarn newydd sydd wedi ei hadeiladu ger tŷ'r prif gymeriad J. T. Miles, gweinidog gyda'r Methodistiaid Calfinaidd sydd bellach wedi ymddeol. Mae'r dafarn, a lysenwir ganddo'n 'the House of Baal' yn ymyrryd yn llythrennol â byd J.T.: 'He [J.T.] looked at the new public house. It dominated the corner and the asphalt car park that surrounded it reached to the back-garden walls of the houses on J.T.'s side of Gorse Avenue.'[40] Mae'r ymyrraeth hon yn cynrychioli prif ffocws y nofel, sef dirywiad dylanwad Anghydffurfiaeth yng Nghymru ar hyd oes y cyn-weinidog. Cysylltir y dirywiad hwn â dirywiad yr iaith Gymraeg hefyd ym myd cynyddol seciwlar a Saesneg y nofel. Mae'r cyferbyniadau hyn yn ein hatgoffa o'r rhai a restra Katie Gramich: 'north versus south, *Welsh versus English*, town versus country, industry versus agriculture, *chapel versus pub*'.[41] Er ei bod hi'n rhy syml dweud bod y capel yn ofod Cymraeg a'r dafarn yn ofod Saesneg – dengys yma eisoes sut y mae deuoliaethau o'r math hwn yn gwadu cymhlethdod sefyllfa ddiwylliannol Cymru – mae'n ddiddorol nodi defnydd Humphreys o iaith a siarad fel motiff er mwyn esbonio'r hollt rhwng y Gymru Anghydffurfiol a'r gymdeithas gynyddol seciwlar. Wrth drafod cynifer o dafarndai sy'n cael eu hadeiladu yn y Cymoedd, medd hen ffrind J.T., T. Machno Jones, '[w]e are not active enough. We are not *vocal* enough', wrth wrthwynebu eu sefydlu.[42] Dro arall, wrth esbonio i J.T., '[r]eligion doesn't mean very much to me', medd ei nai Norman wrtho, '[i]t's a language I don't understand anymore ... If I ever understood it.'[43] Mae byd crefyddol y capel a byd seciwlar y dafarn yn siarad ieithoedd gwahanol yn y nofel hon.

Defnyddir y dafarn yn rhyddiaith ddinesig Gymraeg y 1970au hefyd i archwilio'r tensiynau a'r gwahaniaethau rhwng gwahanol gymunedau o siaradwyr Cymraeg. Yn *Dyddiadur Dyn Dŵad* (1978) gan Dafydd Huws, mae'r prif gymeriad, y gogleddwr Goronwy Jones, yn ymweld â thafarndai Caerdydd. Yno, caiff drafferth deall Cymraeg dysgwyr Caerdydd, ac ni all ddirnad pam y byddai merched yr ysgol Gymraeg leol yn dewis siarad Saesneg yn gymdeithasol.[44] Mae'r dafarn, felly, nid yn unig yn fan lle mae tensiynau ethnig a diwylliannol Cymru yn dod i'r amlwg, ond yn fan hefyd sy'n tystio i natur ddwyieithog, neu hyd yn oed amlieithog, y genedl a'r tensiynau sydd ynghlwm wrth y dwyieithrwydd neu'r amlieithrwydd hwnnw. Nid oes rhyfedd felly fod sawl nofelydd o Gymru yn defnyddio'r dafarn fel lleoliad yn eu nofelau, gan ei fod yn fan lle mae prif faterion y genedl yn y fantol.

Mae'r nofelau a fydd dan sylw yng ngweddill y bennod hon bron fel petaent yn tynnu ar hanes y dafarn lenyddol Gymreig a'r traddodiad o'i defnyddio i drafod tensiynau ieithyddol a chenedlaethol yn eu defnydd o'r gofod hwnnw i archwilio hunaniaeth eu cymeriadau. Ond maent yn tynnu hefyd ar yr ystrydeb adnabyddus am y dafarn Gymreig, sy'n honni bod yfwyr yn y dafarn yn siarad Saesneg â'i gilydd tan i Sais gyrraedd, pan drônt ar unwaith i siarad Cymraeg er mwyn ei eithrio. Mae Dylan Foster Evans wedi dangos y gellir dadansoddi'r ystrydeb hon o safbwynt ôl-drefedigaethol hefyd. Wrth nodi'r tensiynau ethnig ac ieithyddol rhwng y Cymry a'r Saeson, a'r Gymraeg a'r Saesneg sydd y tu ôl i'r myth, dengys Foster Evans sut y mae'r myth yn diraddio'r Cymry, yn gwneud iddynt ymddangos fel yr 'arall': 'mae'r ystrydeb hon yn gwneud i'r Cymry ymddangos yn hynod ddieithr a pheryglus ... Maent yn [siarad Cymraeg] er mwyn herio'r Saesneg a'r Saeson, ac er mwyn hynny'n unig.'[45] Ar yr un pryd, mae'r myth yn ceisio bychanu'r Cymry a'u hiaith er mwyn lleihau'r bygythiad i'r Saeson y maent yn ei gynrychioli. Esbonia Foster Evans y ddeuoliaeth agwedd hon: 'Nid [yw'r Gymraeg yn] iaith sy'n cael ei defnyddio "go iawn", ac felly mae'n gwneud y Cymry yn llai "gwahanol" ac yn lleihau'r pellter rhyngddynt a'u cymdogion mwy pwerus.'[46] Ond awgryma hefyd sut y gall y grŵp ethnig '[f]eddiannu' ystrydebau o'r fath er mwyn 'creu jôc ar draul y grŵp a'i dyfeisiodd' neu wneud i 'rym yr ystrydeb ... [l]ifo mewn cyfeiriad croes' trwy ei hailddehongli.[47] Mae deuoliaeth agwedd gynhenid yr ystrydeb drefedigaethol, a ddadansoddir gan Homi Bhabha, yn caniatáu hyn.[48] Bydd gweddill y bennod hon felly'n ystyried sut y mae'r nofelau Cymreig cyfoes a restrwyd uchod yn cynnwys addasiadau gwyrdroadol o'r ystrydeb hon. Nid tensiynau rhwng y Cymry a'r Saeson a gaiff eu harchwilio yn nhafarndai'r nofelau. Siaradwyr Cymraeg a siaradwyr Saesneg Cymru sy'n dod wyneb yn wyneb yma gan amlaf, ar wahân i nofel Christopher Meredith, lle mae dau ffrind Cymraeg eu hiaith yn cyfarfod teulu o Almaenwyr, ond sy'n cynnig trafodaeth debyg ar densiynau iaith yn y Gymru gyfoes. Ond nid yw'r un garfan yn ennill brwydr am oruchafiaeth ar draul y llall. Mae'r golygfeydd tafarn hyn yn lleihau'r bwlch ystrydebol rhwng siaradwyr y naill iaith a'r llall, gan ddangos sut y mae cyd-destun ieithyddol Cymru yn gallu golygu bod siaradwyr y naill iaith a'r llall yn profi aralledd, yn ddibynnol ar ba safbwynt goddrychol a ddefnyddir. Yn hynny o beth, mae'r golygfeydd yn adleisio damcaniaethau Hegel, de Beauvoir, a Fanon ynglŷn ag aralledd, yn ogystal â pherfformio'r ddadl academaidd ar iaith a pherthyn sy'n bresennol yng ngwaith Charlotte Williams a Simon Brooks.

Mae'r nofel *Y Tiwniwr Piano* gan Catrin Dafydd yn cynnwys llawer o olygfeydd tafarn. Yn wir, cyfeirir at dafarndai Caerdydd, yn enwedig rhai sy'n cynnig gwasanaeth yn Gymraeg neu rai y mae'r gymuned Gymraeg yn heidio iddynt, yn bur aml. Mae'r dafarn yn y nofel hefyd yn lle sy'n frith o ystrydebau am siaradwyr Cymraeg a Saesneg Cymru. Amlygir y rhain gan ragfarnau Efan, y tiwniwr piano eponymaidd, wrth iddo gwrdd â ffrindiau o gefndiroedd ieithyddol Cymraeg a Saesneg cymysg yn y dafarn. Mae ei ffrind Jerry, sydd o gefndir Saesneg ei iaith, yn cyfeirio at ffrindiau Cymraeg eu hiaith Efan fel ei 'Welsh mates'[49] sy'n peri i Efan ymateb fel hyn: 'Roedd Efan yn casáu hyn. Doedden nhw ddim yn fwy o "Welsh mates" nag yr oedd e ... Boi da, boi galluog [oedd Jerry]. Yn erbyn y rhyfel yn Irac.'[50] Ymhlyg ym meddyliau Efan yw'r awgrym bod Jerry'n berchen ar y gwerthoedd a'r nodweddion hyn er gwaetha'r ffaith mai siaradwr uniaith Saesneg ydyw. Dyma sy'n ei wneud yn gystal Cymro â'r 'Welsh mates' Cymraeg eu hiaith ac felly cysylltir y nodweddion a'r gwerthoedd hyn â'r Gymraeg a'i siaradwyr. Ond mae gan Efan ragfarnau yn erbyn y Cymry Cymraeg hefyd. Wrth i'w ffrind Jiv, sy'n dod yn wreiddiol o orllewin Cymru, wrthod siarad Saesneg â Jerry y gwelwn hyn yn fwyaf amlwg. Meddylia Efan fod Jiv 'yr un mor wael ag unrhyw fewnfudwr arall am beidio â gwneud ymdrech gyda'r bobl leol'.[51] Mae'n arwyddocaol bod Efan yn disgrifio'i ffrind sydd wedi symud i'r ddinas fel mewnfudwr yn syth ar ôl i'r darllenydd gael gwybod mai brodor o Gaerdydd yw Efan ei hun.[52] Mae yma awgrym fod Efan yn ystyried bod Jiv wedi dod i Gymru wahanol wrth symud i Gaerdydd, ac felly'n cadarnhau'r syniad bod rhaniadau pendant – ffiniau, hyd yn oed – yn bodoli rhwng gwahanol ardaloedd o Gymru lle y siaredir ieithoedd gwahanol. Mae'r awgrym y dylai 'mewnfudwyr' fel Jiv 'wneud ymdrech' â'r bobl leol yn gyfystyr â dweud y dylent siarad neu ddysgu Saesneg, gan adleisio disgẃrs Prydeinig ar gymhathu lleiafrifoedd ethnig i'r genedl sy'n blaenoriaethu'r Saesneg ar draul ieithoedd brodorol eraill y Deyrnas Unedig.

Yn yr olygfa hon mae Efan a'i 'Welsh mates' yn mynd i yfed yn 'Ystafell Gymraeg' y dafarn. Mae presenoldeb yr ystafell Gymraeg yma yn ategu'r aralledd ieithyddol sydd i'w weld yn y dafarn. Mae modd gweld yr ystafell fel ardal fechan o'r dafarn sydd wedi'i neilltuo ar gyfer grŵp penodol nad yw'n perthyn yn llwyr i'r gweddill. Mae'r ffaith bod ystafell Gymraeg yn bresennol o gwbl yn awgrymu bod siarad Cymraeg yn cael ei ganiatáu oddi mewn i'r ystafell honno yn unig – ni all fodoli'n annibynnol y tu hwnt i'r ystafell ac nid yw'n iaith ddilys ar gyfer cyfathrebu yng ngweddill y dafarn. Ar y llaw arall, gall labelu'r ardal hon yn 'ystafell Gymraeg' eithrio'r rhai nad ydynt yn siarad Cymraeg rhag mynd i'r rhan honno o'r dafarn. Yn wir, dyma sy'n digwydd yn nes ymlaen yn yr olygfa.

Mae'r enw 'Ystafell Gymraeg' yn un diddorol – er bod yr iaith Gymraeg yn gwahaniaethu rhwng 'Cymraeg' sef enw'r iaith, a 'Cymreig' sef ansoddair sy'n disgrifio hunaniaeth genedlaethol, nid yw'r gair Saesneg 'Welsh', fel y defnyddia Jerry wrth ddweud 'Welsh mates', yn ein galluogi i wahaniaethu yn yr un modd. Oherwydd amwysedd y gair 'Welsh', a yw'n bosib meddwl am y dafarn fel rhywle sy'n adlewyrchu'r hyn a ddywed Charlotte Williams am y Gymraeg fel 'the most authentic marker of Welsh identity'?[53] A oes cyswllt rhwng Cymreictod a'r gallu i siarad Cymraeg yn y dafarn? Dyma'n sicr sy'n cael ei awgrymu gan un o ffrindiau di-Gymraeg Efan, Jerry. Mae Jerry yn dod i'r dafarn ac yn ymuno ag Efan a'i ffrindiau yn yr ystafell Gymraeg. Er iddo gael ei eni a'i fagu yng Nghaerdydd, mae Jerry'n galw Jiv a Pont yn 'Welsh mates' Efan – gallwn gymryd ei fod yn eu galw nhw'n 'Welsh' am eu bod nhw'n medru'r Gymraeg, sgìl nad yw ef ei hun yn meddu arni. Dyma adleisio syniadau Frantz Fanon a Charlotte Williams am aralledd ac iaith, gan fod yr olygfa'n trafod y syniad bod rhaid medru iaith benodol, y Gymraeg yn yr achos hwn, er mwyn bod yn aelod cyflawn o'r gymuned. Ond efallai trwy gyfosod y ddau derm, yr 'Ystafell Gymraeg' a 'Welsh mates', tynnir sylw at ansefydlogrwydd y diffiniad o Gymreictod, a all fod yn arwydd o'r cyfle i lunio hunaniaeth Gymreig fwy agored a chynhwysol. Mae'n bwysig nodi mai oherwydd y tensiwn rhwng y Gymraeg a'r Saesneg y daw'r cyfle hwn i'r golwg, nid er ei waethaf. Mae'r tensiwn yn un synergaidd, felly.

Wrth i'r olygfa fynd yn ei blaen, mae Catrin Dafydd yn llwyddo i wyrdroi'r ystrydeb am y dafarn Gymreig, ond mewn ffordd sy'n parhau i bortreadu aralledd y ddwy garfan ieithyddol. Fel y crybwyllwyd eisoes, daw Jerry, ffrind Efan nad yw'n siarad Cymraeg, i'r ystafell Gymraeg. Mae Efan a Pont yn troi i'r Saesneg yn syth – mae hyn yn annhebyg iawn i'r myth am y dafarn Gymreig sy'n honni bod y Cymry yn troi i'r Gymraeg gyda dyfodiad y di-Gymraeg. Mae Jiv, sy'n honni nad yw'n gallu siarad Saesneg, ar y llaw arall, yn gwrthod newid ei iaith, ac yn lle siarad Saesneg, eistedda'n dawel heb ddweud gair. Gwna hyn i Jerry deimlo braidd yn lletchwith ac oherwydd hynny mae'n gadael yr ystafell Gymraeg. O ganlyniad mae'r iaith Saesneg a'r siaradwr Saesneg yn ymddangos fel petaent yn cael eu heithrio o'r gornel fach Gymraeg hon. Mae hyn yn cael ei adleisio gan deimladau Efan am y sefyllfa – mae'n grac gyda Jiv am roi Jerry yn y fath sefyllfa, ac yn dweud yn ddig bod Jiv wedi gwneud hyn 'tro o'r blaen', a'i fod yn 'gwrthod dweud gair wrth unrhyw ffrindiau di-Gymraeg oedd [gan Efan]'.[54]

Ond mae modd dehongli distawrwydd Jiv mewn ffordd amgen, a hynny drwy ei gymhwyso i theorïau ôl-drefedigaethol. Mae'r beirniaid Bill Ashcroft, Gareth Griffiths a Helen Tiffin yn archwilio'r effaith ar ddeiliaid ôl-drefedigaethol (*postcolonial subjects*) pan ddaw iaith fawr, fel y Saesneg, i ddisodli eu hieithoedd brodorol. Dywedant, 'even those ... with the literal freedom to speak find themselves languageless, gagged by the imposition of English on their world'.[55] Gyda dyfodiad Jerry a'r iaith Saesneg i'r dafarn, felly, gellir dadlau bod Jiv a'r iaith Gymraeg yn cael eu 'gagio'. Er nad yw hon yn frwydr angheuol fel y frwydr a ddisgrifia Hegel sy'n digwydd rhwng y Meistr a'r Caethwas, mae'r ffaith ei bod yn cael ei hailadrodd dro ar ôl tro, fel y noda Efan, yn adlewyrchu'r frwydr barhaus rhwng yr 'hunan' a'r 'arall'. Yma, mae'r sefyllfa ddiddatrys rhwng y siaradwyr Cymraeg a'r siaradwyr Saesneg yn cynrychioli sut y mae'r ddwy gymuned ieithyddol hyn yn dioddef aralledd mewn ffyrdd gwahanol.

Mae aralledd ar sail iaith yn thema gyson yng ngwaith Catrin Dafydd, ac mae ei thestunau ffuglennol yn llwyddo mewn mannau eraill hefyd i gyflwyno'r pwnc hwn o wahanol safbwyntiau. Yn ei nofel Saesneg, *Random Deaths and Custard*, lle yr awn i'r dafarn eto, nid o safbwynt cymeriad o gefndir Cymraeg ei iaith fel Efan y gwelwn y digwyddiadau, ond o safbwynt siaradwr ail iaith, sy'n golygu bod y nofel yn trafod aralledd ieithyddol â gogwydd gwahanol. Mae'r nofel yn adrodd hanes Sam, merch o gefndir Saesneg ei hiaith a dderbyniodd ei haddysg mewn ysgol Gymraeg, wrth iddi geisio ailddarganfod ei llais Cymraeg. Daw ysbrydoliaeth i'w rhan wrth iddi ymweld â thafarn leol er mwyn gwylio gìg sy'n cael ei ffilmio ar gyfer rhaglen deledu Gymraeg. Mae cyfarwyddwr y rhaglen yn gofyn i Sam a yw hi'n gallu siarad Cymraeg ac a fyddai hi'n fodlon ateb ambell gwestiwn am y perfformiadau o flaen y camerâu. Â'r alcohol yn rhoi hyder iddi, mae Sam yn cyfrannu, ac er gwaethaf ei phetruster ar y dechrau, mae hi'n fodlon â'i hymdrech yn y pen draw:

> 'Ydy,' I said. Die, die. I want to die. 'Maen nhw yn swnio'n da iawn. Mae Pink Fluid yn cyffrous.' Stop there I thought, quit while you're ahead, but I didn't did I? I fuckin' didn't. 'Ond ti dim gallu clywed geiriau nhw o gwbl. Mae "The Death" fod yn da hefyd. Nhw ar olaf,' I smiled.
>
> I didn't care how many more questions he was goin' to ask, I wasn't goin' to answer them. I was so chuffed with myself.[56]

Mae Cymraeg 'gwallus' Sam a'i jôc am y ffaith mai'r band 'The Death' fydd yr olaf i berfformio yn cyfuno i gynnig sylw diddorol ar yr iaith Gymraeg a'i dyfodol. Mae traddodi'r jôc yn ei hiaith letchwith yn creu cyswllt rhwng y math o iaith a siaredir ganddi ac un farwolaeth benodol – marwolaeth yr iaith Gymraeg. Mae'r nofel yn chwarae â'r syniad y byddai'r iaith yn marw yn nwylo siaradwyr ail iaith, 'gwallus' megis Sam. Ond er gwaethaf datganiadau Sam ei bod hi am farw, mae'r foment hon yn un o ddadeni lle y mae'n ailddarganfod ei llais Cymraeg. Mae'r modd y mae Sam yn ailhawlio'r Gymraeg yn yr olygfa hon yn symboleiddio sut y mae'r Gymraeg wedi dychwelyd i'r Cymoedd oherwydd siaradwyr fel hi sydd wedi dysgu'r Gymraeg yn yr ysgol. Mae Sam, i raddau, yn cynrychioli adfywiad, ac nid dirywiad, y Gymraeg.

Mae ystyried cyd-destun ehangach yr olygfa yn caniatáu archwiliad dyfnach o sut y mae'r nofel yn portreadu'r Gymraeg a'i siaradwyr. Fel yn achos yr ystrydeb am y dafarn Gymreig, yn yr olygfa hon try Sam i siarad Cymraeg yn lle'r Saesneg. Ond ni wna hynny er mwyn eithrio unrhyw un. Yn wir mae'n foment lle mae Sam yn teimlo ei bod yn perthyn, o'r diwedd, i ddwy gymuned ieithyddol, fel y gwelir yn ei hapusrwydd sy'n dilyn ei sgwrs Gymraeg. Ond fel sy'n nodweddu gwaith Catrin Dafydd, ni all y tensiynau rhwng y ddwy iaith gael eu datrys mor hawdd â hynny. Dudalen yn ddiweddarach, y mae Sam yn cyfarfod â Dwynwen, menyw sy'n gweithio i Gomisiwn yr Iaith Gymraeg a ymwelodd â hi yn y gwaith ar ôl iddi gyfieithu deunyddiau'r cwmni i'r Gymraeg yn anghywir. Mae Dwynwen yn ymddangos fel aelod o ddosbarth cymdeithasol mwy breintiedig hefyd, un o gynrychiolwyr y 'taffia' ystrydebol oherwydd ei swydd, yn enwedig o'i chymharu â Sam, sy'n gweithio mewn ffatri sy'n gwneud cwstard. Gwneir cyswllt pellach rhwng y Gymraeg a'r dosbarth canol gan mai'r ffaith bod Sam yn gallu siarad Cymraeg hefyd sy'n golygu y caiff roi'r gorau i'w gwaith ar lawr y ffatri, a chodi'n uwch ei statws trwy gymryd swydd ddesg fel cyfieithydd yn y lle cyntaf. Pan ymwelodd â Sam, roedd Dwynwen wedi mynnu bod Sam yn siarad Cymraeg ar bob achlysur, ond yn awr, mae Dwynwen ei hun yn anwybyddu'r cyngor hwnnw, gan siarad Saesneg â'i chariad (sef y gohebydd Cymraeg ei iaith a fu'n cyfweld â Sam) mewn gìg Cymraeg.[57] Mae'r awdur felly yn dinoethi'r safonau dwbl a berthyn i rai siaradwyr Cymraeg. Yn fwy na hynny, mae awgrym yma nad siaradwyr 'gwallus' fel Sam sy'n gwneud niwed i'r iaith Gymraeg, ond siaradwyr Cymraeg sy'n dewis peidio â defnyddio'r iaith, fel Dwynwen.

Ond mae'r ffraethineb sy'n nodweddiadol o ffuglen Catrin Dafydd yn ychwanegu haen arall at yr olygfa. Er bod *Random Deaths and Custard* yn nofel Saesneg, mae deialog Gymraeg yn ymddangos ynddi ar sawl achlysur wrth i Sam sgwrsio â chymeriadau eraill sy'n siarad Cymraeg. Ambell dro bydd Sam yn cyfieithu (yn anghywir) ar gyfer ei darllenwyr, ond yn aml ni throsa'r Gymraeg i'r Saesneg. Dyma sy'n digwydd yng ngolygfa'r dafarn. O ganlyniad, siaradwyr Cymraeg yn unig a all ddeall goblygiadau jôc Sam am farwolaeth, sy'n bwysig wrth ddeall arwyddocâd gweddill yr olygfa. Y darllenydd sy'n medru'r Gymraeg fydd yn deall arwyddocâd safonau dwbl Dwynwen, ac at y darllenydd Cymraeg ei iaith y mae ergyd y digwyddiad hwn wedi'i hanelu. Ond mae defnydd yr awdur o'r Gymraeg yn rhwystro'r darllenydd nad yw'n siarad Cymraeg rhag deall holl jociau a digwyddiadau'r nofel, ac felly'n ei eithrio rhag deall y testun yn llawn. Mae'r effaith hon yn nodweddiadol o'r ddyfais lenyddol ôl-drefedigaethol lle y mae awdur yn ymatal rhag cyfieithu enghreifftiau o'r ffenomen ieithyddol a elwir yn gyfnewid cod (*code-switching*). Esbonia Kirsti Bohata hyn ymhellach:

> to provide a gloss on a 'foreign' word, specifically a Welsh word in an English-language text, is to privilege the English language (and a monolingual English-speaking audience) [whereas] the refusal to translate [a code-switched word] is a political act which asserts the validity of the untranslated language and signifies both difference and absence; difference in the sense that the untranslated word acts as a synecdoche for the cultural differences of the linguistic group to which it belongs, and absence in that the word and therefore the culture is opaque and unknowable to the reader.[58]

Mae cyfnewid cod, felly, yn gallu ychwanegu haen arall i'r tensiynau ieithyddol sy'n bresennol mewn testun. Mae hynny'n wir am *Random*

Deaths and Custard lle y mae'r darllenydd sy'n deall Cymraeg yn mynd i ddeall y testun yn well. Ymdebyga'r sefyllfa hon i sefyllfa Sam sy'n ei chael yn anodd deall nodweddion y gymuned Gymraeg ei hiaith sy'n ymddangos yn rhyfedd iddi. Er hynny, trwy'r defnydd a wnaed o'r Gymraeg yn y nofel, caiff Sam a'r darllenydd eu darbwyllo ynglŷn â dilysrwydd – a defnyddio term Bohata – y Gymraeg fel cyfrwng ar gyfer mynegiant a chyfathrebu.

Gellir dadlau, felly, fod y testun yn dyrchafu'r darllenydd sy'n medru'r Gymraeg yn uwch na'r darllenydd nad yw'n medru'r iaith. Yn wir, mae'n bosib dadlau bod y testun yn ail-greu'r sefyllfa sy'n nodweddu'r Gymru gyfoes yn ôl Charlotte Williams, lle y mae'r rheini sy'n siarad Cymraeg yn aelodau mwy cyflawn, breintiedig, yn ei hôl hi – yn Gymry 'go iawn'. Mae barn Sam am siaradwyr Cymraeg iaith gyntaf yn ddiddorol iawn yn y cyd-destun hwn. Er ei bod hithau'n medru'r Gymraeg, mae'n ystyried y teulu Cymraeg ei iaith sy'n byw ar ei stryd neu ei ffrindiau ysgol sy'n dod o deuluoedd Cymraeg eu hiaith fel rhai sy'n berchen ar Gymreictod cwbl wahanol iddi hi. Yr ymadrodd y mae'n ei ddefnyddio'n aml i'w disgrifio yw 'Welshy-Welshy' neu 'Welshy Welshies'.[59] Mae'r termau hyn yn ddiddorol yn semantaidd. Awgryma nid yn unig fod y siaradwyr Cymraeg hyn yn Gymry, ond wrth ddefnyddio'r gair 'Welshy' ddwywaith, rhydd yr argraff bod y Cymry Cymraeg hyn yn ddwbl Gymreig, yn ddwywaith mor Gymreig â rhywun fel Sam efallai – yn y bôn, yn fwy o Gymry. Ceir yma eto y syniad o raddfa o Gymreictod sydd wedi'i seilio ar allu'r unigolyn i siarad Cymraeg fel yn nofel Gymraeg Catrin Dafydd, ac yn nofel Llwyd Owen hefyd, fel y trafodir yn y man. Ond mae yma awgrym hefyd fod y Cymry Cymraeg hyn yn ymddangos yn ormod o Gymry efallai, yn gwneud sioe o'u Cymreictod. Yn debyg i'r ymadrodd Saesneg 'clever-clever', mae'r term 'Welshy-Welshy' yn awgrymu bod y Cymry hyn yn tynnu sylw at eu Cymreictod. Maent yn amlygu'r ffaith eu bod yn wahanol, rhywbeth y gellir ei ystyried yn weithred fygythiol, gan ei fod yn herio dehongliadau eraill o Gymreictod. Ond mae golygfa'r dafarn yn gwyrdroi'r sefyllfa hon sy'n breintio siaradwyr Cymraeg, gan ei bod yn dangos bregusrwydd y gymuned Gymraeg. Mae'r frwydr rhwng y Meistr a'r Caethwas, yr 'hunan' a'r 'arall', fel y'i disgrifir gan Hegel, yn frwydr am hunansicrwydd. Mae'r cyfeiriad at farwolaeth yn ein hatgoffa nad oes y fath sicrwydd yn bodoli i gymdeithas leiafrifol, fel y Gymraeg, sy'n wynebu dyfodol ansicr. Yn wir nid un o 'random deaths' y nofel yw marwolaeth yr iaith Gymraeg – mae'i dirywiad araf yn gefnlen i'r nofel hon, â'i siaradwyr didaro fel Dwynwen, neu ei siaradwyr dihyder megis Sam ei hun.

Mae pwysleisio tranc posib yr iaith Gymraeg trwy gyfrwng naratif chwareus a doniol yn ddull a ddefnyddir gan awdur arall i bwysleisio bod sawl gwedd ar y ddadl iaith yng Nghymru hefyd. Yr awdur hwnnw yw Christopher Meredith yn ei nofel *The Book of Idiots*. Mae marwolaethau yn thema fawr yn y nofel hon sy'n addasu'r ystrydeb am y dafarn Gymreig mewn ffordd fwy chwareus, ac mewn modd sy'n ei gynnig ei hun i ddadansoddiad yn nhermau'r berthynas rhwng y Meistr a'r Caethwas, gan ei fod yn cyfeirio at un caethwas llenyddol enwog. Canolbwynt y stori yw ymweliadau'r adroddwr, Dean, â'r dafarn gyda'i ffrind, Wil. Maent yn cwrdd i drafod, ymhlith pethau eraill, marwolaethau pobl enwog ar hyd hanes. Yn gefnlen i'r cyfan mae'r ffaith bod Wil ei hun yn wynebu ei farwoldeb gan ei fod yn dioddef o gancr marwol. Er bod y geiriau ar dudalennau'r nofel hon yn awgrymu mai Saesneg yw'r iaith y mae'r ddau ffrind yn ei siarad â'i gilydd, tua diwedd y nofel, daw teulu Almaenig sy'n ymweld â'r ardal i sgwrsio â'r ddau ffrind a sylweddolwn fod Dean a Wil wedi bod yn siarad iaith wahanol drwy gydol y stori:

> Silverback [llysenw Dean am y tad Almaenig] glanced back at his family, blind to whether we really minded or not. He had prepared his English sentences and got them out. The other three were standing near the table ready to leave. His wife and the younger man watched with blank curiosity. The younger woman was biting her lip.
>
> Silverback said, 'My friends were discussing what language you are speaking. We hear many languages when we are travelling but this we do not recognise. Forgive me for asking what language is this please?'
>
> 'Sokay' Wil said. He stood and looked surprised as he wobbled on his feet, then steadied himself. 'It's Welsh.'
>
> 'Once again, please.'
>
> 'Welsh.'
>
> Silverback's eyebrows went up and he turned to the others. 'Die sprechen Walisisch'.[60]

Yma, gwelir bod y nofel hon hefyd yn trafod y myth hwnnw am y dafarn Gymreig. Ond yma mae'r cymeriadau yn siarad 'Cymraeg' heb eithrio'r siaradwyr Saesneg. Yn fwy na hynny, mae'r darllenydd yn deall bod Dean a Wil wedi bod yn 'siarad Cymraeg' trwy gydol y stori – sefyllfa wahanol iawn i'r ystrydeb sy'n dweud bod y Cymry ond yn newid i'r Gymraeg gyda dyfodiad y di-Gymraeg i'r dafarn.

Mae'n ddiddorol nodi nad yw'r nofel yn defnyddio dyfeisiau megis italeiddio i ddynodi pa iaith, Cymraeg neu Saesneg, y mae'r cymeriadau yn ei siarad. O ganlyniad, nid yw'r darllenydd yn gwybod pa iaith y mae Dean a Wil yn ei defnyddio wrth gyfathrebu â chymeriadau eraill. Gellir ystyried hyn yn rhyw fath o gyfnewid cod. Cofiwn i Bohata esbonio sut y mae'r defnydd o gyfnewid cod yn llenyddiaeth Saesneg Cymru yn gallu effeithio ar y berthynas rhwng y Gymraeg a'r Saesneg yn y testunau llenyddol hyn gan beri bod siaradwyr un iaith yn cael ei breintio yn fwy na siaradwyr y llall – mae defnyddio'r Gymraeg heb ei chyfieithu yn ffafrio'r siaradwr Cymraeg, ond mae cyfieithu geiriau Cymraeg yn ffafrio'r unigolyn sy'n uniaith Saesneg. Yn y model cyntaf, mae'r Gymraeg yn cynrychioli'r gwahaniaeth rhwng y ddwy garfan. Ond mae'r ffordd y mae *The Book of Idiots* yn defnyddio'r ddwy iaith yn wahanol. Mae'r gwahaniaeth hwnnw y mae Bohata'n ei nodi yn diflannu, oherwydd nid yw'r Gymraeg yn ymddangos yn llythrennol yn y nofel, ac felly nid yw'r Gymraeg bellach yn estron, yn 'opaque' neu'n 'unknowable', chwedl Bohata, mwyach. Yn fwy na hynny, ceir darn hir o Almaeneg wrth i'r teulu o ymwelwyr siarad â'i gilydd – yr Almaeneg, felly, sy'n gweithredu fel yr iaith a'r diwylliant estron yma.[61] Ond er bod y nofel fel petai'n ceisio lleihau'r gwahaniaethau sy'n bodoli rhwng y ddwy iaith a'u siaradwyr, mae hefyd yn arddangos y tensiynau sy'n bodoli rhyngddynt, a'r anghydraddoldeb yn eu statws. Mae Wil, hefyd, yn mynd ati'n bwrpasol i geisio gwyrdroi neu ddymchwel yr anghydraddoldeb hwnnw, fel y trafodir yn y man.

Yn ei dadansoddiad o gyfnewid cod yn llenyddiaeth Saesneg Cymru, mae Bohata yn tynnu'n sylw at ymateb dychmygol darllenwyr o gefndiroedd ieithyddol gwahanol i destunau sy'n symud rhwng y Gymraeg a'r Saesneg. Gofynna: 'how is a Welsh speaker to react to the untranslated Welsh word or passage in an English-language text? What can this assertion of difference ... mean to a non-Welsh-speaking Welsh person? ... How will [Welsh-speaking] readers respond to their unusually privileged position in understanding parts of that text from which others are excluded?'[62] Beth felly fyddai ymateb darllenwyr o wahanol gefndiroedd ieithyddol i'r olygfa hon o waith Meredith? Fel y crybwylla Bohata, ac fel y gwelwyd yn y drafodaeth ar waith Saesneg Catrin Dafydd, pan ddefnyddir y Gymraeg a'r Saesneg mewn testun, y Cymry Cymraeg sydd mewn safle breintiedig gan y gallant ddeall y nofel yn ei chyfanrwydd. Ond yn y testun hwn mae'r fraint honno wedi ei chymryd ymaith. Yn fwy na hynny, dywed un o'r Almaenwyr wrth Dean a Wil, 'We have also in German a word Welsch oder Kauderwelsch. This means jargon I think or – babel?' Awgryma Wil mai 'babble' a olyga.[63] Mae iaith a fyddai fel arfer yn cynnig safle breintiedig i'w siaradwyr mewn sefyllfa o gyfnewid cod yng Nghymru yn cael ei chysylltu yma â baldordd. Ond gellir dadlau na fyddai darllenwyr Saesneg mewn safle breintiedig chwaith. Byddai sylweddoli bod yr iaith a'r diwylliant y mae'r nofel yn eu portreadu yn wahanol i'r hyn yr oeddent yn ei ddychmygu yn brofiad anesmwyth, efallai, ac yn gymaint o brofiad o ddieithrio ag y byddai presenoldeb gair Cymraeg heb ei gyfieithu yn y testun.

Er bod y darllenydd bellach yn sylweddoli bod Dean a Wil wedi bod yn siarad Cymraeg trwy gydol y nofel, nid yw'r iaith honno yn ymddangos ar dudalennau'r nofel. O'i chymharu ag un o nofelau eraill Meredith, *Shifts*, a gyhoeddwyd ym 1988, mae'r darllenydd Cymraeg yn llawer llai breintiedig yn *The Book of Idiots*. Yn y nofel gynharach, nofel Saesneg arall, mae Meredith yn cynnwys darnau o Gymraeg sydd heb eu cyfieithu, ac fel yr awgryma Bohata, mae hyn yn ei gwneud hi'n bosib i'r darllenydd sy'n medru'r Gymraeg ddeall y testun yn ei gyfanrwydd, yn well na'r darllenydd nad yw'n medru'r iaith. Ond yn *The Book of Idiots*, mae'r diffyg Cymraeg llythrennol, gweladwy ar dudalennau'r nofel yn gwaredu'r fraint hon. Ymddengys fod y nofel yn cyfeirio at nofelau Saesneg eraill o Gymru lle y caiff y Gymraeg ei chelu yn yr un modd. Yn *How Green Was My Valley* (1939) gan Richard Llewellyn, caiff Huw, y prif gymeriad, ei anfon i ysgol newydd. Pan gyrhaedda, meddai'r ysgolfeistr, Mr Motshill, wrth ei chwaer-yng-nghyfraith, Bron, fod rhaid i Huw siarad 'English, you understand. You are to instruct his parents ... that he must on no account be allowed to speak that jargon in or out of school.'[64] Dealla'r darllenydd, felly, fod Huw wedi bod yn siarad 'Cymraeg' hyd yma, ond, fel yn *The Book of Idiots*, ni ddatgelwyd hynny tan yn awr. Nid yw'r Gymraeg yn cael bod er ei mwyn ei hun – 'being for itself', chwedl Hegel – yn hytrach, mae'n rhaid cyflwyno'r 'Gymraeg' trwy gyfrwng y Saesneg er mwyn lleihau'r gwahaniaeth mae'n ei gynrychioli. Fel y mae'r Gymraeg yn cael ei 'gagio' yn nhafarn *Y Tiwniwr Piano*, caiff ei chelu neu ei chuddio yn *The Book of Idiots*.

Ond mae Wil yn benderfynol o leihau dominyddiaeth y Saesneg, ac er mai'r iaith honno yw cyfrwng ieithyddol y nofel, ac er gwaethaf ei phŵer fel iaith drefedigaethol, iaith fyd-eang, llwydda Wil i'w bychanu. Yn ei sgwrs â'r teulu Almaenig, gwna Wil sylwadau dirmygus am yr iaith Saesneg:

> 'You spoke also some English I think.'
> 'Did we?' Wil said. 'Oh aye. Quotations and swear words. The English language's two great gifts to the world.'
> 'Your English is excellent' Silverback said.
> Wil didn't miss a beat. For a man with all his bones broken he still had good timing. 'Thanks' he said. 'Call me Caliban'.[65]

Yn ogystal â bod yn ddoniol, mae'r ffordd y mae'r Almaenwr yn llongyfarch Wil am feistroli'r Saesneg yn cymhlethu'r drafodaeth ar y berthynas rhwng y Gymraeg a'r Saesneg yn yr olygfa. Mae hyn yn arbennig o wir os ystyriwn y cyfeiriad at 'Caliban', cymeriad o ddrama Shakespeare, *The Tempest* (*c*.1610). Yn y ddrama, mae Prospero a'i ferch Miranda yn cael eu halltudio i ynys bell. Mae Caliban yn frodor ar yr ynys ac yn fuan iawn mae Prospero yn ei wneud yn gaethwas iddo. Mae eu perthynas, o'r herwydd, wedi derbyn llawer o sylw gan feirniaid ôl-drefedigaethol, ac mae theori Hegel am y Meistr a'r Caethwas, a syniadau Fanon am feistrolaeth iaith yn ymddangos yn berthnasol iawn yma. Tua dechrau'r ddrama mae Caliban yn dweud wrth ei feistri: 'You gave me language, and my profit on't / Is, I know how to curse. The red-plague rid you / For learning me your language!'[66] Fel Wil yn *The Book of Idiots*, felly, mae Caliban wedi dysgu sut i regi neu felltithio mewn iaith wahanol i'w iaith frodorol. Mae'r beirniad Ania Loomba yn awgrymu y gellir dehongli'r araith hon gan Caliban yn ôl theorïau Homi Bhabha am y broses drefedigaethol a elwir yn ddynwared.[67] Fel y trafodwyd ym mhennod 1, dadleua Bhabha fod dynwared yn broses lle caiff y deiliad trefedigaethol (*colonial subject*) ei ail-greu yn nelwedd y trefedigaethwr. Pen draw hyn yw bod yr 'arall' yn ymddangos, chwedl Bhabha, '*almost the same, but not quite*' â'r un a'i drefedigaethodd.[68] Mae geiriau Caliban, fodd bynnag, yn enghraifft o'r hyn a ystyrir yn aml fel un o ganlyniadau dynwared; mae'r deiliad trefedigaethol yn bygwth y trefedigaethwr a'i awdurdod, gan fod dynwared yn lleihau'r gwahaniaeth rhwng y trefedigaethwr a'r un a drefedigaethwyd, sydd yn tanseilio'r fenter drefedigaethol yn ei chyfanrwydd. Mae Ashcroft et al. yn dadlau, 'the copying of colonizing culture, behaviour, manners and values by the colonized contains both mockery and a certain "menace"' ac mae Bhabha yn awgrymu 'mimicry is at once resemblance and menace'.[69]

Sut, felly, y gallwn gymharu defnydd Wil a Dean o'r iaith Saesneg, iaith a ddaeth i Gymru fel iaith drefedigaethol, â defnydd Caliban o iaith ei drefedigaethwyr ef? Awgrymaf fod sgyrsiau Dean a Wil yn dynwared y Saesneg. Trwy gydol y nofel, cred y darllenydd eu bod yn siarad Saesneg, ond, mewn 'gwirionedd', y Gymraeg a ddefnyddir ganddynt. Mae'r nofel yn llwyddo i guddio, bron tan ei diwedd, y 'gwahaniaeth' hwn y mae eu defnydd o'r Gymraeg yn ei gynrychioli. Yn ogystal â hynny, yn ôl y teulu Almaenig ymddengys eu bod yn 'dynwared' siaradwyr Saesneg yn berffaith, fel y tystia sylw'r tad – 'Your English is excellent'. Yn fwy na hynny, a chan gymryd yn ganiataol bod Dean a Will ill dau'n siarad Saesneg yn rhugl hefyd, ni wna'r un o'r ddau unrhyw ymdrech i'w gywiro. Yn hytrach, cellwair a wna Wil drwy ddweud 'call me Caliban'. Mae Wil, felly, yn ei gymryd arno i *chwarae rôl* y deiliad trefedigaethol sy'n dynwared y trefedigaethwr – mae'n dewis ymddangos fel yr 'arall', ac yn dewis rôl y Caethwas. Mae'n ymhyfrydu yn yr aralledd y mae ei hunaniaeth fel siaradwr Cymraeg yn ei gynnig iddo. Yn eironig, er ei fod yn dewis chwarae rôl y Caethwas, mae'n feistr ar ddwy iaith, a'r feistrolaeth honno sy'n caniatáu iddo herio'r drefn.

Yn dilyn sylwadau Wil wrth yr Almaenwr am y ffaith ei fod ef a Dean yn rhegi a dyfynnu yn y Saesneg, mae'n ddiddorol nodi mai rheg yw un o'r unig enghreifftiau o air Cymraeg yn y testun:

> The delicate and beautifully composed red flowers alongside the coffin read
>
> TIREZ LE FFYCIN RIDEAU
>
> By spelling 'fucking' in Welsh, I suppose, Wil had got it past a monoglot florist.[70]

Arch Wil yw'r arch dan sylw. Erbyn diwedd y nofel mae Wil wedi marw ac mae'r nofel yn portreadu'i angladd. Yn y disgrifiad o'i arch cyfunir y syniad o farwolaeth, yr iaith Gymraeg a benthyg geiriau Saesneg. A oes yma gysylltiad i'w wneud rhwng marwolaeth Wil a marwolaeth yr iaith Gymraeg? Er gwaethaf ei iechyd gwael a'i wendid corfforol, mae Wil yn parhau'n fywiog, yn chwareus ac yn finiog ei feddwl. Tebyg yw'r ddelwedd o'r iaith Gymraeg yn y nofel; er mai iaith leiafrifol ydyw, ac yn dechnegol, ni ddefnyddir rhyw lawer ohoni yn y testun ei hun, mae hi'n iaith sy'n ymgorffori chwarëusrwydd y nofel. Mae'n herio'r drefn, fel yr 'arall' ei hun. Caiff y Gymraeg ei chysylltu â rhai o ieithoedd mawr Ewrop hefyd – y Ffrangeg yn yr achos hwn, a'r Almaeneg yng ngolygfa'r dafarn. Mae'r nofel felly yn ceisio tarfu ar y berthynas ddeuaidd seml sy'n gallu bodoli rhwng y Gymraeg a'r Saesneg, yn ogystal â dyrchafu'r Gymraeg yn un o ieithoedd Ewrop, yn hytrach na'i gweld yn iaith oddi mewn i Gymru yn unig.

Wrth i nofel Christopher Meredith geisio cysylltu'r Gymraeg ag ieithoedd Ewrop, efallai bod gan nofel Llwyd Owen, *Ffydd, Gobaith, Cariad* duedd i ddychwelyd at y berthynas ddeuaidd rhwng y Gymraeg a'r Saesneg. Ond unwaith eto, yn un o olygfeydd tafarn y nofel, terfir ar y pegynau syml hyn trwy archwilio a gwyrdroi'r statws sy'n perthyn i'r ieithoedd a'r [illegible] sy'n eu [illegible]. Gweithia Alun Brady, prif gymeriad y nofel, yn y dafarn hon, ac mae'n lleoliad hollbwysig i ddatblygiad ei gymeriad, wrth iddo drawsnewid o fod yn gannwyll llygaid ei rieni i ddafad ddu'r teulu. Mae'r dafarn yn cynrychioli bywyd cynyddol seciwlar

Alun wrth iddo droi ei gefn ar fyd parchus ei deulu sy'n troi o gwmpas y capel. Ar un wedd, fe ymddengys fod Llwyd Owen yn defnyddio'r dafarn fel symbol o'r gymdeithas fwy seciwlar, a mwy Saesneg y mae Alun yn perthyn iddi bellach, yn debyg i nofel Emyr Humphreys. Mae'r naratif wedi'i rannu rhwng dau gyfnod ym mywyd Alun, cyn ac ar ôl digwyddiad tyngedfennol. Mae'r 'hen' Alun yn dri deg oed, yn byw gyda'i rieni cefnog ac yn mynychu capel gyda hwy yn rheolaidd, yn siarad Cymraeg ar bob adeg posib, yn mwynhau gwrando ar gerddoriaeth grefyddol, ac yn ymwrthod â rhyw ac alcohol. Yna, daw ei dad-cu, sy'n marw, i fyw at y teulu ac wedi'r digwyddiad hwn mae Alun yn newid. Mae'n beichiogi gwraig ei frawd, ac yn helpu ei dad-cu i gyflawni hunanladdiad. Treulia gyfnod yn y carchar oherwydd hyn, ac ar ôl gadael, mae'r Alun 'newydd' yn byw mewn aflendid, yn gweithio mewn tafarn lle nad oes dewis ganddo ond i gyfathrebu drwy'r Saesneg, a lle y treulia ei amser yn yfed llawer o gwrw gydag aelodau'r dosbarth gweithiol. Er bod defnydd Owen o'r dafarn a'r capel fel symbolau ar gyfer ffyrdd gwrthgyferbyniol o fyw yn ystrydebol, mae'n dangos pa mor rymus a chyfarwydd yw ystrydebau o'r fath o hyd. Mae hynny'n wir hefyd am y modd y cysylltir y Gymraeg â'r bywyd dosbarth canol, a'r Saesneg â ffrindiau newydd Alun o'r dosbarth gweithiol hefyd.

Mae'r dafarn yn nofel Llwyd Owen, a'r defnydd o iaith yno, yn ymdebygu i'r hyn sydd i'w weld yn nofelau Catrin Dafydd a Christopher Meredith. Er nad oes ganddi 'Ystafell Gymraeg' fel tafarn *Y Tiwniwr Piano*, mae'n ofod rhanedig – fe'i rhennir yn ôl gwahanol ddosbarthiadau cymdeithasol (yn debyg i'r hyn a wêl Earnshaw yn ei ddadansoddiadau o dafarndai llenyddiaeth Seisnig), fel yr esbonia Alun:

> Mae'r Three Arches yn dafarn rhyfedd, ac yn ôl 'y mrawd mae'r tair stafell yma'n cynrychioli tri dosbarth cymdeithasol ... y dosbarth canol sy'n llenwi'r bar canol lle dw i'n sefyll ar y foment. Mae'r stafell yn ddigon croesawgar gyda charped ar lawr a chadeiriau lu ... I'r dde o ble dw i'n sefyll trwy ddrws trwm, lliw aur, mae bar y crach ... Ac yn olaf, yn y bar cyhoeddus lle dw i'n disgwyl ffeindio Floyd, mae'r dosbarth gweithiol yn yfed mewn aflendid cymharol ond yn cael mwy o hwyl na'r ddau far arall gyda'i gilydd.[71]

Er y gellir dadlau bod Alun yn aelod o'r dosbarth gweithiol bellach, mae'n sefyll ym mar y dosbarth canol ac yn mapio'r dafarn o'r safbwynt hwnnw. Nid yw'n gallu torri'n rhydd o'i hen hunaniaeth. Mae'r dafarn yn ofod sy'n pwysleisio rhaniadau rhyweddol ac ieithyddol hefyd. Mewn disgrifiad arall, noda Alun nad oes yr un fenyw yn mynychu'r dafarn, heblaw am y ferch tu ôl i'r bar.[72] Yn fwy na hynny, mae'r dafarn hon yn ofod lle y mae'r Saesneg yn tra-arglwyddiaethu – gan mai Alun yw'r unig siaradwr Cymraeg ymhlith ei ffrindiau newydd, mae nifer o'r golygfeydd tafarn bron yn uniaith Saesneg, i'r fath raddau ei bod hi'n hawdd anghofio ar brydiau mai nofel Gymraeg yw hon.

Pan ddargenfydd ffyddloniaid y dafarn fod Alun yn medru'r Gymraeg, mae tensiynau ynglŷn â gwleidyddiaeth iaith a hunaniaeth yn eu hamlygu'u hunain unwaith eto. Yn debyg i'r modd y mae Jerry yn *Y Tiwniwr Piano* yn galw ffrindiau Cymraeg eu hiaith Efan yn 'Welsh mates', mae yfwr o'r enw Jeff yn dweud wrth Alun, '[y]ou're Welsh then, proper Welsh'[73] pan ddargenfydd ei fod yn siarad Cymraeg, gan awgrymu unwaith eto nad yw unigolion, fel ef ei hun, na fedrant yr iaith yn Gymry 'go iawn'. Yn eironig, oherwydd nad oes gan Alun acen Caerdydd gref fel yr yfwyr eraill, maent bron yn gwrthod credu y cafodd ei eni a'i fagu yn y ddinas.[74] Mae rhannau o hunaniaeth y ddwy garfan yn cael eu gwadu, felly. Oherwydd ei fod yn siarad Cymraeg, nid oes rhaid i Alun aros yn hir i'w ffrindiau fynnu ei fod yn perfformio ar eu cyfer. Mae Jase, mab Jeff yn gorchymyn iddo, '[s]ay something [in Welsh] ... Say something rude.'[75] Mae cais Jase yn cythruddo Alun, sy'n nodi ei fod yn 'casáu pan mae hyn yn digwydd',[76] teimlad y byddai sawl siaradwr Cymraeg yn cydymdeimlo ag ef. Mae perygl y bydd ei famiaith yn troi'n berfformiad syrcas nes bod Alun yn defnyddio hiwmor ffraeth i wyrdroi'r berthynas rhwng siaradwyr y naill iaith a'r llall, yn debyg i Wil yn *The Book of Idiots*. Dysga Alun Jase i ddweud 'mae Jase yn dwp' ond fe'i darbwylla fod yr ymadrodd yn meddwl 'Jase's got a huge penis'.[77] O ganlyniad, mae Jase yn adrodd y geiriau drosodd a throsodd nes ei fod yn ymddangos yn 'dwp' iawn. Unwaith eto, felly, mae'r dafarn yn ofod lle y mae'r berthynas rhwng dwy brif iaith Cymru yn cael ei chyflwyno a'i chyfnewid yn gyson, a lle mae'r ddwy iaith yn brwydro am oruchafiaeth.

Beth, felly, mae addasiadau'r awduron hyn o'r ystrydeb am y dafarn Gymreig a drafodwyd yn y bennod hon yn ei ddweud wrthym? Yn sicr, ymddengys fod yr ystrydeb hon yn un gyfarwydd, ac yn un y mae'r awduron hyn am ei gwrthod. Ond yn wahanol i'r awduron a drafodwyd yn y bennod ddiwethaf, nid ydynt yn ceisio dangos y bwlch sy'n bodoli rhwng yr ystrydeb a gwirionedd y sefyllfa. Yn hytrach maent yn trawsblannu'r ystrydeb i sefyllfa sydd ychydig yn wahanol, er mwyn esbonio profiad y ddwy gymuned ieithyddol a chyfuno'u dau safbwynt goddrychol. Maent yn herio'r pegynu deuol sy'n bodoli rhwng dwy brif iaith Cymru, trwy ddangos sut y mae siaradwyr y naill iaith a'r llall yn profi aralledd. Maent yn cytuno i raddau â dadleuon Charlotte Williams a

Simon Brooks ill dau ynglŷn â statws y ddwy iaith yng Nghymru a'u perthynas â hunaniaethau cyflawn, trwy ddangos sut y mae agweddau tuag at y Gymraeg a'r Saesneg yng Nghymru yn herio gallu siaradwyr y naill iaith a'r llall i deimlo fel aelodau llawn o'u cymunedau neu eu cenedl. Yn hynny o beth, gallwn gasglu bod angen ailystyried y ddadl ynglŷn ag amlddiwylliannedd ac iaith yng Nghymru. Yn amlwg, mae tensiynau'n bodoli rhwng siaradwyr y naill iaith a'r llall, ond trwy ystyried y sefyllfa o safbwynt y ddwy garfan, a'r amrywiaeth sy'n bodoli oddi mewn iddynt, mae'r nofelau a drafodwyd yma yn dangos sut y mae'r ddau grŵp fel ei gilydd yn profi aralledd.

Efallai mai'r hyn sydd fwyaf diddorol yw sut, yn aml, mae'r siaradwyr Cymraeg a Saesneg eu hiaith, yn yr enghreifftiau uchod, yn eu gweld eu hunain fel yr 'arall', neu yn dewis chwarae rôl yr 'arall'. Jerry yn *Y Tiwniwr Piano* sy'n ei ddiffinio ei hun fel rhywun 'anghymreig', ac mae Wil yn *The Book of Idiots* yn esgus bod yn Gaethwas. Efallai mai perfformiad Wil sydd fwyaf diddorol. Wrth ddewis chwarae rôl y Caethwas, yr 'arall', mae'n chwarae ar y syniad o'r odrwydd a'r bygythiad y mae'r Gymraeg yn ei chynrychioli, yr odrwydd a'r bygythiad sydd y tu ôl i'r ystrydeb am y dafarn Gymreig lle mae'r yfwyr yn dechrau siarad Cymraeg er mwyn herio siaradwyr Saesneg. Mae awgrym yma felly fod hunaniaeth yn hylifol, yn gyfuniad o sawl elfen, sydd unwaith eto yn ymwrthod â phegynu deuaidd a'r hunaniaethau sicr y mae'r ystrydeb honno'n ceisio'u diffinio. Gall hyn fod yn bwysig o safbwynt amlddiwylliannedd gan ddangos bod modd perthyn i'r genedl mewn gwahanol ffyrdd.

5

'Gwlad a oedd wedi peidio â bod': Croesi a Chwalu Ffiniau

Mae'r rhan fwyaf o'r testunau a drafodwyd hyd yma yn canolbwyntio ar aralledd ac amlddiwylliannedd o safbwynt cymeriadau sy'n dod o Gymru neu sy'n byw yma, beth bynnag yw eu cefndir ethnig neu ddiwylliannol, a sut y maent yn ymdrin â'r amrywiaeth o ffactorau cyferbyniol sy'n gallu diffinio'u Cymreictod neu eu 'diffyg' Cymreictod. Ond, wrth gwrs, mae'r ystrydebau hynny yn effeithio ar y sawl sy'n dod i Gymru, neu'n dychwelyd iddi wedi cyfnod i ffwrdd, gymaint ag y mae'n effeithio ar brofiad y rhai sydd yng Nghymru eisoes neu erioed. Bydd y bennod hon yn canolbwyntio ar thema mudo a mewnfudo fel y'i portreedir mewn ffuglen gyfoes. Mae hwn yn faes sydd o bwys amlwg i astudiaethau amlddiwylliannol, ac sydd wedi bod yn elfen flaenllaw yn nadleuon gwleidyddol diweddar yng Nghymru a Phrydain yn sgil y refferendwm ar aelodaeth y Deyrnas Unedig o'r Undeb Ewropeaidd yn 2016. Er y bydd y bennod hon yn pwyso a mesur a yw awduron cyfoes yn darlunio'r profiad o fudo i Gymru fel un cadarnhaol neu negyddol, nid bwriad y bennod hon yw cynnig rhyw lun o ateb i'r dadleuon ffyrnig yn y maes hwn (er, gobeithir y daw'n amlwg erbyn ei diwedd y gall canlyniadau diwylliannol mudo a mewnfudo gynnig fframwaith ar gyfer dychmygu Cymru a Chymreictod mwy cynhwysol).

Gan dynnu ar waith Edward Said, Homi Bhabha ac eraill ar fudwyr, archwilia'r bennod hon aralledd a hybridedd mudwyr i Gymru yn *The Hiding Place* (2000) gan Trezza Azzopardi, *Gifted* (2007) gan Nikita Lalwani, *Dyn yr Eiliad* (2003) gan Owen Martell, a *Cyffesion Geordie Oddi Cartref* (2010) gan Tony Bianchi. Bydd yn dadlau bod y deuoliaethau sy'n gallu rhwystro trafodaeth fwy cynhwysol ar yr hunaniaeth Gymreig, ac ymdrechion y cyfrolau a drafodwyd yma eisoes i hyrwyddo hunaniaethau mwy synergaidd, yn cael eu hadlewyrchu ym mhrofiad y mudwyr yn nhestunau'r bennod hon. Digwydd hyn wrth iddynt negodi tirlun ieithyddol a diwylliannol gymhleth Cymru, ei pherthynas â Lloegr a Phrydain, a sut y mae eu hunaniaethau hwy a hunaniaeth Cymru yn newid dros amser oherwydd safbwyntiau gwahanol. Er ei bod yn bwysig gwahaniaethu rhwng profiadau mudwyr, profiadau lleiafrifoedd cenedlaethol, megis siaradwyr Cymraeg, a phrofiadau trigolion gwledydd ymylol, megis Cymru, mae nifer o bethau'n cysylltu'r gwahanol safbwyntiau goddrychol hyn yn y ffuglen dan sylw, megis teimladau o alltudiaeth, o fod wedi'u heithrio o rywle ac felly o hunaniaeth gyflawn, yn ogystal â'r profiad o berthyn i fwy nag un wlad neu gymuned. Fel y dangosodd y bennod flaenorol, mae gwahaniaethau ieithyddol Cymru yn gallu cymhlethu'r modd y mae pobl yn diffinio'u perthynas â'r wlad honno. Bydd y drafodaeth ddilynol yn defnyddio damcaniaethau Said am alltudiaeth a theorïau Bhabha ynghylch mudwyr i archwilio hyn ymhellach. Bydd hefyd yn archwilio sut y mae Cymru ei hun yn ymddangos fel 'gwlad sydd wedi peidio â bod', ag aralleirio un o gymeriadau Tony Bianchi, gofod sy'n symud ac yn newid yn y testunau hyn, a goblygiadau hynny o safbwynt hunaniaeth ac amlddiwylliannedd. Fel ansefydlogrwydd ieithyddol y nofelau a drafodwyd yn y bennod flaenorol, mae ansefydlogrwydd y mudwyr yn y testunau a fydd dan sylw yma yn cael ei adlewyrchu gan ansefydlogrwydd Cymru, a'r weithred o groesi ffiniau yn fodd o dynnu sylw at natur ffug y rhaniadau sy'n atal trafodaeth fwy gynhwysol ar hunaniaeth a pherthyn.

Mae'n bosib archwilio mewnfudo o safbwynt aralledd. Fel y trafodwyd eisoes, mae'r genedl, yn ôl Anthony Smith, wedi'i diffinio gan unrhywiaeth – mae pobl y genedl fel arfer yn rhannu'r un tir, yr un iaith a'r un arferion. Yn ogystal â hynny, mae'r genedl wedi'i diffinio yn erbyn cenhedloedd eraill. Fel perthynas yr 'hunan' a'r 'arall', mae hon yn berthynas ddilechdidol. Mae'r rheini sy'n mudo, felly, yn herio homogenedd y genedl y maent yn symud iddi. Noda Mirjam Gebauer a Pia Schwartz Lausten sut y mae mudo a mewnfudo yn peri bod '[t]he nation-state, understood as a political unit, based on territorial sovereignty and corresponding homogeneity in regard to culture, ethnicity, language and religious practice is increasingly difficult to uphold'.[1] Yng nghyd-destun Cymru, gwnaeth Tony Bianchi, wrth drafod ffuglen ddiweddar ym 1995, grybwyll sut y mae mudo i Gymru, a'r niferoedd sy'n gadael y wlad, wedi herio'r modd y diffinnir y genedl honno:

> Demographically volatile for over a century, [Wales] is now the most heterogeneous of the four 'home countries'. Between 1976 and 1986 over one million people – 36 percent of the population – moved in or out of Wales, and over large areas of the country only a bare majority of the population is Welsh-born. This process has both intensified traditional

definitions of 'inside' and 'outside' and, at the same time, rendered them increasingly inadequate to reflect new patterns of diversity.[2]

Mae Bianchi'n dangos sut y mae mudo yn creu argyfwng ynglŷn â sut y mae diffinio'r genedl. Ond mae dwy elfen yn croestynnu – mae'n rhaid i'r syniad o'r genedl gynrychioli elfennau traddodiadol, ond mae'n rhaid iddo gynrychioli elfennau newydd hefyd, gan gynnwys cyfraniad newydd-ddyfodiaid. Adlewyrchir dadl Bianchi gan y beirniad llenyddol Søren Frank wrth iddo drafod mewnfudo a llenyddiaeth yn y cyd-destun Ewropeaidd:

During the twentieth century, a new nomadic form of living took revenge over the hitherto hegemonic and prevailing settled ways. If universal history for the most part continued to be written from the perspective of those territorially bound up with a nation-state, it was nonetheless increasingly shaped and defined by . . . extra-territorial individuals.[3]

Yn ôl Frank, mae olrhain hanes y genedl yn golygu ystyried hanes y rheini sydd wedi dod o genhedloedd eraill. Bydd y bennod hon yn ystyried sut y mae ffuglen gyfoes o Gymru wedi wynebu'r her hon.

Fel y gwelwyd eisoes yn nehongliadau'r gyfrol hon, mae presenoldeb dwy iaith yng Nghymru, yn ogystal â nifer o ffactorau eraill, yn ei gwneud yn anos fyth diffinio hunaniaeth genedlaethol unffurf, ac felly'n ei gwneud hi'n anos penderfynu pwy sydd y 'tu mewn' ac y 'tu allan'. Yn ogystal â'r ffaith nad yw Cymru'n wlad homogenaidd yn y lle cyntaf (yn wir, nid yw unrhyw wlad yn gallu honni homogenedd llwyr, ond efallai bod sefyllfa ieithyddol Cymru yn amlygu ei heterogenedd), gellir dadlau ei bod hi'n herio homogenedd y wladwriaeth Brydeinig, a hynny'n fwyaf amlwg eto yn sgil y ffaith y siaredir iaith arall yno gan leiafrif sylweddol sy'n wahanol i brif iaith y Deyrnas Unedig. Gallwn ystyried felly fod dod i Gymru fel mudwr neu fewnfudwr yn brofiad cymhleth. Byddai'n anodd gwybod i ba ddiwylliant derbyn y mae disgwyl ichi gymhathu neu addasu, tra ar yr un pryd mae trigolion y Gymru ddiwladwriaeth ei hun yn rhannu nodweddion â mudwyr, mewnfudwyr ac alltudion. Mae'r ddeuoliaeth hon i'w weld yn *Gifted* ac yn *The Hiding Place* wrth i'r teuluoedd ddod i'r arfer â hunaniaeth gymhleth Cymru, yn ogystal ag ymdopi â'u hunaniaethau fel mudwyr. Bydd y bennod hon yn ystyried sut y mae sefyllfa'r mudwyr nid o reidrwydd yn cael ei hadlewyrchu gan sefyllfa Cymru a'r Cymry, ond bod sefyllfa'r naill a'r llall fel ei gilydd yn cydredeg, gan ychwanegu at ein dealltwriaeth o drafodaethau'r nofelau o aralledd ac alltudiaeth.

Mae dyfyniad Frank uchod hefyd yn ein hatgoffa am sefyllfa'r unigolyn sy'n mudo. Yn ogystal â herio homogenedd y genedl y maent yn mynd iddi, mae'r unigolyn sy'n mudo yn gadael ei wlad ei hun, yn gadael (mewn rhai achosion) sicrwydd ac unrhywiaeth honedig ei genedl.[4] Yn ei draethawd 'Reflections on Exile', myfyria Edward Said ar sefyllfa'r alltud, yr unigolyn hwnnw sydd wedi ei wahanu oddi wrth ei wlad, naill ai o'i wirfodd neu oherwydd sefyllfa wleidyddol sydd wedi ei orfodi i'w gadael. Disgrifia Said gyflwr alltudiaeth fel 'the unhealable rift forced between a human being and a native place, between the self and its true home'.[5] Yn wahanol i gyflawnrwydd yr 'hunan', mae Said yn awgrymu mai anghyflawnrwydd sy'n nodweddu'r alltud gan ddweud, '[e]xile is never the state of being satisfied, placid, or secure'.[6] Er y gall mudwyr ffurfio grwpiau a chymunedau yn y wlad newydd, pwysleisia Said unigedd y cyflwr. Ychwanega: '[n]ationalisms are about groups, but in a very acute sense exile is a solitude experienced outside the group'.[7] Mae'r nofelau a drafodir yn y bennod hon yn portreadu unigedd eu mudwyr, a'r modd y maent ar y tu allan i'w cymunedau a'r hunaniaethau grŵp y gallent berthyn iddynt.

Ond yn hynny o beth tyn Said sylw at y ffaith bod alltudiaeth yn bodoli mewn perthynas ddilechdidol â chenedlaetholdeb. Dywed:

> Nationalism is an assertion of belonging in and to a place, a people, a heritage. It affirms the home created by a community of language, culture, and customs; and, by so doing, it fends off exile, fights to prevent its ravages. Indeed, the interplay between nationalism and exile is like Hegel's dialectic of servant and master, opposites in forming and constituting each other.[8]

Mae'n ddiddorol nodi cyfeiriad Said at waith Hegel yma, sy'n cadarnhau y gellir meddwl am alltudiaeth yn nhermau aralledd. Yng nghyd-destun yr astudiaeth hon, mae'r berthynas ddilechdidol hon yn arwyddocaol oherwydd golyga y gellir meddwl am sut y mae diffiniadau o sefyllfaoedd y genedl a'r mudwr yn ddibynnol ar ei gilydd er mwyn diffinio'u profiadau, fel y mae'r 'hunan' a'r 'arall' yn ddibynnol ar ei gilydd. Mae archwilio symudiadau'r mudwyr yn y testunau dan sylw yn y bennod hon yn fodd o archwilio newidiadau yng Nghymru hefyd.

Mae Said yn trafod alltudiaeth yng nghyd-destun ei alltudiaeth ei hun o Balesteina, ac mae perthynas y Palesteiniaid a'r Israeliaid yn bwrw cysgod dros ei drafodaeth. Wrth iddo esbonio'r berthynas ddilechdidol sy'n bodoli rhwng alltudiaeth a chenedlaetholdeb cawn yr argraff mai'r cyd-destun hwn sydd ganddo mewn golwg:

> Exiles are cut off from their roots, their land, their past. They generally do not have armies or states, although they are often in search of them. Exiles feel, therefore, an urgent need to reconstitute their broken lives, usually by choosing to see themselves as a part of a triumphant ideology or a restored people.[9]

Mae ei sôn am 'a triumphant ideology' ac 'a restored people' yn galw i gof Seioniaeth, y mudiad dros ailsefydlu mamwlad Iddewig, sefydlu'r Israel fodern ym 1948 yn nhiroedd Palesteina, ac adfer yr iaith Hebraeg. Mae'r ffaith mai'r Iddewon yw pwnc tebygol cyfeiriad Said at 'restored people' yma yn ddiddorol o ystyried y ffaith mai hwy yw'r alltudion nodweddiadol. Mae'r gair *diaspora,* a ddefnyddir erbyn heddiw i ddisgrifio'r gwasgariad o bobl o wahanol genhedloedd, hiliau neu grefyddau (er enghraifft, y *diaspora* du), yn cyfeirio yn ei ystyr mwyaf sylfaenol at y cymunedau o Iddewon a oedd yn byw y tu allan i dir Israel.[10] Mae hanes yr Iddewon ac Israel felly yn pwysleisio'r berthynas ddilechdidol honno rhwng cenedlaetholdeb ac alltudiaeth y mae Said yn cyfeirio ati.

Yr hyn y mae Said yn ei weld wrth wraidd pob mudiad cenedlaetholgar yw'r ymdeimlad ymhlith grŵp o bobl eu bod wedi'u hamddifadu o'u hawliau. Dywed ef: 'All nationalisms in their early stages develop from a condition of estrangement. The struggles to win American independence, to unify Germany or Italy, to liberate Algeria were those of national groups separated – exiled – from what was construed to be their rightful way of life.'[11] Nid oes modd trafod twf mudiadau cenedlaetholgar yn y cyd-destun hwn heb roi sylw i dwf cenedlaetholdeb Prydeinig yr adain dde yn ystod y blynyddoedd diwethaf o ganlyniad i ymgyrchoedd gan grwpiau megis UKIP. Ac fel y gwelwyd wrth drafod rhai o ymgyrchoedd cyn-arweinydd y blaid honno yng nghyflwyniad y gyfrol hon, mae honni bod angen pryderu am fygythiad i'w ffordd o fyw oherwydd mewnfudwyr i'r wlad ymhlith y teimladau sydd wedi sbarduno datblygiad y mudiad hwn. Mae modd dadlau, ar seiliau mwy rhesymegol, gobeithio, fod y berthynas rhwng mynnu hawliau a theimlo dieithrwch neu aralledd yn berthnasol i sefyllfa Cymru, a chenedlaetholdeb cyfoes, mwy goddefol, Cymreig hefyd. Er bod y Cymry wedi ennill hawliau megis hawliau iaith Gymraeg trwy Ddeddf yr Iaith Gymraeg 1993 a Mesur y Gymraeg (Cymru) 2011, er enghraifft, nid yw'r hawliau hynny o reidrwydd wedi gwaredu'r teimlad o ddiffyg perthyn neu aralledd. Trafodwyd hyn yng ngwaith Simon Brooks ar ddwyieithrwydd, y cyfeiriwyd ato'n gynharach. Mae'r testunau llenyddol a drafodwyd yn y bennod ddiwethaf yn ategu hyn hefyd. Mae synied am hawliau a'u perthynas â theimladau o alltudiaeth neu aralledd yn berthnasol i bobl Cymru yn gyffredinol, ac nid i siaradwyr Cymraeg yn unig. Gellir dadlau bod pleidleisio dros ddatganoli ym 1997 ac yna am bwerau ychwanegol yn 2011 yn dangos bod y Cymry yn datblygu'r ymwybyddiaeth o'r hyn y gellir ei ddehongli fel eu 'rightful way of life', chwedl Said. Gellir dadlau bod y cyfnod a arweiniodd at y bleidlais dros ddatganoli, a'r broses o ddatganoli sy'n parhau hyd heddiw wedi'u gwneud yn fwy ymwybodol o'r hawliau sydd ganddynt a'r hawliau yr hoffent eu cael. Mae'n ddiddorol nodi'r modd y mae'r testunau dan sylw yma yn awgrymu mewn ffyrdd amrywiol fod Cymru ei hun wedi'i hamddifadu o'i hawliau a'i hunaniaeth. Yn 'Neges o Frynaich' gan Tony Bianchi, er enghraifft, fe'n hatgoffir o'r teyrnasoedd Cymraeg eu hiaith a gollwyd yn yr Hen Ogledd, yn *Dyn yr Eiliad* gan Owen Martell mae trigolion y Cymoedd yn eu gweld eu hunain fel pobl sydd wedi dioddef gormes diwydianwyr a gwleidyddion Seisnig a chyfalafol, ac yn *Gifted* a *The Hiding Place* camgymerir Cymru am Loegr mewn gwahanol ffyrdd.

Mae'n bwysig nodi nad yw sefyllfa'r Cymry yn union yr un fath â'r mudwyr sy'n symud yno, er gwaetha'r tebygrwydd y gellir dadlau sydd rhyngddynt. Mae'n bwysig hefyd nodi'r gwahaniaeth a all fodoli rhwng gwahanol fathau o fudwyr, fel y mae Said yn ei wneud: '[a]lthough it is true that anyone prevented from returning home is an exile, some distinctions can be made among exiles, refugees, expatriate, and émigrés'.[12] Mae'r nofelau dan sylw yn y bennod hon yn arddangos y gwahaniaethau hyn. Mae nofel Trezza Azzopardi *The Hiding Place* yn portreadu Frankie Gauci, mudwr i Gaerdydd sydd am ffoi rhag tlodi ym Malta, a'i wraig Mary sy'n symud i Gaerdydd o'r Cymoedd, yn ogystal â phortreadu effaith mudo'r rhieni ar eu plant. Gwelwn effaith mudo ar yr ail genhedlaeth yn *Gifted* gan Nikita Lalwani hefyd, ond y tro hwn, plentyn i rieni a symudodd i Gymru am resymau addysgol yw canolbwynt y nofel. Mae *Cyffesion Geordie Oddi Cartref* Tony Bianchi, sy'n ymddangos fel hunangofiant ffuglennol yr awdur ei hun, yn nodi mai am resymau addysgol y daeth Bianchi i Gymru, ac mae'r stori 'Neges o Frynaich' sy'n cael sylw yn y bennod hon yn ei bortreadu fel rhywun sydd bellach yn rhan o gymuned o lenorion a deallusion yno. Mae prif gymeriad nofel Owen Martell, *Dyn yr Eiliad*, wedi symud o'r Cymoedd i Gaerdydd er mwyn mynychu'r brifysgol, a hefyd wedi symud eto i Loegr i weithio fel athro, cyn dychwelyd. Mae rhesymau tra gwahanol y tu ôl i'r enghreifftiau o fudo a geir yn y nofelau dan sylw yma, a bydd yr ymdriniaeth ganlynol yn ystyried sut y mae'r sefyllfaoedd gwahanol hyn yn effeithio ar brofiad y cymeriadau o alltudiaeth ac aralledd.

Yn ei waith ar y berthynas rhwng y genedl a'i hymylon, mae Homi Bhabha yn cydnabod bodolaeth gwahanol fathau o fudwyr. Ond mae ei ddisgrifiad ohonynt yn ymgasglu yn dangos yr hyn sy'n gyffredin rhyngddynt, sef sut y maent yn byw rhwng llefydd, ieithoedd ac amseroedd:

> Gatherings of exiles and *émigrés* and refugees; gathering on the edge of 'foreign' cultures; gathering at the frontiers; gatherings in the ghettos or cafés of city centres; gathering in the half-life, half-light of foreign tongues, or in the uncanny fluency of another's language; gathering the signs of approval and acceptance, degrees, discourses, disciplines; gathering the memories of underdevelopment, of other worlds lived retroactively; gathering the past in a ritual of revival; gathering the present.[13]

Mae disgrifiad Bhabha yn awgrymu bod y mudwr yn edrych ar y genedl o safbwynt yr ymylon, sydd eto yn ymddangos fel safbwynt sy'n berthnasol i Gymru. Ond mae yma hefyd syniad bod y mudwr yn byw y tu allan i systemau diwylliannol sydd eisoes yn bodoli. Fel y dywed y beirniad ôl-drefedigaethol a'r arbenigwr ar waith Bhabha, Eleanor Byrne, mae yng ngwaith Bhabha 'the sense of the figure of the migrant, the exile or refugee never being fully contained in any of the pre-existing narratives of belonging and strangeness, of familiar and unfamiliar, while also transforming and redefining how forms of belonging and culture are located'.[14] Adleisir syniadau Bhabha am y Trydydd Gofod a synergedd yma yn y cyfeiriad at greu ffyrdd newydd o ddiffinio hunaniaeth a pherthyn. Gwelwyd eisoes yn yr astudiaeth hon sut y mae cymeriadau yn ceisio dadadeiladu'r pegynau deuaidd sy'n llunio'u byd ac yn eu rhwystro rhag teimlo fel aelodau cyflawn o'r genedl. Mae rhai awduron yn trawsffurfio ac yn ailddiffinio, a defnyddio geiriau Byrne, ffurfiau llenyddol, disgyrsiau, a lleoliadau penodol er mwyn dangos nad yw hunaniaethau cymhleth eu cymeriadau yn gweddu i'r fframweithiau pegynol sydd eisoes yn bodoli. Mae tebygrwydd rhyngddynt, felly, a'r mudwyr a ddisgrifia Bhabha. Gwelwyd eisoes sut y mae awduron Cymreig yn trawsffurfio ffurf y nofel er mwyn archwilio'u hunaniaethau cymhleth; gwelir arbrofi â ffurf yma eto yng ngwaith Tony Bianchi, a gwelir y testunau i gyd yn herio disgyrsiau pegynol, ac yn archwilio'r newidiadau a ddaw i leoliadau penodol yn sgil amser a dyfodiad ac ymadawiad pobl a grwpiau gwahanol.

Adleisir geiriau Bhabha gan waith Said ar alltudiaeth lle y mae'n disgrifio ymwybyddiaeth ddeuol yr alltud:

> Most people are principally aware of one culture, one setting, one home; exiles are aware of at least two, and this plurality of vision gives rise to an awareness of simultaneous dimensions, an awareness that – to borrow a phrase from music – is contrapuntal.

> For an exile, habits of life, expression, or activity in the new environment inevitably occur against the memory of these things in another environment. Thus both the new and the old environments are vivid, actual, occuring together contrapuntally.[15]

Mae syniad Said o ymwybyddiaeth wrthbwyntiol yr alltud yn caniatáu iddo gysylltu'i brofiadau mewn gwahanol wledydd â'i gilydd, er mwyn herio arferion a disgwyliadau, ac er mwyn herio arwahanrwydd y ddau brofiad a dod â hwy'n nes at ei gilydd. Mae gan gyfeiriad Said at ymwybyddiaeth yr alltud o ddau ddiwylliant berthnasedd amlwg i sefyllfa ddwyieithog Cymru, yn ogystal â sefyllfa amlgenedl y Deyrnas Unedig, a hynny heb ddechrau sôn am y diwylliannau eraill sy'n byw yno. Tra bo'r 'plurality of vision' a briodola Said i'r alltud yn ymdebygu i ddeuoliaeth agwedd Bhabha, mae ei gyfeiriad at y profiad gwrthbwyntiol yn ymdebygu i ddamcaniaeth Bhabha ynglŷn â'r Trydydd Gofod lle y mae arwyddion diwylliannol yn 'appropriated, translated, rehistoricized and read anew'.[16] Ond tra gwêl Bhabha rywbeth positif yng ngallu synergaidd y gofod hwnnw i greu o'r newydd, mae agwedd Said yn ymddangos yn fwy negyddol. Dywed ef, er enghraifft: 'Exile is a life led outside habitual order. It is nomadic, decentered, contrapuntal; but no sooner does one get accustomed to it than its unsettling force erupts anew.'[17] Mae'r testunau yn y bennod hon yn arddangos agweddau gwrthbwyntiol a synergaidd, ac yng ngoleuni syniadaeth Bhabha a Said, bydd yr ymdriniaeth ddilynol yn ystyried ai portread cadarnhaol neu negyddol a geir o ymgais mudwyr i greu gofodau newydd iddynt hwy eu hunain. Ond nid pwyso a mesur ai profiadau negyddol o deimlo'n alltud, yn 'arall' neu ar goll yn eu gwlad newydd, neu deimladau mwy cadarnhaol o gael eu derbyn a gaiff y mewnfudwyr fydd prif nod y bennod hon. Byddai hynny yn pwysleisio'r syniad eu bod 'y tu allan' i'r genedl. Canolbwyntir yn hytrach ar sut y mae eu mudiadau a'r safbwyntiau a ymddengys o'r herwydd yn caniatáu iddynt herio syniadau hanfodaidd a statig am hunaniaeth a chwalu ffiniau rhwng cenhedloedd a chymunedau.

'Half and Whole': aralledd dwy genhedlaeth o fudwyr yn The Hiding Place

Yn y cyfnod diweddar, mae llawer o nofelau sy'n portreadu mewnfudwyr i Gymru wedi ymddangos ac wedi ennyn clod, gan ennill rhai o brif wobrau llenyddol y Deyrnas Unedig a'r byd hefyd. Ymhlith y rhain y mae *The Hiding Place* gan Trezza Azzopardi, a gyrhaeddodd restr fer gwobr

Booker yn 2000, a *Gifted* gan Nikita Lalwani, a gyrhaeddodd restr hir y wobr honno yn 2008. Mae'r ddwy nofel yn ymdrin â hanes teuluoedd o fewnfudwyr i Gaerdydd, gan roi sylw i hanes y genhedlaeth gyntaf a'r ail. Gellir dadlau bod yr awydd hwn i olrhain hanes y teulu yn ymgais i ddarganfod tarddle ei hunaniaeth, a pherthynas y mudwyr â'u gwlad newydd. Mae strwythur naratifau nofelau Azzopardi a Lalwani yn symud rhwng y gorffennol a'r presennol, neu rhwng y genhedlaeth gyntaf a'r ail, gan adleisio'r hyn a ddywed Said am sut y mae adnabyddiaeth mewnfudwyr o ddwy wlad a dau ddiwylliant yn cynnig iddynt 'a plurality of vision [that] gives rise to an awareness of simultaneous dimensions, an awareness that ... is contrapuntal'.[18] Ond yn y rhagarweiniad i'w cyfrol ar fudo a llenyddiaeth yn Ewrop gyfoes, mae Gebauer a Lausten yn dadansoddi sefyllfa'r ail genhedlaeth mewn teulu o fewnfudwyr fel rhywbeth llai cadarnhaol. Pwysleisiant sefyllfa anodd y genhedlaeth hon sydd fel petai'n symud yn gyson rhwng y naill fyd a'r llall, '[a generation] who would have been schooled in the language of the country in which they live, but might speak another language with their parents'.[19] Gwelant fod hyn yn ei dro wedi peri bod yr ail genhedlaeth hon yn ei chael hi'n anodd teimlo'n gartrefol: 'Today the authors of migration literature ... are primarily children of migrants who inscribe themselves in an aesthetics "of no fixed abode" ...'[20] Gall arwyddocâd negyddol iawn berthyn i'r ymadrodd 'of no fixed abode' gan fod ffigwr y crwydryn yn aml yn cael ei gysylltu ag enwau negyddol megis 'trempyn', 'hobo' neu 'vagabond', ffigyrau sydd wedi'u lleoli ar y tu allan.

Mae'n deg dweud bod y term 'no fixed abode' yn ddisgrifiad addas o sefyllfa Dolores Gauci, prif gymeriad *The Hiding Place*, a'i theulu. Mae'r Gaucis yn symud o dŷ i dŷ yn Tiger Bay, heb aros yn yr un man yn hir – mae'r tad, Frankie, yn colli un tŷ trwy gamblo ac mae tŷ arall yn cael ei ddinistrio mewn tân. Mae'r teulu fel petai'n adlewyrchu dadansoddiad Said o'r cyflwr o alltudiaeth fel 'the unhealable rift forced between ... the self and its true home',[21] ac mae ei ddigartrefedd llythrennol yn drosiad am sefyllfa aelodau'r teulu fel mewnfudwyr neu blant i fewnfudwyr. Mae'r teulu, sy'n cynnwys Frankie, neu Francisco, y tad a ddaeth i Gymru o Falta ar ddiwedd y 1940au, Mary y fam sy'n dod yn wreiddiol o'r Cymoedd, a'u chwe merch, Celesta, Marina, Rosaria, Francesca, Luca a Dolores, yn byw yn Tiger Bay ar ddechrau'r 1960au, yn ystod cyfnod o drawsnewid mawr i'r ardal.

Mae'r nofel yn portreadu profiadau'r teulu yn ystod dau gyfnod: yn y 1960au ac ar droad y mileniwm newydd. Caiff y ffaith bod ardal Trebiwt a Tiger Bay yn profi newidiadau mawr yn y cyfnod cynharach (fel y trafodir yn y man) ei hadlewyrchu yn y rhannau hynny o'r nofel sydd wedi eu lleoli yn y cyfnod cyfoes. Ar ôl byw am flynyddoedd yn Nottingham, dychwela Dolores i Gaerdydd yn dilyn marwolaeth ei mam, a gwêl fod ardal ei magwraeth wedi newid yn llwyr:

> This can't be right. The avenue is broad and new, shimmering with trees and pavement cafes. This is not where The Moonlight [bwyty lleol] should be: it should be in a side-street; narrow doors and fractured windows and the cracked slab paving as grey as the Dowlais sky. This is not the place.[22]

Mae'n amlwg y teimla Dolores yn anghyfforddus yn y lle hwn sy'n ymddangos yn anghyfarwydd iddi. Ceir ymdeimlad gwrthbwyntiol yma, gan fod profiad Dolores o Fae Caerdydd yn digwydd yn erbyn ei hatgofion am yr hen Tiger Bay. Mae ganddi, felly, ymwybyddiaeth o ddau gyfnod gwahanol, yn ogystal â bod ganddi ymwybyddiaeth o ddau le gwahanol, chwedl Said, a welir yma yn y cyfeiriad at Ddowlais, sy'n ein hatgoffa o fagwraeth ei mam yn y Cymoedd. Mae'r gwrthgyferbyniad rhwng y 'side-street' a'r rhodfa lydan newydd, a'r defnydd o'r gair 'shimmering', yn awgrymu bod pethau wedi newid er gwell. Ceir yr argraff bod hunaniaeth yr ardal wedi profi newidiadau mawr, ond mae Dolores yn ei hailddarllen trwy dynnu nifer o elfennau, o'r gorffennol a'r presennol, ynghyd.

Yn y rhannau hynny o'r nofel sydd wedi'u lleoli yn y 1960au, cawn ddisgrifiadau manwl o'r newidiadau i'r ardal hefyd. Mae nifer o dai Tiger Bay wrthi'n cael eu dymchwel, gan adlewyrchu sefyllfa'r teulu:

> the houses on the dockside, near the saltings, are ancient back-to-backs. They have to be knocked down. Each week, another street is crushed to rubble; the grinding of the dumper-trucks gets louder, and overnight, a row of homes where people used to live becomes a stretch of broken brick and tangled wire. The sky gets wider every day.[23]

Mae'r modd y mae sŵn dinistrio'r tai yn mynd yn uwch yn awgrymu sut y mae digartrefedd a sefyllfa fregus y teulu yn gwaethygu. Yn ogystal â bod yn ddigartref yn llythrennol ar adegau, nid oes llawer yn gartrefol neu'n gysurus am fywydau'r teulu a'u perthnasau. Mae'r disgrifiadau o'r briciau toredig yn ein hatgoffa bod y teulu hefyd yn dadfeilio – mae Frankie a Mary yn cweryla, mae Marina wedi gorfod mynd i Falta i fyw gyda gelyn ei thad ar ôl iddo'i cholli hi mewn bet, ac mae Frankie yn ceisio cael gwared â Celesta trwy drefnu priodas iddi. Mae Dolores ei hun 'wedi'i thorri' hefyd, fel petai, gan ei bod wedi colli bysedd ei llaw chwith pan oedd hi'n fis oed pan losgodd y tŷ. Wrth i'r awyr ymddangos yn lletach bob dydd, cawn y teimlad bod Dolores yn teimlo'n fwyfwy unig a di-nod. Adlewyrchir anghyflawnrwydd y teulu yn nisgrifiad Dolores ohonynt, yn aros i'w mam ddychwelyd ar ôl iddi ymweld â Dolores yn yr ysbyty wedi'r llosgi: 'When my mother arrives, the family will be complete again, a full set. Not counting me, that is. It can't last.'[24] Nid yw'r teulu byth yn gyflawn. Mae brawddeg olaf awgrymog Dolores yn rhagweld sut y bydd y teulu'n wynebu trafferth byth-barhaol i aros ynghyd.

Yn unol â'r hyn a noda Gebauer a Lausten ynglŷn â'r anawsterau y mae'r ail genhedlaeth yn eu cael wrth geisio byw rhwng dau fyd, mae plant y nofel hon yn dioddef y teimlad nad ydynt yn perthyn i unman, nad ydynt yn gyflawn. Mae disgrifiad Dolores uchod hefyd yn adlewyrchu ei safle hi yn y teulu – mae hi ar y tu allan mewn sawl ffordd. Yn ogystal â hynny mae Dolores yn anghyflawn yn yr ystyr ei bod hi wedi colli bysedd ei llaw chwith. Ond fel yn achos Angharad yn *O Ran* a Charlotte yn *Sugar and Slate*, mae ei rhyw hefyd yn ychwanegu at ei haralledd, yng ngolwg ei thad. Ar ddechrau'r nofel, wrth i'r darllenydd glywed am enedigaeth Dolores, dysga fod Frankie ei thad yn gobeithio mai bachgen fydd ei chweched plentyn. Wrth i'w wraig roi genedigaeth yn yr ysbyty, mae Frankie yn cwrdd ag aelodau eraill o'r gymuned Faltaidd yn The Moonlight, a daw galwad ffôn oddi wrth ffrind ei wraig. Mae hi wedi clywed sgwrs rhwng y nyrsys sy'n trin Mary, ac oherwydd camddealltwriaeth, meddylia fod mab wedi'i eni i Mary a Frankie. Ffonia'r caffi a rhydd y neges i Salvatore, ei gŵr, sy'n rhoi'r newyddion da i Frankie:

> It's a boy! cries Salvatore, beating back upstairs. Bambino, Frankie!
>
> And my father, who is Frankie Bambina to his friends, poor unlucky Frank to have so many daughters, Twists in reckless joy, and loses the cafe, the shoebox under the floorboards full with big money, his own father's ruby ring, and my mother's white lace gown, to Joe Medora.
>
> At least I have a son, he thinks, as he rolls the ring across the worn green felt.[25]

Adlewyrchir yma ddadleuon Simone de Beauvoir am aralledd a'r fenyw; mae'r dyn yn hanfodol a'r fenyw'n anhanfodol yn yr olygfa hon, ac o'r herwydd ni phoena Frankie am golli popeth cyhyd â bod ganddo fab.

Cyferbynna hyn yn llwyr â pharagraff nesaf y nofel lle y gwelwn Frankie yn edrych dros grud ei ferch newydd-anedig. Erbyn hyn, mae'r camddealltwriaeth cynharach wedi'i ddatrys a gŵyr Frankie nad mab a aned iddo wedi'r cwbl: 'My father stands above my cot with a clenched fist and a stiff smile. He rubs his left hand along the lining of his pocket, feeling the absence of his father's ring and the nakedness of losing.'[26] Cysylltir Dolores â cholled a gwagedd. Yn gyffredinol cysyllta Frankie Dolores â phethau negyddol. Gwelir hynny yn ei ymateb i'w hanabledd, a'r modd y defnyddia begynau deuaidd ystrydebol i gyfeirio at ei ferch a'i dwylo. Noda Dolores fod ei llaw dde yn cael ei hadnabod fel ei '"good hand" – as if the other one was somehow wicked and got punished for it'.[27] Sylweddolwn fod Dolores yn adleisio geiriau ei thad yma:

> Sometimes I'll try and open a door, or pick up a knife, and it's only then I realize I've attempted to use my *left* hand. When my father sees me doing these things, he frowns and gives me a black look: *Sinistra*, he mutters, shaking his head.[28]

Cyfeiria '*[s]inistra*' yma at law chwith goll Dolores, ond hefyd at y drwg a wêl Frankie yn effaith anabledd ei ferch. Mae Frankie yn gweld rhywedd Dolores fel rhywbeth anlwcus, a'i hanabledd fel rhywbeth ysgeler. Mae hi'n symboleiddio ei fethiant yn ei wlad newydd.

Ond nid oherwydd ei rhywedd na'i hanabledd yn unig y mae Dolores yn profi anghyflawnder, ond oherwydd ei chefndir ethnig cymysg hefyd. Mae un o'i chwiorydd, Fran, yn mynd i fyw mewn cartref plant, a phan ddaw hi adref ar ymweliad, dywed wrth y merched eraill fod ganddi gariad yn y cartref. Ond mynna, 'don't tell Mamma ... She wouldn't like it ... [h]e's a Half-Caste.'[29] Drysa'r gorchymyn Dolores a myfyria ar y geiriau gyda'r nos:

> I lie awake waiting for my mother to come up. I can't sleep until I've asked her about half-caste. Because that's what *we* are: that's what they call us at school. I can't see why my mother wouldn't like Fran's boyfriend if he's just the same as us. I try to concentrate on Half and Whole.[30]

Mae Dolores a'i chwiorydd yn dioddef rhagfarn a chamwahaniaethu oherwydd bod ganddynt gefndir Cymreig a Maltaidd cymysg. Mae cyfeiriad Dolores at 'Half and Whole' yn ymdebygu i'r hyn a ddywed Charlotte Williams yn *Sugar and Slate* am sut y teimlai '[growing] up in a small Welsh town amongst people with pale faces, feeling that to be half Welsh and half Afro-Caribbean was always to be half of something but never quite anything whole at all'.[31] Ond nid yw teulu Dolores yn gymysg ei hil fel teulu Williams. Maent yn profi aralledd oherwydd eu bod yn blant i fewnfudwr. Yn ogystal â hynny, mae Fran wedi mewnoli disgẃrs y gymuned gan ei bod hi'n galw ei chariad, sy'n gymysg ei hil, yn 'Half-

Caste'. Er bod y merched felly y 'tu allan' i'r gymdeithas ac yn dioddef ei rhagfarnau, maent hefyd yn rhan o'r gymdeithas yn yr ystyr eu bod yn atgynhyrchu'i hiaith a'i rhagfarnau i raddau. Maent yn byw rhwng dau fyd, ac mae ganddynt ymwybyddiaeth o ddau fyd, a benthyg ymadrodd Said.

Yn ogystal â chymeriadau Dolores a Fran, adlewyrchir hyn eto gan gymeriad Marina. Mae Frankie yn ei rhoi i'w elyn, Joe Medora, er mwyn adennill ei hen dŷ, a gollodd i Joe mewn bet. Mae yna si ar led mai merch Joe, ac nid Frankie, yw Marina, ac mae Joe yn mynd â hi i Falta i fyw. Ond er ei bod hi bellach gyda'r dyn a all fod yn dad biolegol iddi ac er ei bod hi wedi dychwelyd i wlad ei thad(au), gair a gysylltir yn aml â Marina yw 'lost'. Wrth feddwl am y cytundeb y mae ar fin ei wneud gyda Joe, meddylia Frank am yr hyn y bydd yn ei ennill, a'r hyn y bydd yn ei golli – '[h]e loses: Marina'.[32] Yn hwyrach, gan gyfeirio at Marina, dywed Mary, '[w]e've already lost one daughter'.[33] Ymddengys fod Marina 'ar goll' ym Malta. Yn wir, nid oes gan Mary unrhyw sicrwydd ei bod hi yno o gwbl. Pan wêl wyneb Joe Medora yng nghylchgrawn *True Crime*, meddylia am Marina yn syth: 'The last I knew, they were in Malta [. . .] Now see . . . What does it say? [. . .] "Recently sighted in Sydney".'[34] Yn ogystal â bod ar goll ym Malta, nid oes lle iddi yn y tŷ yn Tiger Bay ychwaith. Noda Dolores, wrth drafod pa mor fach yw cartref y teulu, 'Marina . . . she's not here anymore, which is just as well, because how would she fit in?'[35] Fel aelod o'r ail genhedlaeth, nid yw Marina'n perthyn i Falta nac i Gymru ychwaith.

Er bod Gebauer a Lausten yn dadlau mai'r ail genhedlaeth sy'n dioddef y teimlad o ddiffyg perthyn waethaf, mae rhieni Dolores hefyd yn arddangos arwyddion eu bod wedi'u gwahanu oddi wrth eu hunaniaethau, neu fod ganddynt hunaniaethau rhanedig. Pan gyrhaedda Frankie Gymru am y tro cyntaf, gwelwn fod mudo yn gwadu urddas iddo. Mae'n ymdebygu i ddisgrifiad Said o alltudiaeth fel 'legislated to deny dignity – to deny an identity to people':[36]

> Francisco Gauci? Sign there.
> Frankie picked up the pen, his hand puce, and scrawled a numb X. The man finally looked up.
> Let's see if it matches, he said, unfurling Frankie's papers one more time. A younger man at the next desk glanced over, sniggered.
> It's the Genuine Article, alright. Maltese are you?
> Frankie understood this last bit. Nodded gratefully.
> You'll want to see Carlo Cross, then. He'll fix you up. Not related are you, by any chance?

Another snort from the next desk. Frankie didn't understand the joke, but knew it was at his expense.

And don't forget to report to the police, said the man.

And seeing Frankie's worried face, softened.

Just routine, son. Your first visit to Wales, is it?

and Frankie, who knew enough of what was being asked, nodded again and said,

Yes, first time in England.

At last the man smiled at him.[37]

Mae'r 'X' y mae Frank yn ei hysgrifennu yn arwydd ei fod yn anllythrennog, ond y mae'n arwydd hefyd o'r bwlch sydd wedi datblygu rhyngddo a'i enw, a'i hunaniaeth. Mae'r jôc a wna un o'r swyddogion trwy ofyn i Frankie a yw'n perthyn i Carlo Cross yn ategu hyn, ac mae ei yrru at Carlo yn cymryd yn ganiatäol ei fod yn union fel mewnfudwyr Maltaidd eraill, heb ei drin fel unigolyn. Mae hunaniaeth Cymru'n cael ei herio yma hefyd, a chyfosodir sefyllfa Frankie â sefyllfa'r wlad. Eir yn groes i'r ystrydeb sy'n darlunio Cymru fel cenedl groesawgar yma, wrth i Frankie ddioddef tynnu coes y swyddogion mewnfudo. Ond mae'r ffaith bod Frankie yn drysu rhwng Cymru a Lloegr, yn awgrymu bod Cymru, fel Frankie ei hun, wedi'i hamddifadu o hunaniaeth. Efallai mai dyma pam y gwena'r swyddog ar ddiwedd y darn gan ei fod yn gweld y tebygrwydd rhwng sefyllfa Frankie a sefyllfa'r wlad y mae wedi'i chyrraedd.

Yng nghyd-destun hunaniaeth Cymru yn y nofel, mae'n ddiddorol nodi bod y Gymraes Mary, mam y teulu, yn profi aralledd cymaint â'i gŵr Maltaidd, er iddi fudo o'r Cymoedd i Gaerdydd yn unig. Gwelir hyn orau yn ei hymgais i gadw'i theulu at ei gilydd yn wyneb ymweliadau gan y gwasanaethau cymdeithasol. Un enghraifft yw pan ddaw'r gweithiwr cymdeithasol Elizabeth Preece i ymweld â'r teulu er mwyn gwneud trefniadau i Fran fynd i fyw mewn cartref plant. Disgrifia Dolores yr olygfa:

The social worker's name is Elizabeth Preece – Just call me Lizze, she says to my mother, who ignores this invitation and doesn't call her anything ... She doesn't approve of my father ... she's made a note in her file about him. History of violence, it says. She likes me though – she calls me Cariad.

... Lizzie has also made a note in her case files about my mother: Mental Instability, Bouts of Depression; second child fostered to extended family in Malta.

She thinks she knows our history because she's written it down ...[38]

Mae'r darlun amwys a geir o Elizabeth Preece yn ystod yr ymweliad hwn yn datgelu llawer am sefyllfa Mary a'r teulu'n gyffredinol. Mae defnydd

Elizabeth o'r Gymraeg wrth alw Dolores yn 'Cariad' yn rhoi cysur i Dolores, gan ddangos bod y ferch fach yn deall rhywfaint o'r iaith y mae Elizabeth yn ei defnyddio. Efallai bod cysur Dolores hefyd yn deillio o'r ffaith nad yw hi wedi cael llawer o ofal na chariad yn ystod ei bywyd byr, fel y tystia nodiadau Elizabeth am y teulu. Mae gorchymyn Elizabeth fod y teulu'n ei galw hi'n 'Lizzie' yn ychwanegu at ei chymeriad cyfeillgar. Ond mae awgrym Dolores '[s]he thinks she knows our history because she's written it down' yn creu darlun sy'n tynnu'n groes i hyn. Er bod y cyd-destun yn wahanol, mae gweithredoedd Elizabeth yn ymdebygu i weithredoedd yr Orientalwyr neu'r Imperialwyr, a oedd yn creu 'gwirioneddau' am bobl er mwyn cyfiawnhau eu gormesu. Mae Elizabeth, felly, yn ymddangos fel rhyw fath o ormeswr.

Adlewyrchir y ffaith nad yw nodiadau Elizabeth yn gallu dweud y cyfan am hanes y teulu yn ymateb Mary i'w hymweliad. Nid oes gan Mary reolaeth dros ei hunaniaeth ei hun o ganlyniad i nodiadau Elizabeth amdani, ond mae ei hymateb yn ein hatgoffa o'i gwreiddiau yn y Cymoedd, a sut y maent yn parhau i effeithio arni yng Nghaerdydd. Cawn weld hefyd ei hunaniaeth fregus a drylliedig:

> . . . I'm sure Mary can see what's best, can't you Mary?
> I don't know, says my mother.
> Mary really *doesn't* know: She doesn't know anything. She feels a dangerous shifting in her skull as if it's full of shards; she has to keep her head still to stop them sliding. When she tries to sort things out, she gets a bright, jabbing pain at the corner of her eye. And the voice that comes – so close and tight against her ear it causes her to flinch – doesn't leave her any room to think. *Your mother's blood! Your mother's blood!* It's the voice of her father.[39]

Nid yw Mary yn sicr o unrhyw beth. Mae'r disgrifiad o'i phen yn llawn darnau yn awgrymu bod ganddi hunaniaeth neu ymwybyddiaeth doredig, anghyflawn, ac ni all gadw trefn arni. Mae llais ei thad yn ein hatgoffa o'i bywyd cyn dod i Gaerdydd. Awgryma'r ffordd y mae llais ei thad yn ailadrodd '*Your mother's blood!*' fod mam Mary hefyd wedi dioddef rhyw fath o iselder a bod Mary wedi etifeddu hyn. Mae'r modd y cawn wybod am hyn, a'r modd y cawn ein hatgoffa yma o ymddygiad ymosodol ei thad a glywsom amdano tua dechrau'r nofel yn dangos cymaint na ŵyr Elizabeth am Mary, ei hanes a'i theulu. Mae portread *The Hiding Place* o fywyd mudwyr a'u plant yn un o ddioddefaint ac aralledd ar draws y cenedlaethau felly.

'We are not in Lessisster Square of London, are we?': Teithio y tu hwnt i begynau deuaidd yn Gifted

Gan fod yr astudiaeth hon yn archwilio'r modd y portreedir amrywiaeth ddiwylliannol, mae'n briodol nodi nad yw pob portread o fewnfudwyr i Gymru mor druenus â'r hyn a geir yn *The Hiding Place*. Er nad yw eu byd yn gwbl berffaith, fel yr awgryma'r teitl, mae *Gifted* gan Nikita Lalwani yn portreadu teulu o fewnfudwyr sydd, mewn sawl ffordd, yn fwy breintiedig na chymeriadau Azzopardi. Mae'r gwahaniaethau rhwng eu sefyllfaoedd yn ein hatgoffa o'r gwahaniaethau y mae Said yn eu pwysleisio rhwng gwahanol fathau o alltudion. Mae sefyllfa teulu *Gifted*, oherwydd ei sefyllfa fwy breintiedig, yn adlewyrchu'r 'plurality of vision' a ddisgrifia Said, neu'r ddeuoliaeth agwedd a ddisgrifia Bhabha, gan ei fod yn ymwneud mwy â phrif ffrwd y diwylliant Prydeinig (trwy ei system addysg), ond eto nid yw'n perthyn iddo'n llwyr. Mae teulu Rumika, y prif gymeriad, yn deulu o ddeallusion o India, ac mae Rumika ei hun yn derbyn bri fel plentyn a chanddi ddawn ryfeddol am fathemateg. Ond, yn ôl yr angen, mae'r teulu yn gorfod ymdopi â'r gwahaniaethau rhwng bywyd yn India a bywyd yn y Deyrnas Unedig. Nid deuoliaeth India/y Deyrnas Unedig yw'r unig ddeuoliaeth sy'n diffinio ac yn cymhlethu eu byd. Mae'r tad, Mahesh, yn galw i gof yn aml hanes ffurfio India a Phacistan, a'r elyniaeth rhwng Hindwiaid (fel teulu Mahesh) a Mwslimiaid a gysylltir â'r digwyddiad hwnnw. Cawn ein hatgoffa o'r elyniaeth rhwng Cymru a Lloegr hefyd, wrth i Rumika a'i ffrindiau ysgol groesi'r ffin er mwyn mynd i gystadleuaeth wyddbwyll. Deuoliaeth arall y mae'n rhaid i Rumika a'i mam, Shreene, ymdopi â hi yw honno rhwng bod yn ferch a bod yn academaidd. Yn wir, fel y mae anabledd Dolores yn *The Hiding Place* yn cynrychioli ei bywyd toredig fel plentyn i fewnfudwr, gallu rhyfeddol Rumika, yn ogystal â'i gwreiddiau teuluol, sy'n ei neilltuo oddi wrth ei chyfoedion. Ym mhennod gyntaf y nofel clywn i ddechrau ei bod hi'n methu â chwarae yn nhŷ ei ffrind gan nad yw ei mam yn hoffi 'coloured people',[40] ac yn fuan wedyn, dywed ei hathrawes fod ei gallu yn ei gwneud hi'n 'special. Different. Gifted.'[41] Cysylltir ei gwahaniaeth ethnig a'r gwahaniaeth a briodolir iddi ar sail ei gallu academaidd.

Mae Rumika yn ymuniaethu â'r athrylith mathemateg o India, Shakuntala Devi, a luosodd ddau rif tri-digid-ar-ddeg mewn wyth eiliad ar hugain, camp nad oedd *The Guinness Book of Records* yn fodlon derbyn ei bod yn bosib. Ym marn teulu Rumika, mae hyn yn arwydd o sut y mae gormes Prydain yn parhau i effeithio ar India: 'The British still think they are better than us, that we are dirty, cheating scoundrels. That is why they insulted

Shakuntala Devi in this way.'[42] Mae disgyrsiau negyddol am bobl o'r Dwyrain fel y'u dehonglir gan Edward Said yn ei gyfrol *Orientalism* yn cael eu hadlewyrchu yn agwedd y Prydeinwyr tuag at Devi yn y disgrifiad hwn. Un o brif themâu'r nofel sy'n pwysleisio'r tensiynau rhwng hunaniaeth Indiaidd a hunaniaeth Brydeinig y teulu yw addysg. Mae'r cyfeirio cyson at addysg yng nghyd-destun y berthynas rhwng Prydain Fawr ac India yn galw i gof gofnod Thomas Babington Macaulay ar addysg yn India ym 1835 a drafodwyd eisoes; awgrymodd newid y gyfundrefn addysg yno er mwyn sicrhau 'the intellectual improvement of the people of [India]' ac er mwyn eu gwneud yn 'thoroughly good English scholars'.[43] Mae effaith ymgais Macaulay i osod safonau addysg Prydain ar waith yn India i'w theimlo yn hanes Rumika. Ar ddechrau'r nofel, mae ei hathrawes, Mrs Gold, yn ymweld â'i rhieni er mwyn trafod â hwy y posibilrwydd bod Rumika yn sefyll arholiadau Mensa. Mae ymateb Mahesh yn ein hatgoffa bod yr Indiaid yn hen gyfarwydd â chael eu gorfodi i gydymffurfio â safonau addysg gwlad arall:

> 'Have you heard of a place called Mensa?' said Mrs Gold.
> Mahesh felt exasperated. He had seen all the same adverts as her. The ads for this place she named with such careful tedium, as though she was rolling a diamond round her mouth. 'Mensa'. He'd seen their childish IQ tests, fooled around with filling them out in the Sunday papers. He knew what Mensa was, for goodness' sake. What did she take him for? And why was she so surprised that he and his daughter could string numbers together with reasonable panache? They were hardly shopkeepers.[44]

Mae'n amlwg nad oes gan Mahesh fawr o barch tuag at ffyrdd Prydeinig o fesur gallu unigolyn. Mae'r ffordd sarhaus y mae Mrs Gold yn esbonio beth yw Mensa wrtho yn dangos nad yw hi'n disgwyl iddo wybod beth ydyw, gan awgrymu ei bod hi'n ei weld fel rhywun israddol. Ond mae gan Mahesh ddoethuriaeth, ac mae ef hefyd yn euog o ystyried fod pobl eraill yn israddol iddo oherwydd ei fod yn tybio nad ydynt yn meddu ar addysg o'r un safon ag ef. Mae ei ddatganiad ar ddiwedd y dyfyniad uchod am y ffaith nad yw ei deulu'n siopwyr, er enghraifft, yn rhoi'r argraff ei fod yn edrych i lawr ar y bobl hynny.

Yn hynny o beth, mae Mahesh bron fel petai'n cynrychioli'r hyn a alwodd Macaulay yn 'a class of persons Indian in blood and colour, but English in tastes, in opinions, in morals and in intellect'.[45] Mae fel petai wedi mewnoli'r disgẃrs trefedigaethol, gan feirniadu'r rhai nad ydynt wedi llwyddo'n academaidd yn ôl safonau addysgol Gorllewinol, mewn ffordd nid annhebyg i'r modd y mae Mrs Gold yn ei drin ef. Ond mae gan

Mahesh y ddeuoliaeth agwedd y mae Bhabha'n ei briodoli i ladmeryddion Macaulay. Mae'n dioddef yr hyn a ddisgrifir gan Ashcroft et al. fel 'the simultaneous attraction toward or repulsion from an object, person or action'.[46] Mae'n ymddangos fel petai'n ymwrthod â'r safonau addysg a gynrychiolir gan Mrs Gold, ac eto mae'n benderfynol o brofi ei fod yn cyrraedd y safonau hynny. Adlewyrchir cymaint y mae ef yn ymgrymu i'r drefn addysgol Brydeinig wrth iddo roi gymaint o bwysau ar Rumika i fynd i Brifysgol Rhydychen, arwydd o lwyddiant academaidd o'r radd flaenaf yn y Deyrnas Unedig ac ar draws y byd. Mae Mahesh a'i deulu yn ein hatgoffa o ddisgrifiad Bhabha o'r mudwyr a'i gyfeiriad at 'gathering the signs of approval and acceptance, degrees, discourses, disciplines'.[47] Yng nghyd-destun trafodaeth y nofel ar addysg, mae Mahesh yn dioddef gormes ac yn euog o ragfarnu, ac efallai o ormesu ar yr un pryd. Mae'n cael ei feirniadu gan Mrs Gold, ac yn teimlo bod rhaid iddo gydymffurfio â safonau addysg gwlad estron, ond ar yr un pryd, mae'n beirniadu'r rheini nad ydynt yn ymddangos fel petaent yn cydymffurfio â'r safonau hyn, yn ogystal â gorfodi'i ferch i gydymffurfio â hwy.

Mae'r ffaith bod y teulu wedi symud i Gymru yn adlewyrchu'r ddeuoliaeth hon ac yn ei chynnig ei hun i'r math o ddarlleniad gwrthbwyntiol y mae Edward Said yn ei awgrymu sy'n addas ar gyfer testunau sy'n trafod alltudiaeth. Am rannau helaeth o'r nofel ni wahaniaethir rhwng Prydain a Chymru. Gallwn ystyried nad yw'r teulu yn gwahaniaethu rhwng gwahanol wledydd y Deyrnas Unedig yn y ffordd y maent yn cyfeirio at 'the British', fel y gwelir uchod yn y dyfyniad am agwedd y Prydeinwyr tuag at Devi a'r Indiaid. Nid anwybodaeth ynglŷn â'r amrywiaethau sy'n bodoli rhwng gwahanol wledydd y Deyrnas Unedig sydd yn achosi hyn o reidrwydd. Efallai ei bod yn arwydd o'r ffaith bod y Cymry wedi chwarae rôl yn y broses o drefedigaethu India yn enw'r Ymerodraeth Brydeinig. Ond mae darlleniad gwrthbwyntiol i'w arddel yma, un sy'n dangos sut y mae 'activity in the new environment inevitably occurs against the memory of these things in another environment', chwedl Said.[48] Mae profiadau eraill a ddigwyddodd yng Nghymru ar amser gwahanol yn gefnlen i brofiad teulu Rumika o safonau addysgol. O ystyried y ffaith bod addysg fel arf drefedigaethol yn un o brif themâu'r nofel, fe'n hatgoffir o adroddiad y comisiynwyr i gyflwr addysg yng Nghymru ym 1847, a wnaeth ddarostwng y Cymry i safonau addysgol estron mewn modd tebyg i'r Indiaid. Mae lleoliad y teulu yng Nghymru yn cadarnhau ac yn adlewyrchu'r ddeuoliaeth a berthyn iddynt, felly, gan ei fod yn ein hatgoffa o'r ormes a brofwyd gan India a Chymru fel ei gilydd.

Mae Rumika yn ei chael ei hun yn wystl i'r holl ddeuoliaethau hyn sy'n diffinio'i byd. Nid yw'n hawdd iddi ei diffinio'i hun fel Cymraes, nac ychwaith fel Prydeinwraig neu Indiad. Yng nghyd-destun ei hunaniaeth Brydeinig, fel y dengys sylwadau ei thad am y siopwyr uchod, nid yw ei hunaniaeth fel mewnfudwr ac fel deallusyn yn cyd-fyw'n hawdd. Mewn modd tebyg, yng nghyd-destun India, a Phrydain hefyd mae'n siŵr, nid yw ei hunaniaeth fel merch yn cyd-fynd a'i doniau deallusol. Gwelwn hyn yn hanes ei mam, Shreene, a oedd yn gorfod rhoi'r gorau i'w huchelgais o fod yn feddyg er mwyn priodi, ac a gafodd ei gorfodi i ddangos tystysgrifau diploma gwnïo yn ogystal â gradd faglor i ddarpar famau-yng-nghyfraith fel tyst o'i theilyngdod i briodi eu meibion. Mae Rumika, a'i mam i raddau, yn bodoli ar y ffiniau rhwng y gwahanol wledydd, diwylliannau a hunaniaethau. Archwilir tensiynau hunaniaeth deallus-wragedd Indo-Brydeinig gan Gita Rajan yn ei herthygl '(Con)figuring Identity: Cultural Space of the Indo-British Border Intellectual'.[49] Er mwyn astudio ffigwr y ddealluswraig sy'n croesi ffiniau gwahanol wledydd, ieithoedd a diwylliannau, mae Rajan yn ymdrin â thair awdures Indo-Brydeinig, Kamala Markandya, Ruth Prawer Jhabvala a Suniti Namjoshi, gan ddadansoddi sut y mae eu hunaniaethau cyfun yn dylanwadu ar eu cynnyrch llenyddol. Gall hyn fod yn arbennig o berthnasol i *Gifted* a'i ffocws ar fenywod ac addysg a phrofiadau addysgiadol y ferch, yn ogystal â'r portread o Mahesh hefyd.

Mae Rajan yn diffinio'r 'border intellectual' yn erbyn syniadau ynghylch *diaspora* gan ddweud bod term fel *diaspora*, er ei fod yn disgrifio pobl sydd wedi croesi ffiniau cenhedloedd, yn rhoi'r argraff o berthyn i gymuned o bobl.[50] Er mwyn diffinio'r deallusyn ffiniol, try at waith Abdul JanMohamed sy'n defnyddio'r ffigwr hwnnw i ddangos, ym marn Rajan: '[d]isplaced intellectuals cannot be distinguished merely as self/other, center/periphery, provincial/metropolitan, homo/heterosexual, and so on, but can be examined through their trails as border crossers'.[51] Mae hynny'n wir o safbwynt cymeriadau *Gifted*. Fel y trafodwyd eisoes, yn achos Mahesh, nid oes modd gwahaniaethu'n hawdd rhwng gormeswyr a dioddefwyr yn y nofel. A phan geisia Mahesh ddiffinio'i hunaniaeth fel Hindw, mae'r ffin rhwng gormeswr a dioddefwr yn cael ei chwalu eto. Mewn sgwrs â'i ffrind, yr Albanwr Whitefoot, geilw Mahesh i gof hanes Rhaniad India ym 1947, a arweiniodd at greu'r India fodern a Phacistan, a'r trais a ddigwyddodd rhwng Hindwiaid a Mwslimiaid. Mae'n disgrifio'i gyd-Hindwiaid fel dioddefwyr trais y Mwslimiaid, heb ystyried fod y naill garfan a'r llall fel ei gilydd wedi dioddef a chyflawni trais yn ystod y cyfnod.[52] Mae Whitefoot yn ei atgoffa o wirionedd y sefyllfa: 'I'm sorry to say this, man, but I want to know. Are you saying that you don't believe Hindus were massacring too? It was a civil war. You're an academic, you know the score – someone starts it and retribution runs the rest . . .'[53] Gan adleisio dadl Rajan am anallu'r deallusyn ffiniol i'w ddiffinio'i hun yn ôl deuoliaethau syml, mae Whitefoot yn dweud mai oherwydd ei rôl fel academydd y dylai Mahesh wybod bod y sefyllfa yn fwy cymhleth na gweld yr Hindwiaid fel y dioddefwyr a'r Mwslimiaid fel y troseddwyr yn unig. Mae'n ddiddorol mai Albanwr sy'n ceisio atgoffa Mahesh o'r sefyllfa gymhleth. Mae'n ein hatgoffa o rolau cyfnewidiol gwledydd y Deyrnas Unedig yn yr Ymerodraeth Brydeinig, gan fod yr Albanwyr, yn debyg i'r Cymry, wedi trefedigaethu eraill ar draws y byd yn ogystal â phrofi eu gormes diwylliannol a gwleidyddol eu hunain.

Mae adlais o ddadl Rajan ym mywydau Rumika a Shreene hefyd, yn enwedig os ystyriwn eu 'trails as border crossers', fel yr awgryma'r beirniad. Mae dwy adeg yn y nofel lle y mae Rumika a Shreene yn croesi ffiniau, ac ar yr adegau hynny, amlygir eu hunaniaethau cymhleth. Digwydd un pan â Rumika ar daith ysgol i gystadleuaeth wyddbwyll yn Lloegr. Pwynt cofiadwy ar y daith yw croesi Pont Hafren: 'When they zoom over the Severn Bridge they curse the English and cheer for Wales.'[54] Mae'r rhaniad hwn yn ymddangos yn un clir – i'r plant, mae Cymru ar un ochr a Lloegr ar y llall. Ond nid yw safbwynt Rumika yn glir; ni wyddom a yw hi'n cymryd rhan yn y melltithio na'r cymeradwyo. Nid yw Cymreictod yn rhywbeth sydd mor hawdd â hynny i Rumika ymrwymo iddo, efallai oherwydd rôl Cymru yn yr Ymerodraeth Brydeinig a drefedigaethodd India.

Adeg arall yn y nofel lle mae teithio a chroesi ffiniau yn adlewyrchu hunaniaethau cymhleth y cymeriadau yw pan deithia Shreene ar y trên yn India er mwyn ymweld â'i rhieni. Yn ogystal â chroesi ffiniau wrth deithio, mae hi'n croesi'r ffin rhwng bywyd yn y Deyrnas Unedig a bywyd yn India, ac amlyga rheolwr y trên y ffaith honno iddi pan ofynna Shreene am ddŵr ar ôl i'r trên dorri i lawr:

> 'Baby is OK, I take it?' he asks, gesturing at Rumi, making his eyebrows jump in her direction. Shreene responds by smiling and looking directly at him, bashfully.
>
> 'Well, I would like to give her some water if there's any chance, bhai-sahib?' she says.
>
> 'Madam, seems to me you are from abroad, am I right?' he says.
>
> 'Yes.'
>
> 'And you are only drinking bottled water in that case I am imagining – Bisleri, Aqua, these kinds of brands . . . Or might be you drink cold drinks . . .

'Yes,' says Shreene.

'In that case, madam, how can I help you? You understand that we are stuck in an isolated place. There is no soft drinks stand here... You agree with me, madam, we are not in Lessisster Square of London, are we?'[55]

Mae'r ffaith y cyfeiria rheolwr y trên at Shreene fel rhywun o 'abroad' yn datgelu llawer. Mae hi'n dod o India yn wreiddiol, felly'n dechnegol nid yw hi'n 'dramorwr', er ei bod hi bellach yn byw ym Mhrydain ac mae ei hymddygiad ar y trên yn datgelu nad yw hi'n gyfarwydd bellach â'r ffordd o fyw yn ei mamwlad. Yn fwy na hynny, fe wneir iddi deimlo fel rhyw fath o ormeswr newydd o Brydain yn India wrth iddi ddisgwyl yr un gwasanaeth yno, heb ystyried y gwahaniaethau amlwg rhwng diwylliant, adnoddau a thrafnidiaeth yn y ddwy wlad. Mae'r modd y mae rheolwr y trên yn camynganu 'Leicester Square' yn arwyddocaol hefyd. Ar un olwg, mae'n cyflawni rôl y dynwaredwr trefedigaethol trwy wawdio'r diwylliant trefedigaethol a diwylliant ei ganolfan fetropolitan. Ond o ystyried yr olygfa mewn modd gwahanol, gellir ystyried ei fod yn camddehongli hunaniaeth Shreene hefyd. Fel Indiad sy'n byw yng Nghymru, nid yw Shreene mewn gwirionedd yn cynrychioli'r diwylliant metropolitan; mae hi'n byw mewn gwlad a chanddi ddiwylliant ac iaith a oedd mewn sawl ffordd ar gyrion yr Ymerodraeth Brydeinig yn yr un modd ag yr oedd India, a'i diwylliannau a'i hieithoedd hithau. Mae camgymeriad deublyg rheolwr y trên felly yn pwysleisio nad yw'n hawdd rhannu hunaniaeth yn ôl deuoliaethau syml megis trefedigaethwr/trefedigaethedig. Yn fwy na hynny, mae'r broses o groesi ffiniau yn y nofel hon, fel y broses o fewnfudo hefyd, yn cymhlethu hunaniaethau'r rhai sy'n mudo.

'Mater o ddaearyddiaeth': gadael a dychwelyd yn Dyn yr Eiliad

Mae'n ddiddorol nodi bod Shreene yn cael ei thrin fel rhywun estron wrth ddychwelyd i'w gwlad enedigol, gan fod prif gymeriad *Dyn yr Eiliad* gan Owen Martell hefyd yn dechrau cwestiynu ei hunaniaeth wrth ddychwelyd adref i Gymru ar ôl byw yn Lloegr. Mae'r weithred o ddychwelyd yn y ddwy nofel hyn yn pwysleisio pa mor newidiol yw hunaniaeth yr unigolyn a'i gymdeithas gan na all yr aralledd a deimlir wrth adael y gymdeithas honno gael ei ddadwneud o fynd yn ôl iddi – ni all hunaniaeth yr unigolyn a'r man a fu'n gartref iddo aros yn eu hunfan. Mae prif gymeriad nofel Martell, Daniel, yn dychwelyd i Gymru o Reading, lle y mae bellach yn byw, ar hyd yr M4, ar ôl i'w ffrind gorau, Davies, farw wrth deithio ar yr A470 o Gaerdydd tuag at Ddowlais, bro eu mebyd. Mae'r digwyddiad hwn yn adleisio'r hyn a ddywed Said am gyflwr yr alltud – 'no sooner does one get accustomed to it than its unsettling force erupts anew'.[56] Yn Reading mae Daniel yn byw 'mewn fflat' yn un o'r '[r]hesi o dai pâr, gardd fach yn y ffrynt a llwybr yn rhedeg wrth ei ochr i ochr y tŷ, lle ma'r drws ffrynt, y drws ma' pawb yn ei ddefnyddio'.[57] Mae'r tŷ yn ddigon cyffredin a'i fywyd yn un sefydlog, lle '[m]ae'n byw ar ei ben ei hun ond yn nabod rhai o'r bobl yn y tŷ yn ddigon da erbyn hyn i fynd i mewn atyn nhw am baned weithiau'.[58] Mae marwolaeth Davies yn atgoffa Daniel am ei hen fywyd, ac yn ei orfodi i adael ei fywyd sefydlog, arferol, cyfarwydd yn Reading a mynd 'nôl ar yr hewl'.[59]

Pwynt cofiadwy'r daith yn ôl i Ddowlais i Daniel, fel i'r plant ysgol yn *Gifted*, yw croesi Pont Hafren. Ond mae Daniel yn croesi o Loegr i Gymru:

> Mae e'n gallu cofio gyrru heibio i Leigh Delamere a Swindon, ond ddim Bryste a'r hewlydd sy'n arwain i Gaerfaddon neu i Wlad yr Haf. Mae e'n cofio'r bont yn amlwg, Pont Hafren, am nad yw e wedi gyrru drosti ormod o weithiau. Ac mae'n cofio meddwl nad oedd hi'n teimlo fel pont o gwbl, ac y dylai pontydd fod fel y Golden Gate yn San Francisco, neu Bont Verrazano sy'n cysylltu Brooklyn a Staten Island yn Efrog Newydd; y dylech chi deimlo braw wrth eu croesi nhw. Y dylech chi fod yn gallu anghofio bod tir a bywyd yn bodoli ar bob ochr am eiliad.[60]

Mae awgrym yma nad yw croesi Pont Hafren yn galluogi Daniel i anghofio bod tiroedd Cymru a Lloegr ar y naill ochr a'r llall. Mae croesi'r ffin yn amlygu'r symud o un wlad i'r llall, ac o ganlyniad, mae'r rhaniad rhwng y ddwy yn cael ei bwysleisio. Ond mae'r ffaith y defnyddia'r adroddwr enwau Cymraeg i ddinasoedd ac ardaloedd o Loegr sy'n agos at y ffin Gymreig yn awgrymu rhyw fath o ofod hybrid. Nid yw Pont Hafren yn ymdebygu i bontydd yn Unol Daleithiau America y cyfeiria'r adroddwr atynt gan nad ydynt yn galluogi i'r teithiwr anghofio ei fod yn symud o un darn o dir i'r llall – nid yw'n gallu anghofio'i berthynas â gwlad. Cynrychiolir mudo yma nid yn unig gan y syniad o deithio dros y bont, ond trwy'r cyfeiriad at Efrog Newydd hefyd a fu'n gyrchfan i fudwyr o bedwar ban byd.

Yn ogystal â phontydd, mae gan heolydd, a theithio ar eu hyd, sawl arwyddocâd symbolaidd yn y nofel. Wrth feddwl am sut y bu Davies farw ar yr heol A470, dechreua Daniel fyfyrio ar bwrpas yr heol honno, sy'n ymestyn o Gaerdydd, heibio Cymoedd eu mebyd, tuag at ogledd Cymru:

Roedd Davies wedi marw ar yr A470 – sy'n hewl anhygoel o ddiflas. Ac yn waeth na hynny, roedd e ar ei ffordd 'nôl lan y cwm. Yn mynd 'nôl i Flaenau Ffestiniog – ac ma' hwnna'n achosi probleme o'r dechre. Tasai wedi bod yn gwneud 100 milltir yr awr yn y cyfeiriad arall . . . Oherwydd dyna oedd pwrpas yr heol newydd: Caerdydd mewn hanner awr, Llundain mewn tair, Efrog Newydd, y byd, cyn amser te. Uchelgais yr hewl gyflym.[61]

Pwrpas yr heol hon, fel pob heol arall, yw galluogi teithio rhwng y naill fan a'r llall. Ond cyfeiriad y daith sy'n bwysig ar yr heol hon. Mae i fod i fynd â'r teithiwr i ffwrdd o'r Cymoedd tuag at ddinasoedd, oddi wrth ei gartref tuag at weddill y byd. Mae'n symbol o'r ffaith na fydd y lle yr un peth iddo ar ôl gadael. Mae Martell ei hun, sy'n frodor o Gwm Nedd, yn trafod yr heol A465 â'i pherthynas ag ardal ei fagwraeth yn ei ysgrif 'Y lôn hir o Lyn Nedd' gan ddweud 'mae'r enw'n dweud y cyfan, mewn gwirionedd, on'd yw e? *Ffordd osgoi*'.[62] Adleisir y teimlad bod heolydd yn fodd o adael y filltir sgwâr, o anwybyddu neu 'osgoi' eich gwreiddiau yn y nofel hefyd, wrth i Daniel deithio i Gaerdydd ar hyd yr A470 sydd wedi'i hadeiladu, yn ei farn ef, yn 'unswydd ar gyfer gwibio heibio [tirnodau'r Cymoedd] heb gymaint ag un edrychiad sydyn draw ar y prudd-der tawel'.[63] Yn debyg, felly, i'r ffordd y mae'r pontydd y soniwyd amdanynt eisoes i fod i wneud i'r teithiwr anghofio bod tiroedd neu wledydd yn bodoli ar y naill ben a'r llall, mae heolydd yn fodd o anwybyddu, o osgoi'r pentrefi a'r trefi sydd wrth eu hochrau, ac i Daniel, mae hynny'n golygu anghofio am ei wreiddiau.

Ond wrth deithio dros Bont Hafren ac i fyny'r A470, nid dyma'r profiadau a gaiff Daniel na Davies. Fel y crybwyllwyd eisoes, mae Daniel yn tynnu sylw at y ffaith ei fod yn gallu gweld tiroedd Cymru a Lloegr, ac mae'n tynnu sylw at bwysigrwydd y ffaith bod Davies wedi bod 'ar ei ffordd adre', yn teithio o'i fywyd newydd yng Nghaerdydd yn ôl tuag at ei deulu a'i wreiddiau, pan fu farw mewn damwain car ar yr A470.[64] Mae'r ffaith iddo farw ar ei ffordd adref yn awgrymu bod rhwystr rhyngddo ef ac adref, gan adleisio diffiniad Said o alltudiaeth fel 'the unhealable rift forced between a human being and a native place, between the self and its true home'.[65] Ac wrth deithio ar hyd yr M4 tuag at Gymru, mae Daniel yn mynd i'r cyfeiriad anghywir, fel petai, hefyd. Cofiwn iddo fanylu mai pwrpas heolydd oedd mynd â'r teithiwr i '[G]aerdydd mewn hanner awr, Llundain mewn tair, Efrog Newydd, y byd, cyn amser te'.[66] Wrth deithio o gyfeiriad Llundain i gyfeiriad Caerdydd, mae Daniel, fel Davies, yn mynd yn erbyn y llif, ac mae ef hefyd, fel ei ffrind, ar ei golled wrth wneud hynny. Ni chyll ei fywyd, ond pwysleisia'r ffaith bod rhaid iddo dalu toll ar ôl croesi'r bont, er mwyn dod i mewn i Gymru: 'Roeddech chi'n gorfod talu ar ochr Cymru nawr. Ceisiodd benderfynu a oedd hynny'n beth da neu beidio – gorfod talu i fynd mewn i'r wlad pan oeddech chi'n gallu'i gadael am ddim.'[67] Mae'r ffaith y codir toll i ddod i Gymru yn rhwystr i rywun fel Daniel rhag cyrraedd adref. Yn hynny o beth mae'r nofel yn adleisio'r hyn y mae Said yn ei ddweud am weledigaeth wrthbwyntiol yr alltud. Yn y nofel hon, mae Daniel yn pwysleisio syniadau cyferbyniol y byd-eang a'r lleol, ac mae'r cyferbyniad rhwng y ddau yn rhan ffurfiannol o'r stori. Mae Daniel yn manylu ar ddigwyddiadau, atgofion a llên gwerin y Cymoedd y mae'n ymweld â hwy, gan ddangos ei berthynas â'r ardal leol. Ond ar yr un pryd, mae diddordeb Daniel mewn diwylliannau rhyngwladol yn dod i'r golwg hefyd. Rhestra Daniel Fyodor Dostoyevsky, Victor Hugo a Paul Auster ymhlith yr awduron y mae'n eu hedmygu a chyfeiria'n gyson at Unol Daleithiau America, Efrog Newydd a cherddoriaeth jazz. Er gwaetha'r obsesiwn hwn â'r elfennau rhyngwladol, heblaw am atgof am un daith i Baris, nid yw'r naratif yn gadael ardaloedd y Cymoedd neu Gaerdydd. Er bod yna rwystrau rhag cyrraedd bro ei febyd, unwaith y cyrhaedda yno, mae'n anodd i Daniel ei gadael, ac yn anoddach iddo ei hanghofio.

Mae teithiau Daniel a Davies tuag adref yn ymddangos fel gwrthbwynt i'r teithiau a wnaethant i Gaerdydd yn ddeunaw oed i fynd i'r brifysgol. Fe'n hatgoffir hefyd o'r modd y mae mudo yn effeithio ar leoedd yn ogystal â phobl. Ar ei daith yn ôl i'r Cymoedd, noda'r adroddwr fod Daniel yn 'fwriadol am basio Caerdydd [er mwyn] mesur twf y ddinas',[68] gan dynnu sylw at y ffaith bod tirwedd a map yr ardal yn newid ac yn datblygu, a ffiniau dinasoedd a threfi'n symud, yn rhannol o ganlyniad i'r mudo a wnaeth Daniel a Davies a'u tebyg. Mae yna hefyd sawl cyfeiriad at ddaearyddiaeth a daeareg a'r haenau o graig sy'n ffurfio'r Cymoedd, a sut y mae'r rheini yn eu tro yn llunio hunaniaeth yr ardal a'i phobl:

> Daearyddiaeth. Mater o ddaearyddiaeth yw meddwl ac ymwybod, a'r hunan. Mater o ddaearyddiaeth gymharol. I'r bachgen hwnnw yn y coleg, daearyddiaeth oedd y gwahaniaeth rhwng bod yn blentyn a bod yn oedolyn ... Ac ma' Dowlais, Merthyr i un ochr, Rhymni i'r ochr arall, a'r holl bentrefi bychain eraill, i gyd yn daearyddu'u pobl yn yr un ffordd ... Mater o ddaearyddiaeth, neu ddaeareg yn fwy penodol, efallai. Strata. Haenau ... Abercynon i'r chwith. Nelson, Treharris, Aberfan i'r dde. 'Distant Drums' gan Jim Reeves oedd yn rhif un pan gwympodd y mynydd ar yr ysgol.[69]

Mae'r disgrifiad 'daearyddiaeth oedd y gwahaniaeth rhwng bod yn blentyn a bod yn oedolyn' yn cyfeirio at y ffaith bod Daniel, yn y lle cyntaf, wedi symud i Gaerdydd o'r Cymoedd er mwyn mynd i'r brifysgol, ac awgrymir bod y mudo hwn wedi achosi datblygiad yn ei hunaniaeth. Mae yma awgrym bod Daniel, trwy adael y Cymoedd yn ddeunaw, wedi osgoi'r homogenedd y mae'r Cymoedd yn ei orfodi ar eu pobl, y modd y maent yn eu 'daearyddu ... yn yr un ffordd'. Adleisir hyn gan y cyfeiriad at ddaeareg, gwyddor sy'n astudio'r graig, gan fod craig yn ymddangos yn fonolithig, yn ddigyfnewid. Ond mae'r sôn am strata a haenau yn ein hatgoffa nad yw hynny o reidrwydd yn wir gan fod gwahanol haenau yn creu'r graig. Adlewyrchir hynny yn hunaniaeth Daniel sy'n gyfuniad o wahanol ddylanwadau, o wahanol haenau.

Rhywbeth arall sy'n symud yn y nofel yw'r iaith Gymraeg, gan ychwanegu haen newydd at graig yr ardal. Mae Daniel yn cofio hanes diwydiannol y Cymoedd a'r modd y pwysleisir anghyfiawnderau'r hanes hwn gan ei dad:

> Cyfarthfa, y gweithiau haearn, y pyllau glo, ffatri Hoover. Roedd fy nhad yn arfer rhestru'r anghyfiawnderau – yn trio gwneud sosialwyr pybyr ohonon ni cyn ein bod ni'n ddeg oed. Yr Arglwydd Crawshay, Dic Penderyn, aeth i'w grogi tua'r cyfnod hwn, canol Awst ym 1831, amgylchiadau gweithio dan ddaear, streic y glowyr a'r miloedd mewn argyfwng. Ac Aberfan, wrth gwrs.[70]

Mae'r hanes y mae ei dad yn ei gynnig i Daniel yn ymddangos fel rhyw fath o fetanaratif monolithig. Mae'r ffaith ei fod yn gorffen â chyfeiriad at Aberfan yn ei gysylltu â'r disgrifiad o'r graig uchod, gan gadarnhau sefydlogrwydd ymddangosiadol yr hanes hwn. Gellir dadlau bod yr hanes hwn o ddiwydiannu yn olrhain hanes twf yr iaith Saesneg yn yr ardal hefyd, yn ogystal â hanes ymfudo i'r ardal o wahanol ardaloedd o Gymru a Phrydain, ac allfudo yn y cyfnod ôl-ddiwydiannol. Ategir hyn gan yr awgrym bod Daniel wedi'i fagu ar aelwyd Saesneg ei hiaith. Wrth hel atgofion am ei dad yn adrodd hanes y cwm iddo ef a Davies, disgrifia'i dad yn siarad Saesneg – 'now then Robert [sef Davies], do you know the story of Dic Penderyn'.[71] Ond mae stori Daniel am ddychwelyd i'r cwm yn adleisio'r modd y mae'r Gymraeg yn dychwelyd i'r ardal hefyd, ar wefusau pobl fel Davies ac ef. Noda Daniel Williams mewn ymdriniaeth â'r nofel: '[b]ydd angen creu realaethau newydd wrth inni greu ac ail-greu Cymreictod. Yn y cyswllt hwn hwyrach nad cyd-ddigwyddiad yw'r ffaith i *Dyn yr Eiliad* gael ei lleoli a'i hysgrifennu yn yr ardaloedd hynny sy'n gweld y Gymraeg yn adfywio.'[72] Mae'r portread a geir yma o symudiad pobl ac iaith yn esgor ar Drydydd Gofod lle y mae hunaniaeth y bobl a'r ardal, fel haenau'r graig, yn datblygu ac yn newid.

'"Bryneichwr" amdani': croesi ffiniau daearyddol, ieithyddol a llenyddol yn Cyffesion Geordie Oddi Cartref

Mae croesi'r ffin â Lloegr a hanes newidiol Cymru yn destunau y mae Tony Bianchi yn eu harchwilio yn ei gyfrol o straeon lled-hunangofiannol, *Cyffesion Geordie Oddi Cartref*. Mae enw'r gyfrol yn cyfeirio at yr hunaniaethau amrywiol y mae'n rhaid i'r Bianchi a bortreedir rhwng ei chloriau eu negodi. Mae'n bodoli rhwng yr hunaniaethau hyn, gan adleisio yr hyn a ddywed Bhabha a Said am safbwynt y mudwr neu'r alltud. Mae 'cyffesion' yn cyfeirio at ei wreiddiau Catholig, 'Geordie' at ei fagwraeth yng ngogledd-ddwyrain Lloegr, ac 'oddi cartref' at y cyfnod sylweddol o'i fywyd y mae wedi'i dreulio yng Nghymru. Mae'r geiriau 'oddi cartref' yn nheitl y casgliad yn awgrymog – mae'r straeon yn archwilio sut beth yw cartref, yn enwedig o safbwynt y mudwr. Roedd Bianchi ei hun, fel prif gymeriad ei straeon, yn dod yn wreiddiol o North Shields ger Newcastle, dysgodd Gymraeg pan oedd yn fyfyriwr, a chyn ei farwolaeth annhymig yn 2017, roedd yn byw yng Nghaerdydd lle yr oedd yn siarad yr iaith, ac yn llenydda ynddi (yn ogystal ag ysgrifennu'n Saesneg). Un o brif ystyriaethau Bianchi, fel yr awgryma y dyfyniad ganddo a drafodwyd eisoes yn y bennod hon, oedd pwy sydd y 'tu mewn' a phwy sydd y 'tu allan' i Gymru, ac eto roedd ef ei hun yn cymhlethu'r drefn honno. Fel Sais, mae'n debyg mai ar y tu allan y byddai, ond fel siaradwr Cymraeg, byddai'n sicr o fod ar y tu mewn. Ond roedd ef ei hun yn ymwrthod â chael ei labelu'n Gymro mewn modd syml.

Mae cymeriad Bianchi yn ei gyfrol i'w weld weithiau fel petai'n ymhyfrydu yn y cymhlethdod hwn. Yn y stori 'Cyfraith, Trefn a Chrefft Sbenglyna', er enghraifft, ar ôl iddo ef a'i ffrindiau gael eu galw'n 'f...ing Welshy c..ts' gan feddwyn wrth iddynt brotestio'n Gymraeg ar strydoedd Caerdydd, gwaedda'n ôl 'I'm not a f...ing Welshy c..t [...] I'm a f...ing English c..t!' gan fwynhau drysu'r meddwyn yn fwy.[73] Mae cymeriad Bianchi yn meddu ar yr hyn a elwir gan Bhabha yn 'the uncanny fluency of another's language', ac mae ei feistrolaeth o'r Gymraeg yn golygu ei fod yn ymddangos fel rhywun sy'n dod o Gymru.[74] Fel yn nofel Catrin Dafydd, *Y Tiwniwr Piano*, a drafodwyd yn y bennod ddiwethaf, y diffyg cyfatebiaeth uniongyrchol rhwng 'Welsh' a 'Cymraeg' neu 'Cymreig' sy'n creu'r dryswch yma. Mae cymeriad Bianchi yn sicr yn 'Gymraeg' ond ymwrthoda â'r label 'Welshy', a roddwyd iddo ar sail yr hunaniaeth ieithyddol honno, oherwydd nid yw'n 'Gymreig', nid yw'n arddel Cymreictod fel ei hunaniaeth genedlaethol. Yn ogystal â datgysylltu'r berthynas rhwng Cymreictod a'r iaith Gymraeg, felly, mae'r olygfa hon yn dangos sut y mae tensiynau ieithyddol fel y rhain yn gallu agor gofodau er mwyn herio syniadau hanfodaidd am hunaniaeth, yn hytrach na'u hailadrodd yn unig.

Yn hynny o beth, mae'r gyfrol yn archwilio'r berthynas rhwng yr iaith Gymraeg a hunaniaeth genedlaethol Gymreig. Mae'r straeon yn cwestiynu a yw hi'n bosib bod 'oddi cartref' fel siaradwr Cymraeg yng Nghymru. I raddau, yn achos Tony Bianchi, 'ydy' yw'r ateb. Mae ei gyfrol yn dangos nad y Gymru sydd ohoni heddiw yw cartref gwreiddiol llenyddiaeth hynaf y Gymraeg – yn Northumberland, ardal magwraeth Bianchi, neu ardal ehangach yr Hen Ogledd, y cyfansoddwyd gweithiau hynaf y traddodiad llenyddol Cymraeg ac, fel mae'n digwydd, rhai o weithiau hynaf y traddodiad Eingl-Sacsonaidd hefyd. Trwy ei 'alltudiaeth' ei hun yng Nghymru, mae Bianchi yn awgrymu bod Cymru a'r Gymraeg wedi'u halltudio hefyd o'u gwreiddiau ieithyddol. Yn y stori 'Neges o Frynaich' yr archwilir hyn fwyaf trylwyr, lle y mae cymeriad Bianchi yn llunio hunaniaeth amgen iddo'i hun, 'Bryneichwr', sy'n caniatáu iddo archwilio sut y mae'n perthyn i Gymru a Lloegr, ac yn alltud ohonynt ar yr un pryd. Wrth arbrofi â'r hunaniaeth newydd hon a ffurf a thraethiad y stori, mae stori Bianchi yn cynnig sylwadau ar un o'i hunaniaethau eraill – ei hunaniaeth fel awdur – yn ogystal ag archwilio sut y mae llenyddiaeth yn cynnig gofod i'w hunaniaethau Cymreig a Seisnig pegynol gyd-fyw.

Yn y stori hon, mae cymeriad Bianchi newydd gael ei urddo i Orsedd Beirdd Ynys Prydain, ac mae'n dewis iddo'i hun yr enw gorseddol 'Bryneichwr'. Oherwydd y dewis hwn, caiff Bianchi wahoddiad oddi wrth fenyw o'r enw Rhieinfellt i annerch 'Cymdeithas Penn yr Afar' a elwir hefyd yn 'The Goat's Heed Society' y tu allan i Newcastle.[75] Enw tref Gateshead, ger Newcastle, oedd Goat's Head yn hanesyddol – mae'r enw hwnnw yn dod o'r Lladin 'Ad Caput Caprae', a'r enw hwnnw yn dod o enw Celtaidd blaenorol.[76] Mae'r enw ei hun, felly, yn ein hatgoffa o hanes ac etifeddiaeth ieithyddol gymhleth yr ardal. Ymdebyga enw Gateshead i'r mynyddoedd yn nofel Owen Martell, gan eu bod ill dau'n dangos sut y mae hunaniaeth yr ardaloedd y perthynant iddynt yn gyfuniad o wahanol haenau a dylanwadau. Derbynia Bianchi y gwahoddiad, ac ar y daith y mae'n gweld rhai o arferion rhyfedd y gymdeithas. Mae'r gwahoddiad o ogledd Lloegr a thaith y cymeriad yno yn ein hatgoffa nad Bianchi yn unig sydd wedi symud; mae'r Gymraeg a'i thiriogaeth wedi newid ar hyd hanes. Dyma ardal yr Hen Ogledd, a oedd wedi'i rhannu'n nifer o deyrnasoedd Brythonaidd, Brynaich yn eu plith, lle y siaredid ffurf gynnar ar y Gymraeg, tan i'r Eingl-Sacsoniaid ddechrau gorchfygu'r tiroedd, a chafodd y Gymraeg ei dadleoli gan ffurf gynnar ar y Saesneg. Mae rhai o destunau hynaf y canon llenyddol Cymreig, megis *Y Gododdin*, wedi'u cysylltu â'r ardal. Ond fel mae'n digwydd, mae'r ardal yn un bwysig yn hanes llenyddiaeth Lloegr hefyd. Roedd yn gartref i'r bardd Caedmon, er enghraifft, y bardd Saesneg cynharaf y gwyddom ei enw.

Mae'r enw 'Bryneichwr', felly, yn fwy na chyfeiriad at fan ei eni a'i fagwraeth, fel y ceir yn aml mewn enwau barddol. Mae'n arddangos ei berthynas â Chymru a Lloegr fel ei gilydd. Mae hefyd yn hunaniaeth lenyddol, nid yn unig oherwydd ei fod yn enw barddol, ond oherwydd ei fod yn cyfeirio at wreiddiau'r traddodiadau llenyddol Cymreig a Seisnig. Yn y stori mae cymeriad Bianchi yn falch o'i ddyfeisgarwch wrth ddewis yr enw, ond y mae hefyd yn ymwybodol o'i annidwylledd. Cawn wybod ei fod wedi gwrthod yr enwau 'Antwn o Bontcanna' ac 'Yr Eidalwr Dwl', gan farnu bod 'Bryneichwr' yn 'fwy "dilys". Yn fwy clyfar.'[77] Mae clyfrwch yr enw i'w ganfod yn ei ddilysrwydd ymddangosiadol. Trwy hawlio hunaniaeth sy'n ei gysylltu â'r Hen Ogledd, mae cymeriad Bianchi rywsut yn awgrymu ei fod ef, dyn a aned yn Lloegr, yn fwy Cymreig na'i gyd-dderwyddon a aned (nifer helaeth ohonynt, beth bynnag) yn y Gymru fodern. Fe ymddengys ei fod yn hawlio hunaniaeth fel Cymro. Ond y mae'n ymwybodol hefyd o ba mor ffals yw ei hunaniaeth fel 'Bryneichwr'. Dywed:

> 'Bryneichwr' amdani felly. Oherwydd, onid un o Frynaich oeddwn i? A ffei ar bawb a feiddiai feddwl fel arall! Heb ystyried ar y pryd, wrth gwrs, mai hwnnw oedd y dewis mwyaf ffuantus o'r cwbl. Waeth pwy, yn enw pob rheswm allai hawlio gwreiddiau mewn gwlad a oedd wedi peidio â bod fileniwm a hanner yn ôl?[78]

Mae 'Bryneichwr' yn masgio ei hunaniaeth Seisnig, gan fod teyrnas Brynaich wedi darfod a chan fod ei thiroedd bellach yn ffurfio rhan o Loegr. Mae'r enw'n glyfar, felly, nid yn unig oherwydd ei fod yn cadarnhau ac yn sicrhau ei hunaniaeth Gymreig, ond mae'n caniatáu iddo gyfeirio'n gyfrwys at ei hunaniaeth Seisnig hefyd. Ond mae'r modd doniol y tanseilir yr enw 'Bryneichwr' yma hefyd yn tanseilio hanes llenyddiaeth Gymreig, sydd, fel Bianchi yma, yn 'hawlio gwreiddiau mewn gwlad a oedd wedi peidio â bod fileniwm a hanner yn ôl'.[79] Yn hynny o beth, felly, mae Bianchi a Chymru fel ei gilydd yn profi'r hyn a elwir gan Said yn 'unhealable rift between the self and its true home' – mae Bianchi'n alltud o hanes Cymreig ei Northumberland enedigol, ac mae Cymru'n alltud o wreiddiau ei thraddodiad llenyddol.

Cefnogir yr alltudiaeth ddeuol hon gan y naratif sy'n fframio'r stori, sy'n digwydd yn hen lyfrgell dros dro Caerdydd. Yn yr un modd ag y mae'r teulu Gauci yn ddigartref yn *The Hiding Place*, llyfrau sy'n ddigartref yma, gan fod llyfrgell Caerdydd yn aros adeilad newydd. Disgrifia Bianchi sut y saif 'yn y llyfrgell "dros dro" yn John Street: honglad concrit dienaid sy'n llenwi bwlch nes bod yr adeilad newydd yn barod. Ac nid yn y prif honglad, hyd yn oed, ond yn yr estyniad – oherwydd yno y cedwir y llyfrau Cymraeg.'[80] Y llyfrau Cymraeg sy'n dioddef y digartrefedd mwyaf, felly, gan eu bod wedi'u hesgymuno o brif adeilad y llyfrgell. Mae hynny'n debyg i sut y mae'r stori'n ein hatgoffa ni o hanes y Gymraeg ei hun – siaredir hen ffurf ar yr iaith mor bell i ffwrdd â gogledd Lloegr a de'r Alban, ond bellach (oddi mewn i ffiniau Prydain, o leiaf) fe'i defnyddir yn helaeth yng Nghymru yn unig – yr estyniad daearyddol ar ochr Lloegr, fel yr estyniad ar ochr y llyfrgell. Diddorol hefyd yw nodi bod 'darllenwyr Mwslimaidd ifainc' yn defnyddio'r ystafell i weddïo gan ei bod hi'n dawel yno.[81] Mae cymunedau lleiafrifol wedi'u gwthio i'r naill ochr yma ac at ei gilydd hefyd. Mae'r olygfa fel petai'n cadarnhau'r ymdeimlad o aralledd ac alltudiaeth, gan dynnu sylw hefyd at ystyriaethau ynglŷn â phwy sy'n perthyn neu beidio, a'r modd y mae rhai wedi'u hamddifadu o ofod lle y gallant fynegi eu hunaniaeth.

Ond mae cymeriad Bianchi hefyd yn alltud o'i wreiddiau Seisnig. Gwelir hyn wrth iddo groesi'r ffin a chyrraedd Newcastle. Nid yw'n adnabod symbolau o hanes Eingl-Sacsonaidd yr ardal o gwbl, gan arddangos unwaith eto'r hyn a elwir gan Said yn 'unhealable rift between a human being and a native place'. Daw hyn i'r amlwg wrth iddo fethu ag adnabod baner St Oswald, brenin Northumbria yn y seithfed ganrif. Caiff ei gywiro'n sydyn gan ei dywysydd, dyn sy'n ei alw ei hun yn 'Caedmon' (ar ôl y bardd cynnar) wrth weithio i Gymdeithas Penn yr Afar:

> [Roedd] cyfran sylweddol o'r ceir ar y ffordd yn arddangos yr un sticer ar eu cistiau: sticer streipïog coch a melyn . . . yn fy anwybodaeth tybiwn fod llu o Gatalaniaid wedi dylifo i'r sir i gael dianc o boethder annioddefol eu cynefin hwythau . . .
>
> Ond na. Y fi oedd yn cyfeiliorni. *'That's wors, man'*, meddai Caedmon. *'Oswald's flag'* . . .
>
> *'But ye knaa that aalready, divvent ye'*, meddai Caedmon, ond heb gymaint o argyhoeddiad y tro hwn.
>
> *'Oh aye'*, meddwn i. *'Of course, Oswald'*. A mynd i hel esgusodion. *'Me eyes, y'see. Me eyes.'*[82]

Y cyfeiriad at ei lygaid sydd fwyaf diddorol yma. Mae gweld baner Oswald fel baner Catalwnia yn awgrymu bod cymeriad Bianchi yn gweld yr ardal a threm 'Gymraeg', trwy lens cymuned leiafrifol. Mae'r ffaith ei fod yn cael ei dywys o gwmpas yr ardal gan ddyn a enwyd ar ôl y bardd

Saesneg cynharaf yn awgrymu bod angen iddo ymgyfarwyddo â hanes ac etifeddiaeth lenyddol Seisnig yr ardal. Cefnogir hyn yn nes ymlaen pan ddywed '[g]welai [Caedmon] bethau na welwn i'.[83] Unwaith eto, yn ogystal â chreu ansicrwydd ynglŷn â'i hunaniaeth ei hun, mae hunaniaeth Bianchi yn ansefydlogi hanes llenyddiaeth Gymraeg, gan ei fod yn pwysleisio presenoldeb naratif hanes Seisnig a llenyddiaeth Saesneg sy'n cyd-fyw ag ef, ac yn tarddu o'r un lle. Gellid darllen ei gyfeiriadaeth at 'my eyes' fel 'my "Is"' hefyd – ei wahanol hunaniaethau neu bersonoliaethau – sy'n rhoi'r argraff ei fod yn gallu bod yn berson gwahanol, yn ddibynnol ar ba iaith y mae'n ei siarad ar y pryd. Atega hyn oll at y syniad bod hunaniaeth yn beth llithrig neu ansefydlog.

Terfir ar hanes yn gyffredinol a threigl amser cronolegol yn y stori. Mae ffigwr Caedmon yn un amwys – ai'r bardd Eingl-Sacsonaidd ei hun yw hwn, sydd wedi dychwelyd o'r gorffennol er mwyn helpu cymeriad Bianchi i ailgysylltu â hanes Northumberland? Oherwydd y ddyfais fframio nid stori unionlin yw hon. Ymyrrir ag amser cronolegol, sy'n ei gwneud yn bosib amgyffred bod Caedmon yn gallu croesi'r ffin rhwng y gorffennol a'r presennol. Gellid dadlau bod y stori hon, mewn sawl ffordd, yn perthyn i *genre* realaeth hudol (*magical realism*). Wrth geisio diffinio'r *genre* hwn, noda'r beirniad llenyddol Wendy B. Farris, 'these fictions disturb received ideas about time, space and identity'.[84] Mae hyn yn wir am 'Neges o Frynaich', lle y mae'r gorffennol a'r presennol yn llifo i'w gilydd, lle mae tiriogaeth Brynaich yn cael ei hystyried yn dir Cymreig a Seisnig, a lle mae hunaniaethau, fel un Bianchi, yn ymddangos yn amwys. Mae hunaniaeth y testun ei hun fel realaeth hudol, neu hyd yn oed fel ffuglen yn cael ei herio gan y naws hunangofiannol, yn ogystal â'r defnydd o droednodiadau. Mae hyn yn creu hollt rhwng digwyddiadau dirgel y stori ac awydd y storïwr i esbonio nifer o fanylion yn drylwyr. Yn yr ystyr hwn, mae'r ffuglennol a'r ffeithiol yn uno yn y stori hon. Awgryma Farris fod 'the closeness or near merging of two realms, two worlds, [is] another aspect of magical realism'.[85] Mae nifer o fydoedd yn dod at ei gilydd yn y stori hon: mae ffigwr Caedmon yn cysylltu'r gorffennol a'r presennol, fel y mae Cymdeithas Penn yr Afar a'i hymdrechion i ailgysylltu â'i chyndeidiau Eingl-Sacsonaidd a Brythonaidd; mae cymeriad Bianchi ei hun yn cyfuno hunaniaethau Cymreig a Seisnig wrth gymryd yr enw 'Bryneichwr'; ac mae tir Brynaich yn frith o dreftadaeth dwy wlad a dwy iaith. Mae gan gymeriadau a gofodau'r stori fel ei gilydd hunaniaethau amwys.

Mae Brynaich yn ymddangos fel gofod sy'n cael ei rhannu hefyd. Gan anwybyddu'r brwydrau a fu rhwng y ddwy ochr, mae Cymdeithas Penn yr Afar yn cofio'r adegau hynny pan oedd eu cyndeidiau Cymraeg a

Saesneg eu hiaith yn cyd-fyw'n heddychlon. Fe'n hatgoffir bod yr ardal wedi cael ei phasio o ddwylo'r Brythoniaid i'r Sacsoniaid, fod ffiniau tiriogaethau llwythi, cenhedloedd ac ieithoedd wedi symud, ond parha Caedmon i fynnu yn ei acen Geordie, *'That's wors, man.'*[86] Mae Caedmon yn teimlo ei fod yn perthyn i'r ddau ddiwylliant, ac wedi etifeddu rhywbeth oddi wrth y naill a'r llall. Pwysleisia hefyd sut yr oedd y ddwy genedl yn byw'n gytûn ochr yn ochr â'i gilydd:

> yno, o'r golwg, meddai, y gorweddent – yr Eingl a'r Cymry gyda'i gilydd, fel y buont yn byw am ychydig flynyddoedd, dan yr un haul, ar yr un erwau llwm. Pawb yn gorwedd mewn perffaith hedd, ac yn eu cwrcwd hefyd, a hynny'n profi'r peth, meddai Caedmon. Yn profi eu bod nhw'n cyd-fyw, yn cyd-farw, yn cyd-gladdu. Am sbel, o leiaf. Ac yn medru'r ddwy iaith hefyd.[87]

Mae'n ddiddorol nodi y dywed Caedmon fod yr olygfa hon 'o'r golwg', gan fod y gymdeithas yn ceisio dod â'r hanes hwn sy'n cuddio o dan y pridd i'r golwg, gan efelychu eu cyndeidiau meirw trwy orwedd yn eu cwrcwd ar y llawr:

> gorweddodd pawb ym mynwes y grug ... Gorwedd ar eu hochr, yn eu cwrcwd...
>
> 'Wyf Gospadric,' meddai un wrth y grug. 'Gwae fy llaw a drawodd fy arglwydd.'
>
> 'Wyf Gososwald,' meddai un arall wrth y cerrig. 'Gwae fy llaw a drawodd fy arglwydd.'
>
> 'Wyf Goscubrycht,' meddai trydydd wrth y pridd. 'Gwae fy llaw a drawodd fy arglwydd.'
>
> 'Ymhlith pridd a'm cyndeidiau, gwae fy llaw a drawodd fy nghefnder,' meddai Caedmon.[88]

Maent fel petaent yn ceisio closio at eu cyndeidiau, gan ffurfio perthynas agosach â hen hunaniaeth a diwylliant y fro, a'r tir ei hun. Trwy orwedd ar eu hochrau yn eu cwrcwd, maent yn ymdebygu i gyrff meirw ac yn ein hatgoffa o hanes y cyndeidiau heddychlon hynny sydd wedi'u claddu yn y pridd. Cyflwynir un dirgelwch arall am Caedmon yma: mae'n siarad Cymraeg. Mae Caedmon, fel siaradwr Cymraeg ac fel ymgnawdoliad o fardd Saesneg, yn ei gynnig ei hun fel model i gymeriad Bianchi ei ddilyn. Awgrymir hyn yn enwedig wrth i Caedmon ofyn iddo ailadrodd y weithred o orwedd yn ei gwrcwd a chofio'r cyndeidiau hyn.[89]

Ceidw Bianchi ei addewid, ac ar ddiwedd y stori, yn ôl yn y llyfrgell yn y presennol, yn yr estyniad lle y cedwir y llyfrau Cymraeg, arhosa'n amyneddgar i'r Mwslim ifanc orffen ei weddi, er mwyn iddo yntau gael cyflawni ei ddefod. Gorwedda yn ei gwrcwd ar y llawr gan adrodd y geiriau '[w]yf Fryneichwr ... Gwae fy llaw, y ffawd a syrthiodd im'.[90] Mae'r ffocws yma ar ei 'law' yn tynnu sylw at ei statws fel awdur. O ystyried mai enw barddol yw Bryneichwr, efallai'r ffawd y cyfeiria ato yw'r ffaith y tynghedwyd ef i fod yn awdur – wedi'r cwbl, oherwydd ei fagwraeth yn Northumberland mae'n etifedd i hanes llenyddiaeth Gymraeg a Saesneg. Ond mae tôn anesmwyth ei eiriau yn awgrymu nad yw'r ffawd y cyfeiria ati yn un y mae'n ei chroesawu. Gellid dadlau bod cymeriad Bianchi yn teimlo mai fel awdur a thrwy ei lenyddiaeth yn unig y gall gyfuno ei hunaniaethau Cymraeg a Saesneg – trwy greu bydoedd ffuglennol, dirgel, megis Brynaich yma, lle y mae'r ffiniau rhwng y gorffennol a'r presennol, ffaith a ffuglen, a hefyd Cymru a Lloegr yn pylu. Mewn byd ffuglennol yn unig y gall berthyn i Gymru a Lloegr, oherwydd yn y byd go iawn mae'r rhaniadau rhwng pwy sydd y 'tu mewn' a phwy sydd y 'tu allan' yn hollbresennol, fel y mae alltudiaeth y llyfrau Cymraeg a'r bachgen Mwslimaidd yn ei dangos.

Er gwaethaf goblygiadau lled negyddol y dehongliad hwn, mae'r hiwmor yn stori Bianchi yn cyferbynnu'n llwyr â darlun torcalonnus Said o fywyd yr alltud, neu'r portread o fywyd llwm a digysur y teulu Gauci yn nofel Azzopardi. Ceir yn y nofelau a'r straeon a archwiliwyd yn y bennod hon, felly, ganlyniadau cadarnhaol a negyddol i fudo. Mae rhai o gymeriadau *Gifted* a *The Hiding Place* yn dioddef hiliaeth a rhagfarn, er enghraifft. Ond yn achos cymeriadau Bianchi a Martell mae mudo yn broses greadigol sy'n chwalu ffiniau a therfynau hunaniaeth. Ond yr hyn sydd gan bob un o'r nofelau yn gyffredin yw bod eu portreadau o'r broses o fudo neu groesi ffiniau yn dangos sut y mae Cymru yn ofod sy'n newid, 'gwlad [sydd] wedi peidio â bod' ar un wedd, ond sy'n prysur greu syniadau newydd am Gymreictod. Mae *The Hiding Place* yn cyfosod hanes y teulu Gauci yn Tiger Bay y 1960au â'i hanes yn y 1990au hwyr, ac mae'r symud yn ôl ac ymlaen yn dangos sut y mae'r ardal hon wedi newid dros amser. Mae croesi ffiniau a theithio yn *Gifted* yn ein hatgoffa o rôl newidiol Cymru yn yr Ymerodraeth Brydeinig, a sut y mae'r genedl wedi dioddef gormes, ac wedi peri gormes i eraill. Mae taith Daniel yn *Dyn yr Eiliad* yn ôl i Gymru yn dangos sut y mae ardal y Cymoedd wedi newid dros amser, a sut y mae perthynas y Gymraeg a'r Saesneg yno'n newid hefyd. Ac mae stori Bianchi yn ein hatgoffa o sut y mae lleoliad y Gymraeg wedi newid dros fileniwm a hanner. Mae hunaniaeth y genedl a'r hunaniaethau personol a bortreedir yn y testunau hyn yn wrthbwyntiol, chwedl Said – cânt eu llunio yn wyneb atgofion, digwyddiadau neu hanesion sydd eisoes wedi digwydd, mewn gwahanol leoliadau, neu mewn un lleoliad ar adegau gwahanol. Er i Said ddisgrifio ymwybyddiaeth wrthbwyntiol yr alltud gan ddweud 'the new and the old environments are vivid, actual, occuring together contrapuntally', mae'r testunau hyn hefyd yn myfyrio ar newidiadau i un lleoliad. Er eu bod yn amlwg yn archwilio gwahanol leoliadau wrth i'r cymeriadau fudo, mae'r testunau a drafodwyd yn y bennod hon yn archwilio hefyd sut y mae'r cysyniad o Gymru wedi newid dros amser, a sut y mae hynny'n ein goleuo ynglŷn â hunaniaethau'r cymeriadau. Mae'r newidiadau hyn yn gallu bod yn rhai sy'n ymddangos yn negyddol o safbwynt amrywiaeth ddiwylliannol, megis lleihau ar beuoedd y Gymraeg yn stori Bianchi, neu chwalu rhannau o gymunedau amlethnig Tiger Bay yn *The Hiding Place*. Ond maent yn awgrymu hefyd nad yw Cymru yn ofod statig, ac nid yw hunaniaeth Gymreig yn rhywbeth monolithig. Mae mudo'r cymeriadau hyn a'u hymgais i ddiffinio'u hunaniaeth mewn perthynas â hanes Cymru yn dangos sut y gall yr hunaniaeth Gymreig gael ei haddasu er mwyn cynnwys nifer o wahanol agweddau, gan adleisio sylwadau Bhabha am y Trydydd Gofod – 'the same signs can be appropriated, translated, re-historicized and read anew'.[91]

Casgliadau a Dechreuadau: Y Ddalen 'Wen'

Trafodwyd yn y bennod ddiwethaf sut y mae'r stori 'Neges o Frynaich' gan Tony Bianchi yn awgrymu mai ymhlith llyfrau neu yn y byd llenyddol, yn hytrach nag yn y byd go iawn, y gall hunaniaethau cymhleth fodoli. Mae llenyddiaeth yn cynnig rhyw fath o Drydydd Gofod, rhyw 'ddalen wen' llythrennol a diarhebol lle y mae cymeriadau'r stori yn gallu goresgyn y pegynau sy'n eu rhwystro rhag perthyn i'r byd gwirioneddol. Yma, tynnir casgliadau ynghyd, gan ystyried yr hyn a ddywed y trafodaethau hyn wrthym am y berthynas rhwng y portread o amlddiwylliannedd yng Nghymru mewn ffuglen a'i bresenoldeb yn y Gymru sydd ohoni mewn gwirionedd. Bydd yn ystyried i ba raddau y mae'r ffuglen a drafodwyd yma yn cynnig dull mwy creadigol o drafod amlddiwylliannedd yng Nghymru nag y mae trafodaethau academaidd, cymdeithasegol, tra bydd hefyd yn pwysleisio rhai materion sy'n hollbwysig os ydym am ddatblygu cymdeithas a chenedl gynhwysol. Yn fwy na hynny, bydd yn cynnig sylwadau am y berthynas rhwng llenyddiaeth Gymraeg a Saesneg Cymru, gan awgrymu bod ganddynt fwy yn gyffredin nag y byddai'r duedd i'w trin a'u trafod ar wahân yn ei hawgrymu. Bydd yn dod i gasgliad ynglŷn â sut y mae pwyslais y ffuglen a ddehonglwyd yma ar beidio â phegynu, a'r modd y mae'r astudiaeth hon yn dehongli ffuglen yn y Gymraeg a'r Saesneg fel ei gilydd, yn cynnig heriau i'r Gymru sydd ohoni heddiw, ond hefyd yn awgrymu defnyddioldeb syniadau am hybridedd a synergedd i greu cenedl gynhwysol.

Creadigol

Bron nad oes angen crybwyll bod ffuglen, neu lenyddiaeth o unrhyw fath, yn gallu cynnig darlun creadigol o'r byd. Ond fel yr awgrymwyd eisoes yma, yr hyn sy'n ddiddorol am y corff o ffuglen sydd dan sylw yw ei fod yn ymateb i amlddiwylliannedd yng Nghymru mewn ffordd fwy creadigol nag astudiaethau cymdeithasegol ar y pwnc. Er bod rhai o'r astudiaethau hyn yn ystyried bod amrywiaeth o ffactorau yn rhwystro amlddiwylliannedd, mae'r ffuglen a ddehonglwyd yma yn defnyddio'r rhwystrau hyn er mwyn archwilio amlddiwylliannedd yn ei holl gymhlethdod yng Nghymru. Mae gwaith Charlotte Williams yn gweld tensiynau rhwng yr iaith Gymraeg a'r Saesneg yng Nghymru fel rhywbeth sy'n gwthio ystyriaethau ehangach am amlddiwylliannedd o'r neilltu, ond mae rhai o'r testunau a ddadansoddwyd yma yn eu defnyddio er mwyn cynnal trafodaeth ar faterion yn ymwneud ag amlddiwylliannedd. Trwy roi sylw i'r berthynas rhwng y Gymraeg a'r Saesneg, er enghraifft, mae *Y Tiwniwr Piano* yn archwilio materion ynglŷn â pha iaith y dylai mewnfudwyr ei dysgu, yn ogystal â sylwebu ar y cyswllt rhwng iaith a pherthyn yng Nghymru. Er bod Williams a'i chyd-olygyddion wrth baratoi'r gyfrol *A Tolerant Nation?*, Neil Evans a Paul O'Leary, yn awgrymu bod angen edrych y tu hwnt i hanes trefedigaethol Cymru er mwyn meddwl mewn ffyrdd mwy blaengar am amlddiwylliannedd, mae testun megis *Gifted* gan Nikita Lalwani, er enghraifft, yn defnyddio hanes imperialaidd a threfedigaethol Cymru, a'i pherthynas â Lloegr a Phrydain er mwyn archwilio hunaniaeth teulu o fewnfudwyr o India i Gymru mewn modd sensitif sy'n gweld tebygrwydd a gwahaniaeth rhwng eu sefyllfa hwy a'r Cymry y maent yn byw yn eu plith.

Mae'r beirniad llenyddol Pascale Casanova yn ei chyfrol *The World Republic of Letters* (*La République Mondiale des Lettres*, 1999, a gyfieithwyd i'r Saesneg yn 2004) yn cynnig model ar gyfer deall sut y mae llenyddiaeth ar draws y byd yn cael ei chynhyrchu, ei hyrwyddo, ei darllen a'i gwerthfawrogi. Esbonia hefyd sut y mae rhai gweithiau neu awduron yn llwyddo i oresgyn eu perthynas â gwledydd neu ddiwylliannau ymylol a chael eu cydnabod yn fyd-eang, yn ogystal â nodi bod rhai yn methu â gwneud hyn oherwydd eu bod wedi'u dominyddu gan ddiwylliannau mwy. Mae'r hyn a ddywed Casanova am y berthynas rhwng llenyddiaeth a'r byd go iawn yn ddefnyddiol yng nghyd-destun y drafodaeth a geir yma. Mae Casanova yn tynnu ar waith Roland Barthes er mwyn dadlau y lluniwyd y byd go iawn a'r byd llenyddol fel bydoedd anghymesur.[1] Gan ddyfynnu Barthes, dywed Casanova: 'Barthes spoke of two continents: "On the one hand the world, with its profusion of facts, political, social, economic, ideological; and on the other the work, apparently solitary, always ambiguous, since it lends itself to several meanings *at the same time* ...".'[2] Ond â Casanova ymlaen i ddadlau bod y ddau fyd yn fwy agos nag y tybir. Dywed:

> The obstacle, usually thought to be insurmountable, to establishing a link between these two universes is the one mentioned by Barthes, namely

> geography. But it is above all time. Theorists and historians of literature maintain that literary forms do not change with the same rhythm; they are subject to 'another temporality' ... that is irreducible to the chronology of the ordinary world. But in fact it appears possible ... to describe instead the ways in which literary time comes into existence, which is to say a world that is structured according to its own laws, its specific geography and chronology. This world is quite separate from the ordinary world, but it is only relatively autonomous, only relatively independent of it – which is to say, by the same token, *relatively dependent* upon it.[3]

Yn ôl Casanova, mae gan y byd llenyddol annibyniaeth ar y byd go iawn, ond mae'n ddibynnol arno hefyd, felly.

Adlewyrchir y berthynas rhwng llenyddiaeth a'r byd go iawn a wêl Casanova yn y testunau ffuglennol a drafodwyd yma, a'u portread o amlddiwylliannedd ac aralledd yng Nghymru. Mewn ffyrdd amrywiol maent yn adlewyrchu'r heriau sy'n wynebu'r genedl wrth iddi geisio ymateb i'r gwahanol gymunedau diwylliannol sy'n byw yno. Ond mae cyfrwng ffuglen yn caniatáu i'r awduron ymateb mewn modd mwy creadigol i'r heriau hyn heb anwybyddu'r modd y mae'r heriau yn effeithio ar y Gymru sydd ohoni. Ac mae cymeriadau'r ffuglen dan sylw yn gwneud yr un fath hefyd trwy ganfod gofodau synergaidd lle y gallant greu ac ail-greu hunaniaethau.

Rhyngieithol

Yn yr ymgais hon i greu model newydd ar gyfer archwilio amlddiwylliannedd yng Nghymru, trinnir a thrafodir ffuglen Gymraeg a Saesneg Cymru ochr yn ochr â'i gilydd. Yn ogystal â hynny, fel y trafodir yn y man, mae dadansoddiadau a gynigiwyd yma wedi dangos bod cryn dipyn yn gyffredin rhwng y portread o amlddiwylliannedd yn nhestunau'r ddwy iaith. Mae meddwl am yr hyn sydd gan y ddwy iaith, neu'r ddwy gymuned ieithyddol sy'n eu siarad yn gyffredin yn fethodoleg anghyffredin mewn astudiaethau ar amlddiwylliannedd neu astudiaethau llenyddol yng Nghymru fel ei gilydd. Fel y nodwyd yn gyson ar hyd yn yr astudiaeth hon, mae tuedd wedi bod hyd yma yn y drafodaeth ar amlddiwylliannedd yng Nghymru i begynu'r ddwy gymuned ieithyddol. Mae tuedd hefyd i feddwl bod y gymuned Saesneg ei hiaith yn fwy cynhwysol ac amrywiol na'r gymuned Gymraeg, ac i synied am y Saesneg, ac nid y Gymraeg, fel yr iaith sy'n caniatáu i nifer o ddiwylliannau rhyngwladol gyfathrebu â'i gilydd.

Gwelir hyn mewn trafodaethau academaidd fel rhai Charlotte Williams, yn ogystal â meysydd eraill, megis gwleidyddiaeth. Yn 2004, cyhoeddodd Pwyllgor Diwylliant, yr Iaith Gymraeg a Chwaraeon Cynulliad Cenedlaethol Cymru adolygiad o'r modd yr hyrwyddir a chefnogir llenyddiaeth Saesneg Cymru. Er iddo wneud nifer o argymhellion da (fel y trafodir yn y man), mae'r hyn a ddywed ambell dro am yr iaith Saesneg yng Nghymru yn adlewyrchu'r syniadau hyn am flaengaredd yr iaith honno. Dywed, er enghraifft: '[Mae llenyddiaeth Saesneg Cymru yn] debyg o fod yn fwy dealladwy hefyd i ddarllenwyr y tu hwnt i Gymru ac felly'n gyfle i bobl gynefino â diwylliant Cymru; dyma hefyd ffordd o gysylltu Cymru â diwylliannau llenyddol eraill yn fyd-eang.'[4] Mae hyn, wrth gwrs, yn wir i raddau. Ond rhydd y frawddeg olaf yr argraff mai trwy gyfrwng y Saesneg yn unig, ac nid trwy gyfrwng y Gymraeg y gall Cymru wneud cysylltiadau â diwylliannau llenyddol eraill ar draws y byd. Anwybydda felly'r cysylltiadau sydd gan draddodiad llenyddol Gymraeg Cymru â thraddodiadau llenyddol eraill ar draws y byd, boed y rheini'n rhai Cymraeg eraill, megis llenyddiaeth Gymraeg Patagonia, neu draddodiadau llenyddol ieithoedd a gwledydd amrywiol. Mae'r pegynu a welir yn aml yn y drafodaeth ar iaith ac amlddiwylliannedd yng Nghymru yn adleisio syniadau ystrydebol am anallu ieithoedd lleiafrifol i gynnal amlddiwylliannedd, syniadau a heriwyd gan drafodaeth Daniel G. Williams ar Brydeindod, a chan y nofel *Caersaint* gan Angharad Price.

Nid yw'n arfer cyffredin ychwaith i astudiaethau o lenyddiaeth gyfoes Cymru ystyried gweithiau yn y ddwy iaith ochr yn ochr â'i gilydd. Ceir rhai cyfrolau sydd wedi ymgymryd â'r dasg hon: *Internal Difference: Literature in 20th-Century Wales*, gan M. Wynn Thomas; *Twentieth-Century Women's Writing in Wales: Land, Gender, Belonging* gan Katie Gramich; ac mae cyfrol Kirsti Bohata *Postcolonialism Revisited*, er ei bod yn canolbwyntio ar lenyddiaeth Saesneg, yn trafod llenyddiaeth Gymraeg yn ogystal.[5] Ond ni chymherir llenyddiaeth fodern Cymru yn y ddwy iaith yn aml er gwaethaf y tir a fraenarwyd gan y cyfrolau hyn a rhai eraill.[6] Trafodwyd eisoes ddadl M. Wynn Thomas 'fod llên Gymraeg a llên Saesneg Cymru wedi bod yn "arall" pwysig y naill i'r llall y ddwy ffordd, a bod yr "arall" hwnnw wedi dylanwadu ar ddatblygiad y ddwy lenyddiaeth yn ystod [yr ugeinfed ganrif]'.[7] I raddau, profwyd y dylanwad dwyffordd hwn gan Jason Walford Davies yn ei gyfrol ar ddylanwad llenyddiaeth Gymraeg ar waith Saesneg R. S. Thomas, a sut y gwnaeth gwaith y bardd hwnnw, yn ei dro, ddylanwadu ar feirdd Cymraeg.[8] Cofier bod yr 'arall' a'r 'hunan' yn bodoli mewn perthynas ddilechdidol – maent felly nid yn unig yn dylanwadu ar hunaniaeth ei gilydd, ond mae hunaniaethau'r naill a'r llall yn ddibynnol ar ei gilydd. Os yw llenyddiaeth Gymraeg a llenyddiaeth Saesneg Cymru yn 'arall' i'w gilydd, maent yn ddibynnol ar ei gilydd, felly. Ni ellir meddwl am un heb feddwl am y llall. Yng nghyd-destun yr astudiaeth hon mae hyn yn bwysig gan ei fod yn golygu nad oes modd dyrchafu llenyddiaeth yr un iaith uwchben y llall a dweud ei bod yn fwy dilys, neu fod ganddi fwy o gyswllt â 'Chymreictod' na'r llall. Gwelwyd eisoes sut y mae rhoddi dilysrwydd i'r un iaith yn gallu gwneud i siaradwyr y llall deimlo'n israddol. Gall ystyried y ddwy iaith a'u llenyddiaethau mewn perthynas â'i gilydd osgoi hynny, gan adlewyrchu, chwedl R. S. Thomas, 'the dualism in Welsh life ... from whose dialectical opposition progress becomes possible'.[9] Fel y noda Daniel G. Williams yn ddiweddar, ni fydd datblygiadau o'r math hwn yn ein harwain at ryw 'transnational utopia' ond gall annog 'a more creative engagement with the relationship between state and language, politics and culture'.[10]

Trwy ystyried yr hyn a ddywed Bohata am y modd y mae'r 'arall' yn herio homogenedd, mae modd myfyrio ymhellach ar yr hyn sydd gan lenyddiaeth yn y ddwy iaith yng Nghymru yn gyffredin. Mae llenyddiaeth Gymraeg a llenyddiaeth Saesneg Cymru yn herio'i gilydd i raddau; ar un llaw, gellir dadlau bod hirhoedledd y traddodiad llenyddol Cymraeg yn herio newydd-deb cymharol traddodiad Saesneg y wlad, ac ar y llaw arall, gellir dadlau bod presenoldeb llenyddiaeth Saesneg Cymru, llenyddiaeth genedlaethol mewn iaith fyd-eang, fwyafrifol, yn herio llenyddiaeth Gymraeg leiafrifol. Ond mae llenyddiaeth Gymraeg a Saesneg Cymru ill dwy yn herio homogenedd Saesneg neu Eingl-ganolog y wladwriaeth Brydeinig a'r syniad o Brydeindod mewn modd sy'n arwyddocaol i amlddiwylliannedd yng Nghymru a Phrydain. Mae presenoldeb iaith, diwylliant a llenyddiaeth Gymraeg yn herio'r syniad sydd wedi bod yn ganolog i ddisgŵrs amlddiwylliannol ym Mhrydain yn ddiweddar, sef mai'r Saesneg yw iaith y wlad. Ond mae presenoldeb llenyddiaeth Saesneg sy'n adnabyddadwy Gymreig yn herio trafodaethau ar amlddiwylliannedd ym Mhrydain sy'n honni y byddai annog lleiafrifoedd ethnig neu fewnfudwyr i ddysgu Saesneg yn eu cymhathu, ac yn creu undod rhwng gwahanol gymunedau. Mae'n ein hatgoffa o ddisgrifiad Homi Bhabha o ladmeryddion Macaulay – 'to be Anglicized is *emphatically* not to be English', neu honiad R. S. Thomas – '[d]espite our speech we are not English'.[11] Mae'r ddwy lenyddiaeth hyn yn herio'r berthynas rhwng iaith a pherthyn yn y Deyrnas Unedig. Yn hynny o beth, mae'n ddiddorol, a hyd yn oed yn eironig efallai, fod cymaint o gymeriadau Saesneg eu hiaith yn y ffuglen a drafodwyd yma yn awgrymu bod hunaniaeth unigolyn fel Cymro/aes yn ddibynnol ar ei feistrolaeth o'r Gymraeg.

Mae'r testunau a ddadansoddwyd yma yn dadadeiladu'r pegynau sydd ar brydiau'n cael eu defnyddio er mwyn dychmygu neu ddisgrifio Cymru. Mae *Sugar and Slate* gan Charlotte Williams, er enghraifft, neu *Caersaint* gan Angharad Price, yn ceisio dadadeiladu'r syniad bod gogledd Cymru yn ddiwylliannol unffurf, tra'u bod hwythau, yn ogystal â thestunau megis *Cardiff Dead* gan John Williams, yn beirniadu'r cyswllt rhwng Caerdydd ac amlddiwylliannedd Cymreig. Ond trwy ystyried y testunau Cymraeg a Saesneg hyn ochr yn ochr â'i gilydd, dadadeiladir y ddeuoliaeth ieithyddol hefyd, gan ddangos bod llenyddiaeth Cymru yn y ddwy iaith yn trafod pynciau tebyg, ac mewn rhai ffyrdd yn arddangos agwedd debyg tuag at y materion hyn. Mae nifer o'r nofelau dan sylw yn y ddwy iaith yn defnyddio hiwmor tebyg er mwyn dadadeiladu cyferbyniadau deuaidd eraill hefyd. Efallai bod hiwmor yn cynnig ffordd i ddadadeiladu'r ffiniau a all fodoli rhwng gwahanol gymunedau. Dangoswyd yma hefyd fod ffuglen yn y ddwy iaith yn arbrofi â ffurf y nofel mewn modd tebyg i'w gilydd. Gellir cymharu *Sugar and Slate* ac *O Ran* gan Mererid Hopwood, er enghraifft, a'r modd y mae'r ddau destun yn defnyddio ffurf hybrid er mwyn archwilio hunaniaethau drylliedig eu cymeriadau. Mae'r nofelau hyn yn ofodau hybrid eu hunain, ond trwy eu hystyried ochr yn ochr â'i gilydd gwelwn eu bod yn tanseilio'r pegynau rhwng y Gymraeg a'r Saesneg.

Pan drown at drafodaeth ffuglen o'r berthynas rhwng y Gymraeg a'r Saesneg, gwelwn fod y pegynu rhwng llenyddiaeth Gymraeg a Saesneg Cymru yn lleihau eto fyth. Mae sawl un o'r nofelau neu'r straeon yn portreadu cymeriadau sy'n perthyn i ddwy gymuned ieithyddol: *O Ran* gan Mererid Hopwood; *Dyn yr Eiliad* gan Owen Martell; 'Neges o Frynaich' gan Tony Bianchi; *Random Deaths and Custard* gan Catrin Dafydd; *The Book of Idiots* gan Christopher Meredith, yn ogystal â sawl un arall. Efallai mai oherwydd hanes personol y prif gymeriad y digwydd hyn, fel yn achos prif gymeriad lled-hunangofiannol Bianchi, neu efallai oherwydd lleoliad y nofelau yn ne-ddwyrain Cymru a'r ffaith bod eu cymeriadau'n derbyn addysg cyfrwng Cymraeg mewn ardal Saesneg ei hiaith, fel yn achos rhai o'r nofelau a restrir yma. Ond yn ogystal â phresenoldeb y cymeriadau hyn, mae pedwaredd bennod yr astudiaeth hon yn awgrymu, os oes yna Drydydd Gofod rhyngieithol yn bodoli rhwng ffuglen Gymraeg a Saesneg Cymru, mai yn nhrafodaeth y ffuglen honno o'r berthynas rhwng y ddwy iaith y gallwn weld hynny orau. Mae nofelau Catrin Dafydd, Llwyd Owen a Christopher Meredith yn ymdebygu i'w gilydd nid yn unig yn eu hymdriniaeth â myth y dafarn Gymreig, ond yn y modd y maent yn ceisio dadadeiladu'r berthynas ddeuaidd, anghyfartal rhwng y ddwy iaith.

Mae'r ffaith hefyd fod nifer o'r awduron a drafodwyd yma yn ysgrifennu yn Gymraeg ac yn Saesneg bellach, yn ategu'r syniad bod Trydydd Gofod yn bodoli rhwng llenyddiaeth y ddwy iaith yng Nghymru, a bod darllen llenyddiaeth y ddwy iaith ar wahân efallai yn gallu creu rhwystrau wrth inni geisio archwilio'u cynnyrch llenyddol yn llawn.[12]

Wrth ystyried llenyddiaeth yn y ddwy iaith, ceir amrywiaeth o safbwyntiau gwahanol ar rai materion yn ymwneud ag amlddiwylliannedd yng Nghymru. Ond yn fwy na hynny, mae'r ddwy lenyddiaeth yn creu Trydydd Gofod o ryw fath lle mae'r ddwy iaith yn dod ynghyd. Wedi'r cyfan, mae'r Trydydd Gofod yn ofod ieithyddol – medd Bhabha, '[i]t is that Third Space, though unrepresentable in itself, which constitutes the discursive conditions of enunciation'.[13] Mae Bhabha hefyd yn dadlau bod y Trydydd Gofod yn ein hannog i feddwl bod diwylliant wedi'i seilio 'not on the exoticism of multiculturalism or the *diversity* of cultures, but on the inscription and articulation of culture's *hybridity*'.[14] Mae'r astudiaeth hon o ffuglen Gymraeg a Saesneg, a'r modd y mae'n trafod llenyddiaeth y ddwy iaith ochr yn ochr â'i gilydd yn dangos sut y mae awduron yn y ddwy iaith yn ymateb i faterion tebyg. Dengys hefyd sut y mae ffuglen yn y naill iaith a'r llall yn ychwanegu at y darlun a gawn. Ceir yr argraff bod Cymru yn meddu nid ar gymunedau ar wahân ond ar ddiwylliant hybrid, y gellir ei ddarllen trwy gyfrwng dwy iaith er mwyn cael amrywiaeth o wahanol ddehongliadau ohono – diwylliant sydd, oherwydd presenoldeb dwy iaith, yn y genedl yn gyffredinol yn ogystal ag yn yr astudiaeth hon, yn 'appropriated, translated, rehistoricised and read anew'.[15]

Mae ymwrthod â phegynu yn gwneud y gyfrol hon a phortreadau'r ffuglen dan sylw o amlddiwylliannedd yn wahanol i ddisgŵrs amlddiwylliannol Prydeinig. Yn ogystal â chrybwyll sut y mae'r disgŵrs hwnnw yn pegynu ar sail iaith, heria Daniel G. Williams y syniad o 'Brydeindod', sy'n cynnwys 'Scottish, Welsh, Somali and other "ethnic" and "regional" identities co-existing under the British umbrella' fel hunaniaeth agored a blaengar.[16] Dyma 'the *diversity* of cultures' y beirniada Bhabha – y duedd i begynu, i hyrwyddo'r gwahaniaethau rhwng cymunedau diwylliannol a'u gweld fel endidau monolithig, unffurf, sy'n israddol i brif naratif Prydeindod.[17] Nid yw hybridedd Cymru neu ei chynseiliau amlieithog yn golygu ei bod hi'n haws cynnal cymuned amlddiwylliannol yno: gellid dadlau bod canlyniadau Cymreig y refferendwm ar aelodaeth y Deyrnas Unedig o'r Undeb Ewropeaidd yn awgrymu, fel y gwnaeth Neil Evans, Paul O'Leary a Charlotte Williams yn *A Tolerant Nation?*, fod Cymru yn llai na goddefol ei hagwedd tuag at leiafrifoedd ethnig a mewnfudwyr; ac mae nofelau Charlotte Williams, Mererid Hopwood, Trezza Azzopardi,

Nikita Lalwani a Tony Bianchi yn adlewyrchu bod perthyn i Gymru yn gallu bod yn brofiad anodd i leiafrifoedd ethnig, hiliol a chrefyddol. Ond mae'r ffuglen yn llwyddo i gynnal trafodaethau ar amlddiwylliannedd heb anwybyddu sefyllfa ieithyddol benodol Cymru, a heb begynu rhwng ei dwy iaith. Dyma greu pair neu fowlen salad, chwedl Daniel G. Williams, sydd â'i wead yn ddwyieithog.

Mae'n ddiddorol meddwl yma a yw hybridedd a synergedd ffuglen Gymraeg a Saesneg gyfoes Cymru yn adleisio disgrifiad Bhabha o'r Trydydd Gofod fel un 'national, anti-nationalist', gan ei fod yn dangos gwahaniaethau rhwng gwledydd y Deyrnas Unedig.[18] Yn wyneb y math o genedlaetholdeb Prydeinig sydd wedi tyfu yn y Deyrnas Unedig yn ystod y blynyddoedd diwethaf, efallai bod angen meddwl sut y gallwn weithredu er budd Cymru a'i diwylliant, ond heb ddarostwng i syniadau ac ideolegau cul anghynhwysol rhai mathau o genedlaetholdeb adain dde a welwyd yn datblygu'n ddiweddar. Efallai hefyd ei fod yn awgrymu bod angen ymdrin ag amlddiwylliannedd mewn ffyrdd amrywiol yng ngwahanol wledydd y Deyrnas Unedig, er mwyn, ar y naill law, roi sylw i'r gwahaniaethau sy'n bodoli rhwng gwledydd cyfansoddol y wlad, a thrwy hynny ddod i ddeall yn well effaith imperialaeth, ac effaith mewnfudo a phrofiadau mewnfudwyr. Mae rhai wedi dadlau y gallai hybridedd beryglu hawl y Gymraeg a'i diwylliant i oroesi ar yr un pryd ag y gallai herio awdurdod. Yn ei thraethawd PhD, sy'n dehongli gwaith Dafydd ap Gwilym a Chymru'r Oesoedd Canol o safbwynt ôl-drefedigaethol, noda Angharad George:

> trwy feddu ar hunaniaeth hybrid y gellir wynebu awdurdod ac ymdrechu i feddu arno, ac nid trwy greu ffiniau diwylliannol. Tybed a all hyn fod yn wers i'r Gymru sydd ohoni? Efallai. Ond ar yr un gwynt rhaid cydnabod perygl amlwg – wrth gwestiynu Cymreictod 'traddodiadol' a ydym yn pylu awch yr arf miniocaf sydd ar gael i'n cynorthwyo i ennill y frwydr i gadw'r diwylliant a'r iaith Gymraeg yn hyfyw yn y dyfodol?[19]

Ond mae'r astudiaeth hon wedi dangos sut y mae peidio â chreu ffiniau rhwng y Gymraeg a'r Saesneg, ar un wedd o leiaf, yn herio awdurdod disgẃrs Prydeinig ar amlddiwylliannedd. Nid oes modd dod i gasgliadau pendant ynglŷn â hyn trwy gymharu'r astudiaeth hon o amlddiwylliannedd mewn llenyddiaeth â pholisi neu ddisgẃrs Prydeinig ynglŷn ag amlddiwylliannedd. Byddai'n rhaid gwneud ymchwil bellach, efallai, i gymharu polisïau a disgyrsiau gwahanol wledydd y Deyrnas Unedig yn y maes hwn, er mwyn dwyn ffrwyth pellach. Byddai'n ddiddorol hefyd cynnal ymchwil bellach ar ffuglen o wledydd eraill y

Deyrnas Unedig gan ddefnyddio methodoleg debyg. Gallai hynny awgrymu i ba raddau y mae'r gwahaniaeth hwn yn yr ymateb i amlddiwylliannedd yn rhywbeth sy'n deillio o wahaniaethau cenedlaethol, neu'n rhywbeth sy'n nodweddiadol o'r ffordd y mae ffuglen yn sylwebu ar y materion hyn. Byddai'n ddiddorol gweld a yw awduron mewn lleoliadau eraill hefyd yn ymateb i amlddiwylliannedd mewn ffyrdd mwy creadigol na gwleidyddion neu gymdeithasegwyr.

Cenedlaethol

Yn eu cyflwyniad i'r gyfrol *A Tolerant Nation?*, mae Neil Evans, Paul O'Leary a Charlotte Williams eu hunain yn cydnabod bod ffuglen yng Nghymru ar flaen y gad yn y broses o ailddiffinio sut y mae perthyn i Gymru yn wyneb newidiadau gwleidyddol a demograffig y wlad, a bod eu hymateb yn llawer mwy blaengar na ffigyrau cyhoeddus megis gwleidyddion.[20] Maent yn adleisio i raddau ddadl Pascale Casanova, sy'n awgrymu bod llenyddiaeth yn creu byd ar wahân i'r byd go iawn. Ymhlith y nofelau y mae Evans et al. yn eu crybwyll y mae rhai a drafodir yma: *Sugar and Slate* gan Charlotte Williams; *Cardiff Dead* gan John Williams; a *The Hiding Place* gan Trezza Azzopardi. Ond unwaith eto, fel sy'n nodweddiadol o drafodaethau ar amlddiwylliannedd yng Nghymru, mae yma begynu rhwng y Gymraeg a'r Saesneg. Erbyn hyn mae testunau Cymraeg eu hiaith sy'n ymdrin ag amlddiwylliannedd mewn ffordd debyg i'r rhain wedi ymddangos, gan gynnwys y rhai a ddadansoddwyd yma. Pa bosibiliadau y mae'r math hwn o ffuglen yn y ddwy iaith yn eu cynnig o safbwynt cynrychioli'r genedl amlddiwylliannol?

Mae perthynas llenyddiaeth, a ffuglen yn benodol, â hunaniaeth genedlaethol yn un sydd wedi ennyn cryn dipyn o sylw eisoes. Tra gwêl Casanova fod y byd llenyddol wedi'i wahanu oddi wrth y byd go iawn, mae'r academydd ym maes gwleidyddiaeth a hanes, Benedict Anderson, yn ei gyfrol *Imagined Communities: Reflections on the Origin and Spread of Nationalism*, yn dadlau bod datblygiad cymuned ddychmygedig y genedl yn ddibynnol ar ddatblygiad ffurf lenyddol y nofel. Mae'n dadlau y daw'r cysyniad o genedl i fodolaeth o ganlyniad i'r dychymyg cenedlaethol sy'n bosib ei fynegi drwy ffurf y nofel. Dadleua Anderson fod y nofel yn ffurf lenyddol sy'n darparu 'the technical means for "re-presenting" the *kind* of imagined community that is the nation'.[21] Yn ôl Anderson, mae hyn oherwydd bod y nofel yn portreadu cymeriadau nad ydynt o reidrwydd yn eu hadnabod ei gilydd neu'n debygol o gyfarfod â'i gilydd yn y dyfodol, ond sydd wedi'u huno oherwydd eu presenoldeb ym myd y nofel ac oddi mewn i'w terfynau gofodol ac amseryddol. Os yw'r nofel yn chwarae rôl yn siapio'r modd y mae'r genedl yn dychmygu ei hundod a'i chydlyniad, a yw'n bosib y byddai'r corpws llenyddol a'r dull darllen rhyngieithol a ddefnyddiwyd yn yr astudiaeth hon yn un a allai ein hannog i ddychmygu cenedl fwy cynhwysol o safbwynt iaith a hunaniaeth?

Wrth gwrs byddai hynny'n achosi rhai trafferthion yn y Gymru sydd ohoni. Tra gellir dadlau bod nifer o aelodau'r gymuned Gymraeg yn ymwybodol o weithgarwch llenyddol Cymraeg ac o lenyddiaeth yr iaith honno, nid yw'r un peth yn wir o reidrwydd am ymwybyddiaeth aelodau'r genedl (pa bynnag iaith a siaradant) o lenyddiaeth Saesneg Cymru. Er bod gwyliau llenyddol megis yr Eisteddfod Genedlaethol yn ganolbwynt i'r diwylliant Cymraeg, nid yw'r un peth yn wir am ddiwylliant Saesneg y wlad, er gwaethaf poblogrwydd ac enwogrwydd rhyngwladol gwyliau llenyddol Cymreig megis Gŵyl y Gelli. Yn yr adolygiad o lenyddiaeth Saesneg Cymru gan Bwyllgor Diwylliant, yr Iaith Gymraeg a Chwaraeon Cynulliad Cenedlaethol Cymru, nodwyd:

> Mae Cymru'n wlad amlddiwylliannol, sydd â dwy iaith swyddogol. Mae cyfraniad y ddwy iaith i ddiwylliant Cymru'n hanfodol. Fel a ddangoswyd yn ein hymchwiliad, fodd bynnag, mae llawer yn pryderu ynghylch y gydnabyddiaeth a roddir i Ysgrifennu Saesneg yng Nghymru. Saesneg yw prif iaith y mwyafrif yng Nghymru. Mae'n hanfodol bod amrywiaeth o destunau o ansawdd uchel sy'n berthnasol i bobl Cymru yn cael eu hysgrifennu yn y Saesneg os yw bywyd Cymru am gael ei adlewyrchu'n llawn yn niwylliant Cymru. Mae hyrwyddo'r testunau hyn yn elfen bwysig yn natblygiad Cymru, nid yn unig o ran diwylliant ond hefyd yn gymdeithasol ac yn economaidd.[22]

Un o ganlyniadau'r adroddiad oedd ffurfio'r gyfres, 'The Library of Wales' dan olygyddiaeth Dai Smith, a oedd erbyn Ionawr 2018 wedi cyhoeddi pedwar deg wyth o deitlau, y rhan fwyaf ohonynt yn destunau a oedd wedi mynd allan o brint, a rhai yn antholegau o farddoniaeth neu straeon byrion. Cyhoeddwyd *Mapping the Territory: Critical Approaches to Welsh Fiction in English* dan olygyddiaeth Katie Gramich er mwyn gosod seiliau i addysgwyr a myfyrwyr drin a thrafod y testunau hyn.[23] Canlyniad hirdymor y gweithgarwch hwn efallai yw ymddangosiad nifer o destunau Saesneg gan awduron Cymreig ar fanylebau TGAU, Safon Uwch Gyfrannol a Safon Uwch Llenyddiaeth Saesneg CBAC. Ers mis Medi 2015 mae ysgolion sy'n dilyn cyrsiau CBAC wedi gallu dewis dysgu eu myfyrwyr am weithiau megis barddoniaeth Alun Lewis, Gillian Clarke ac R. S. Thomas, a ffuglen Dannie Abse ac Owen Sheers, ond nid oes rheidrwydd iddynt wneud hynny.[24] Yr her newydd bydd annog athrawon i addysgu'r testunau hyn, ac i sicrhau bod diddordeb yn llenyddiaeth Saesneg Cymru yn parhau ac yn ehangu y tu hwnt i gyfnod addysg orfodol.

Her arall sy'n rhwystro'r dull o ddarllen testunau Cymraeg a Saesneg ochr yn ochr â'i gilydd yw'r ffaith mai dim ond tua 19% o boblogaeth Cymru sy'n siarad Cymraeg. Byddai'n anodd i'r rheini nad ydynt yn siarad yr iaith ddarllen ffuglen yr iaith honno, wrth gwrs. Un datrysiad i'r broblem hon fyddai cyfieithu gweithiau llenyddol o'r Gymraeg i'r Saesneg. Nododd adolygiad Cynulliad Cenedlaethol Cymru o lenyddiaeth Saesneg Cymru nad oedd trafodaeth ar y mater hwn oddi mewn i'w gylch gwaith, ond crybwyllasant fod 'gwerth cyfieithu o'r Gymraeg i'r Saesneg fel y gall pobl sy'n ymfalchïo yn eu treftadaeth, ond sy'n methu siarad y Gymraeg, werthfawrogi'r cynnwys. Gall gweithiau wedi'u cyfieithu hefyd annog darllenwyr i loywi eu Cymraeg fel y gallant ddarllen llyfrau yn yr iaith wreiddiol.'[25] Mae cyfieithu o un diwylliant i'r llall yn rhan o weithgarwch nodweddiadol y Trydydd Gofod a ddisgrifir gan Bhabha.[26] Ond mae gan rai awduron Cymraeg bryderon ynglŷn â chyfieithu i'r Saesneg, ac yn ei wrthwynebu am resymau digon dilys. Dadleuant fod cyfieithu o'r Gymraeg i'r Saesneg yn parhau â'r sefyllfa a ddisgrifiodd Simon Brooks lle y dygir 'y Saesneg i beuoedd Cymraeg gan danseilio awtonomi'r gymdeithas leiafrifol, a'i gwneud yn haws i'w llyncu gan y mwyafrif'.[27] Gan gofio sylwadau Brooks ynglŷn â'r berthynas rhwng y Gymraeg a'r Saesneg ym maes addysg yng Nghymru a drafodwyd ym mhennod gyntaf yr astudiaeth hon, a oes lle i ystyried y gellir gwneud newidiadau neu welliannau i'r modd y mae'r Gymraeg yn cael ei dysgu, ac i'r modd y mae dysgu'r iaith honno'n cael ei hyrwyddo? Amser a ddengys a fydd newidiadau arfaethedig Llywodraeth Cymru i sut yr addysgir Cymraeg fel ail iaith yn ysgolion Cymru, ynghyd â'r ymgyrch i gyrraedd miliwn o siaradwyr Cymraeg erbyn 2050, yn cael effaith gadarnhaol. Mae ymchwil ddiweddar a chyfredol yn y maes hwn yn archwilio perthnasedd gwella'r modd y dysgir yr iaith Gymraeg a'r modd yr hyrwyddir dysgu'r iaith honno i leiafrifoedd ethnig a mewnfudwyr yng Nghymru.[28] Bydd rhaid aros i weld yr ymateb i ffrwyth y mathau hyn o ymchwil, ac i deimlo unrhyw effaith a ddaw yn eu sgil.

Wrth feddwl am amlddiwylliannedd yn genedlaethol, mae yna ragor o waith i'w wneud. Yng nghyd-destun rhychwant yr astudiaeth hon, mae lle i wneud ymchwil bellach ar y portread o amlddiwylliannedd mewn ffuglen gyfoes. Oherwydd cynifer y cyfrolau ffuglen Gymreig a gyhoeddwyd yn ystod y cyfnod sydd dan sylw yma, mae'r astudiaeth hon wedi canolbwyntio gan fwyaf ar ffuglen sy'n portreadu de Cymru. Byddai'n bosib dadlau bod y gyfrol hon ei hun felly wedi pegynu rhwng de a gogledd Cymru mewn modd y mae rhai o'r testunau yn ei osgoi. Ond ystyrir yma destunau sy'n canolbwyntio'n fwy ar y gogledd, megis *Sugar and Slate* gan Charlotte Williams a *Caersaint* gan Angharad Price. Mae angen edrych ar ragor o destunau sy'n trafod rhannau eraill o Gymru. Dadleuir yma ei bod hi'n anodd meddwl am lenyddiaeth Gymraeg neu Saesneg Cymru heb feddwl am ddylanwad y naill ar y llall y ddwy ffordd. Mae dadansoddiadau'r astudiaeth hon wedi awgrymu hefyd fod digwyddiadau mewn gwahanol ardaloedd yn dylanwadu ar ardaloedd eraill. Dylid felly gymharu'r profiad amlddiwylliannol ar draws gwahanol ardaloedd y wlad er mwyn cael darlun cyflawn.

Mae'r portread o aralledd a geir yn y testunau yn deillio o'r modd y mae'r cymeriadau yn herio'r pegynau hyn – trwy ddadleoli'r Gymru amlddiwylliannol o Gaerdydd i ogledd Cymru yng ngwaith Angharad Price a Charlotte Williams, er enghraifft, neu drwy herio'r ffin rhwng y Gymru Gymraeg a Saesneg yng ngwaith Catrin Dafydd, Mererid Hopwood, Owen Martell, Tony Bianchi a Christopher Meredith. Mae'r portread a geir, felly, yn ymdebygu i ddisgrifiad Bhabha o'r 'Trydydd Gofod' fel gofod lle y gellir 'elude the politics of polarity and emerge as the others of ourselves'.[29] Er bod gan bortread o'r fath y potensial i danseilio hunaniaeth genedlaethol, mae ganddo hefyd y potensial i greu hunaniaeth genedlaethol agored a chynhwysol. A thrwy fabwysiadu dull darllen rhyngieithol gallwn ddarllen a dehongli'r genedl o'r newydd, yn Gymraeg, yn Saesneg, ac efallai mewn amrywiaeth o ieithoedd eraill.

Nodiadau

Cyflwyniad

1. Gwefan y Comisiwn Etholiadol, 'Canlyniadau Refferendwm yr UE', 2016 [ar-lein], *http://www.electoralcommission.org.uk/cymru/find-information-by-subject/elections-and-referendums/past-elections-and-referendums/eu-referendum/eu-referendum-result-visualisations* (gwelwyd: 23 Ebrill 2017).
2. Bydd yr astudiaeth hon yn cyfeirio at 'unrhyw gefndir ethnig' yn hytrach na 'phob cefndir ethnig'. Nid yw'n honni bod ffuglen Gymraeg a Saesneg am Gymru a gyhoeddwyd er 1990 yn cynnwys portreadau o gymeriadau o bob cefndir posib. Yn hytrach, cyniga fframwaith theoretig y gellir ei gymhwyso i unrhyw un o'r amryw gefndiroedd sy'n ymddangos yn y corpws hwn o lenyddiaeth.
3. Gweler, er enghraifft, bennod o'r rhaglen *Newsnight* gan y BBC, lle yr aeth y cyn-Ddirprwy Brif Weinidog a chyn-arweinydd y Democratiaid Rhyddfrydol, Nick Clegg, a fu'n ladmerydd amlwg o blaid aros yn yr Undeb Ewropeaidd, i ymweld â Glyn Ebwy yn Nhorfaen i gyfweld â thrigolion y dref (lle y pleidleisiodd y mwyafrif o bobl o blaid 'Brexit') am eu rhesymau dros bleidleisio fel y gwnaethant. Nododd sawl cyfrannwr bod 'mewnfudwyr' yn un o'u prif resymau dros bleidleisio i adael yr Undeb Ewropeaidd, er bod llai na 2% o boblogaeth y dref wedi'u geni y tu allan i'r wlad, fel mae'r rhaglen yn ei nodi. Adleisiodd un o'r cyfranwyr yn benodol syniadau am y bygythiad y mae aralledd mewnfudwyr yn ei beri i ffordd o fyw y wlad hon – fe'u disgrifia fel 'a worry', a dywed hefyd 'I want our country – I'd like it to be back – I know it never will be – back to what it was'. Nick Clegg, 'Why Ebbw Vale voted Brexit', *Newsnight*, 28 Mawrth 2017, Tim Kelly, cyfarwyddwr, Jake Morris, cynhyrchydd (Llundain: BBC).
4. Gwefan y Swyddfa Ystadegau Gwladol, *Bwletin ystadegol: Cyfrifiad 2011: Ystadegau Allweddol ar gyfer Cymru, Mawrth 2011: Grŵp ethnig a hunaniaeth* [ar-lein], *http://www.ons.gov.uk/ons/rel/census/cyfrifiad-2011/ystadegau-allweddol-ar-gyfer-awdurdodau-unedol-yng-nghymru/stb-2011-key-statistics-for-wales-welsh. html#tab-Grŵp-ethnig-a-hunaniaeth* (gwelwyd: 18 Tachwedd 2014).
5. Gwefan y Swyddfa Ystadegau Gwladol, *Bwletin ystadegol: Cyfrifiad 2011: Ystadegau Allweddol ar gyfer Cymru, Mawrth 2011: Grŵp ethnig a hunaniaeth.*
6. Neil Evans, Paul O'Leary a Charlotte Williams (goln), *A Tolerant Nation? Revisiting Ethnic Diversity in a Devolved Wales* (Cardiff: University of Wales Press, 2015).
7. Gweler Charlotte Williams, '"Race" and Racism: Some Reflections of the Welsh Context', *Contemporary Wales*, 8 (1995), 113–31.

8. Am enghreifftiau o wrthwynebiad McGuinness i'r syniad bod y Gymraeg a'i siaradwyr yn rhwystr i drafodaethau ar amlddiwylliannedd gweler Patrick McGuinness, 'Reflections in the "Welsh" Mirror', *Planet*, 153 (June/July 2002), 6–12, a Patrick McGuinness, '"Racism" in Welsh Politics', *Planet*, 159 (June/July 2003), 7–12. Dadleua mai agweddau gwrth-Gymraeg rhai gwleidyddion a phapurau newydd sydd wedi troi sylw'r ddadl ar amlddiwylliannedd a hiliaeth yn Nghymru at faterion ieithyddol, gan anwybyddu achosion o gamwahaniaethu yn erbyn lleiafrifoedd hiliol ac ethnig.
9. Mae Brooks wedi dangos bod y Gymraeg, yn ogystal â'r Saesneg, yn iaith y profiad amlethnig yng Nghymru gan olrhain sut y bu cymuned Gymraeg yn cyd-fyw â chymunedau eraill yn ardal amlddiwylliannol Tiger Bay ers tua chanol y bedwaredd ganrif ar bymtheg (gweler Simon Brooks, 'Tiger Bay a'r Diwylliant Cymraeg', *Trafodion Anrhydeddus Gymdeithas y Cymmrodorion 2008*, 15 (2009), 198–216). Trafodir ei waith ar driniaeth israddol y Gymraeg a'i siaradwyr yn nes ymlaen yn y gyfrol hon.
10. Gwefan y Swyddfa Ystadegau Gwladol, *Bwletin ystadegol: Cyfrifiad 2011: Ystadegau Allweddol ar gyfer Cymru, Mawrth 2011: Medrusrwydd yn y Gymraeg* [ar-lein], *http://www.ons.gov.uk/ons/rel/census/cyfrifiad-2011/ystadegau-allweddol-ar-gyfer-awdurdodau-unedol-yng-nghymru/stb-2011-key-statistics-for-wales-welsh.html#tab-Medrusrwydd-yn-y-Gymraeg* (gwelwyd: 18 Tachwedd 2014).
11. Gweler, er enghraifft, Neil Evans, Paul O'Leary a Charlotte Williams, 'Introduction: Race, Nation and Globalization in a Devolved Wales', yn Evans, O'Leary a Williams (goln), *A Tolerant Nation?*, tt. 1–23 (t. 5).
12. Dengys y cyfrifiad fod canran preswylwyr arferol Cymru a aned y tu allan i'r Deyrnas Unedig wedi cynyddu o 3% i 5% rhwng 2001 a 2011. Yn ystod yr un cyfnod cynyddodd canran preswylwyr Cymru a aned yn Lloegr o 20% i 21%, tra parhaodd canran y preswylwyr o wledydd eraill y Deyrnas Unedig yn gyson (1%). Gweler gwefan y Swyddfa Ystadegau Gwladol, *Bwletin ystadegol: Cyfrifiad 2011: Ystadegau Allweddol ar gyfer Cymru, Mawrth 2011: Preswylwyr arferol a aned y tu allan i'r DU* [ar-lein], *http://www.ons.gov.uk/ons/rel/census/cyfrifiad-2011/ystadegau-allweddol-ar-gyfer-awdurdodau-unedol-yng-nghymru/stb-2011-key-statistics-for-wales-welsh.html#tab-Preswylwyr-arferol-a-aned-y-tu-allan-i-r-DU* (gwelwyd: 18 Tachwedd 2014).
13. Dienw, 'PM's Speech at Munich Security Conference', 5 Chwefror 2011, The National Archives [ar-lein], *http://webarchive.nationalarchives.gov.uk/20130109092234/http://number10.gov.uk/news/pms-speech-at-munich-security-conference/* (gwelwyd: 2 Ionawr 2015).
14. Trevor Phillips, a ddyfynnwyd yn Tom Baldwin, 'I want an integrated society with a difference', *The Times*, 3 Ebrill 2004, 9.
15. Dienw, 'Rudd: Speech to Conservative Party Conference 2016', 4 Hydref 2016, *www.Conservatives.com* [ar-lein], *http://press.conservatives.com/post/151334637685/rudd-speech-to-conservative-party-conference-2016* (gwelwyd: 17 Ebrill 2017).

16. Yn ôl Richard Wyn Jones a Roger Scully, nid oedd pobl Cymru'n gytûn ynglŷn â datganoli: 'Wales was clearly divided about devolution, and closer examination of the results of a survey conducted among voters immediately after the [1997] vote reinforced this point ... in not a single area did the Yes or No camp win as much as 70 per cent of the vote: every part of Wales was divided, though the balance of opinion varied from place to place'. Gweler Richard Wyn Jones a Roger Scully, *Wales Says Yes: Devolution and the 2011 Welsh Referendum* (Cardiff: University of Wales Press, 2012), tt. 64–5. Ychwanegant hefyd, er i bobl Cymru ddod yn gynyddol gefnogol i ddatganoli, ni welwyd llawer o newid yn y modd y diffiniwyd eu hunaniaeth genedlaethol ers y 1970au: '[w]hile the people of Wales did become more Welsh in their desired centre of government in the first decade of devolution, in their basic sense of national identity they became no more Welsh at all'. Gweler Jones a Scully, *Wales Says Yes*, t. 71.
17. Jones a Scully, *Wales Says Yes*, t. 63.
18. Homi Bhabha a John Comaroff, 'Speaking of Postcoloniality in the Continuous Present: A Conversation', yn David Theo Goldberg ac Ato Quayson (goln), *Relocating Postcolonialism* (Oxford: Blackwell, 2002), tt. 15–46 (t. 25).
19. Gweler, er enghraifft, Kirsti Bohata, *Postcolonialism Revisited* (Cardiff: University of Wales Press, 2004), neu Jane Aaron a Chris Williams (goln), *Postcolonial Wales* (Cardiff: University of Wales Press, 2005).
20. Gweler, er enghraifft, Bohata, *Postcolonialism Revisited,* am ymdriniaeth â llenyddiaeth Gymreig o safbwynt ôl-drefedigaethol. Am ymdriniaeth feirniadol â llenyddiaeth Gymreig o safbwynt ffeminyddol, gweler, er enghraifft, Mair Rees, *Y Llawes Goch a'r Faneg Wen: Y Corff Benywaidd a'i Symbolaeth mewn Ffuglen Gymraeg gan Fenywod* (Caerdydd: Gwasg Prifysgol Cymru, 2014), Katie Gramich, *Twentieth-Century Women's Writing in Wales: Land, Gender, Belonging* (Cardiff: University of Wales Press, 2007), neu Jane Aaron, *Pur fel y Dur: Y Gymraes yn Llên Menywod y Bedwaredd Ganrif ar Bymtheg* (Caerdydd: Gwasg Prifysgol Cymru, 1999). Gweler hefyd John Rowlands (gol.), *Sglefrio ar Eiriau* (Llandysul: Gwasg Gomer, 1992), am ragor o ymdriniaethau theoretig â llenyddiaeth Gymreig.
21. Yn ogystal â thestunau Bohata, Gramich ac Aaron a enwyd yn n. 20, gweler M. Wynn Thomas, *Internal Difference: Literature in 20th-Century Wales* (Cardiff: University of Wales Press, 1992), M. Wynn Thomas (gol.), *DiFfinio Dwy Lenyddiaeth Cymru* (Caerdydd: Gwasg Prifysgol Cymru, 1995), ac M. Wynn Thomas, *Corresponding Cultures: The Two Literatures of Wales* (Cardiff: University of Wales Press, 1999), am enghreifftiau cynnar.
22. M. Wynn Thomas, 'Rhagymadrodd', yn Thomas (gol.), *DiFfinio Dwy Lenyddiaeth Cymru*, tt. 1–6 (tt. 3–4).
23. Thomas, 'Rhagymadrodd', tt. 2–4.
24. Thomas, *Corresponding Cultures*, t. 5.
25. [Daniel G. Williams], 'Ynghylch Amlddiwylliannaeth', *Nation Time/Cymru*

Sydd, 15 Ebrill 2016 [ar-lein], *https://nationtimecymrusydd.wordpress.com/2016/04/15/ynghylch-amlddiwylliannaeth/* (gwelwyd: 23 Ebrill 2017).

26. [Williams], 'Ynghylch Amlddiwylliannaeth'.

Pennod 1

1. Kirsti Bohata, *Postcolonialism Revisited* (Cardiff: University of Wales Press, 2004), t. 18.
2. Bohata, *Postcolonialism Revisited*, t. 18.
3. Anthony D. Smith, *National Identity* (London: Penguin, 1991), t. 75.
4. Smith, *National Identity*, t. 25.
5. David Bennett, 'Introduction', yn David Bennett (gol.), *Multicultural States: Rethinking Difference and Identity* (London and New York: Routledge, 1998), tt. 1–25 (t. 2).
6. Georg Wilhelm Friedrich Hegel, *The Phenomenology of Spirit*, cyf. A. V. Miller ([1807]; Oxford: Oxford University Press, 1977), t. 109. Y pwyslais yn y gwreiddiol.
7. Hegel, *The Phenomenology of Spirit*, t. 109.
8. Hegel, *The Phenomenology of Spirit*, t. 113.
9. Hegel, *The Phenomenology of Spirit*, t. 113.
10. Hegel, *The Phenomenology of Spirit*, t. 114.
11. Hegel, *The Phenomenology of Spirit*, t. 115.
12. Hegel, *The Phenomenology of Spirit*, t. 115.
13. Hegel, *The Phenomenology of Spirit*, tt. 116–17.
14. Simone de Beauvoir, *The Second Sex*, cyf. H. M. Parshley ([1949]; London: Vintage, 1997), t. 171.
15. de Beauvoir, *The Second Sex*, t. 16.
16. Sam Selvon, *The Lonely Londoners* ([1956] Longman: Harlow, 1985), tt. 39–40.
17. Selvon, *The Lonely Londoners*, t. 24.
18. Selvon, *The Lonely Londoners*, t. 39.
19. Daniel G. Williams, 'Single nation, double logic: Ed Miliband and the problem with British multiculturalism', *Open Democracy*, 18 Hydref 2012 [ar-lein], *http://www.opendemocracy.net/ourkingdom/daniel-g-williams/single-nation-double-logic-ed-miliband-and-problem-with-british-multicu* (gwelwyd: 12 Mai 2014).
20. Williams, 'Single nation, double logic'.
21. Williams, 'Single nation, double logic'.
22. Frantz Fanon, *Black Skin, White Masks*, cyf. Charles Lam Markmann ([1952, cyf. 1986]; arg. newydd, London: Pluto, 2008), t. 9.
23. Fanon, *Black Skin, White Masks*, t. 9. Y pwyslais yn y gwreiddiol.
24. Fanon, *Black Skin, White Masks*, t. 9.
25. Fanon, *Black Skin, White Masks*, t. 9.
26. Charlotte Williams, 'Can We Live Together? Wales and the Multicultural Question', *Transactions of the Honourable Society of Cymmrodorion 2004*, 11 (2005), 216–30 (223).

27. Williams, 'Can We Live Together?', 221. Y pwyslais yn y gwreiddiol.
28. Hegel, *The Phenomenology of Spirit*, t. 109.
29. Gwynn ap Gwilym, 'Cymraeg y Pridd a'r Concrit', *Barn*, 203/4 (1979), 259–64 (259).
30. Charlotte Williams, 'Claiming the National: Nation, National Identity and Ethnic Minorities', yn Neil Evans, Paul O'Leary a Charlotte Williams (goln), *A Tolerant Nation? Exploring Ethnic Diversity in Wales* (Cardiff: University of Wales Press, 2003), tt. 220–34 (t. 220).
31. Gwefan y Swyddfa Ystadegau Gwladol, *Bwletin ystadegol: Cyfrifiad 2011: Ystadegau Allweddol ar gyfer Cymru, Mawrth 2011: Medrusrwydd yn y Gymraeg* [ar-lein], *http://www.ons.gov.uk/ons/rel/census/cyfrifiad-2011/ystadegau-allweddol-ar-gyfer-awdurdodau-unedol-yng-nghymru/stb-2011-key-statistics-for-wales-welsh.html#tab-Medrusrwydd-yn-y-Gymraeg* (gwelwyd: 18 Tachwedd 2014).
32. Simon Brooks, 'Dwyieithrwydd', yn Simon Brooks a Richard Glyn Roberts (goln), *Pa Beth yr Aethoch Allan i'w Achub? Ysgrifau i Gynorthwyo'r Gwrthsafiad yn erbyn Dadfeiliad y Gymru Gymraeg* (Llanrwst: Gwasg Carreg Gwalch, 2013), tt. 102–25 (t. 105).
33 Ngũgĩ wa Thiong'o, *Decolonising the Mind: The Politics of Language in African Literature* (London: James Currey, 1986), t. 7.
34. Ngũgĩ, *Decolonising the Mind*, t. 8.
35. Ngũgĩ, *Decolonising the Mind*, t. 11. Y pwyslais yn y gwreiddiol.
36. Brooks, 'Dwyieithrwydd', tt. 117–18.
37. Er bod tebygrwydd i'w weld, felly, rhwng y sefyllfa a ddisgrifa Ngũgĩ yn Kenya a'r hyn a ddisgrifia Brooks yn y cyd-destun Cymreig, dylid gochel rhag ystyried eu bod yn hollol gyfatebol mewn modd syml. Noda Ngũgĩ, er enghraifft, yn *Decolonising the Mind* ac mewn testunau eraill ei fod am hyrwyddo llenydda yn ieithoedd brodorol Affrica oherwydd mai'r rheini oedd yr ieithoedd a ddeellir gan drwch y boblogaeth, y mwyafrif helaeth o bobl arferol (gweler, er enghraifft, Ngũgĩ wa Thiong'o, 'Return to the Roots', yn *Writers in Politics: Essays* (London: Heineman, 1981), tt. 53–65). Fel y noda Kirsti Bohata, pe cymhwysid y syniad hwn i Gymru, byddai'n golygu annog llenydda yn y Saesneg, yn hytrach na'r Gymraeg, gan mai honno yw'r iaith a siaredid gan y mwyafrif, er y cyfeddyf hithau y byddai'r gwrthwyneb yn wir pe'i cymhwysid i Gymru'r bedwaredd ganrif ar bymtheg, er enghraifft (Bohata, *Postcolonialism Revisited*, tt. 114–15). Wrth ddadansoddi aralledd ieithyddol, felly, rhaid ystyried sefyllfaoedd penodol yr ieithoedd dan sylw, a pherthynas yr ieithoedd hynny â'i gilydd.
38. Committee of Council on Education, *Reports of the Commissioners of Inquiry into the state of education in Wales* (London: William Clowes and Sons, 1847), II, t. 66 [ar-lein], *http://www.llgc.org.uk/collections/digital-gallery/printedmaterial/thebluebooks/* (gwelwyd: 3 Ionawr 2015).
39. Committee of Council on Education, *Reports of the Commissioners of Inquiry into the state of education in Wales*, tudalen flaen.

40. Yn ei dehongliad o'r Llyfrau Gleision fel 'the perfect instrument of empire', dadansodda Gwyneth Tyson Roberts yr iaith a ddefnyddiwyd gan y comisiynwyr i ddisgrifio'r Cymry. Noda eu bod yn defnyddio'r term 'Welsh' i ddynodi 'Welsh-speaking' wrth ddisgrifio'r boblogaeth, a dadleua '[t]he effect of this correlation between language and National identity is that the language was firmly associated with other, non-linguistic, activities of the Welsh people, including those of which the Commissioners and their assistants disapproved.' (Gwyneth Tyson Roberts, *The Language of the Blue Books: Wales and Colonial Prejudice* (Cardiff: University of Wales Press, 2011), tt. 193–4. Cyhoeddwyd yn wreiddiol fel Gwyneth Tyson Roberts, *The Language of the Blue Books: The Perfect Instrument of Empire* (Cardiff: University of Wales Press, 1998).) Ceir sawl enghraifft o anfoesoldeb ac anwareidd-dra honedig y Cymry yn ôl y comisiynwyr; maent yn arddangos 'disregard of cleanliness and decency', 'lack of chastity', a 'the most unreasoning prejudices or impulses; and utter want of method in thinking and acting' (Committee of Council on Education, *Reports of the Commissioners of Inquiry into the state of education in Wales*, I, t. 17; III, t. 57; I, t. 6).
41. Committee of Council on Education, *Reports of the Commissioners of Inquiry into the state of education in Wales*, III, t. 63.
42. Roberts, *The Language of the Blue Books*, t. 196.
43. Neil Evans, Paul O'Leary a Charlotte Williams, 'Introduction: Race, Nation and Globalization', yn Neil Evans, Paul O'Leary a Charlotte Williams (goln), *A Tolerant Nation? Exploring Ethnic Diversity in Wales* (Cardiff: University of Wales Press, 2003), tt. 1–13 (t. 11).
44. Committee of Council on Education, *Reports of the Commissioners of Inquiry into the state of education in Wales*, II, t. 66.
45. Thomas Babington Macaulay, *Minute by the Hon'ble T. B. Macaulay, dated the 2nd February 1835* [ar-lein], *http://www.columbia.edu/itc/mealac/pritchett/00generallinks/macaulay/txt_minute_education_1835.html* (gwelwyd: 4 Ionawr 2015).
46. Gweler Angharad Price, 'Borshiloff', yn Owen Thomas (gol.), *Llenyddiaeth Mewn Theori* (Caerdydd: Gwasg Prifysgol Cymru, 2006), tt. 137–51, am enghraifft o'r defnydd o'r term Cymraeg hwn.
47. Edward W. Said, *Orientalism* ([1978]; London: Penguin, 1995), t. 21.
48. Said, *Orientalism*, t. 5.
49. Macaulay, *Minute by the Hon'ble T. B. Macaulay, dated the 2nd February 1835*.
50. Homi K. Bhabha, *The Location of Culture* (London and New York: Routledge, 1994), t. 85.
51. Bhabha, *The Location of Culture*, t. 86. Y pwyslais yn y testun gwreiddiol.
52. Bhabha, *The Location of Culture*, t. 86.
53. Bhabha, *The Location of Culture*, t. 87.
54. Charlotte Williams, *Sugar and Slate* (Aberystwyth: Planet, 2002), t. 3.
55. Bhabha, *The Location of Culture*, t. 86.
56. Gweler Angharad Naylor, '"Trafferth Mewn Tafarn" a'r Gofod Hybrid', yn

Tudur Hallam ac Angharad Price (goln), *Ysgrifau Beirniadol XXXI* (Dinbych: Gwasg Gee, 2012), tt. 93–118 (t. 95) am ddefnydd o'r term 'hybridedd'.

57. Bhabha, *The Location of Culture*, tt. 35–6.
58. Bhabha, *The Location of Culture*, t. 37.
59. Bhabha, *The Location of Culture*, t. 211.
60. Bhabha, *The Location of Culture*, t. 207.
61. Bhabha, *The Location of Culture*, t. 39.
62. Bhabha, *The Location of Culture*, t. 37.
63. Dai Smith, 'Psycho-colonialism', *New Welsh Review*, 66 (winter 2004), 22–9 (26).
64. Smith, 'Psycho-colonialism', 26.
65. Jane Aaron, 'Postcolonial Change', *New Welsh Review*, 67 (spring 2005), 32–6 (36).
66. Aaron, 'Postcolonial Change', 35–6.
67. Bill Ashcroft, Gareth Griffiths a Helen Tiffin, *The Empire Writes Back: Theory and Practice in Post-colonial Literatures* ([1989]; London: Routledge, 1994), t. 33.
68. Evans, O'Leary a Williams, 'Introduction: Race, Nation and Globalization', t. 11.
69. Williams, 'Claiming the National', t. 220.
70. Williams, 'Claiming the National', t. 226.
71. Williams, 'Can We Live Together?', 220. Er nad yw Charlotte Williams yn nodi o ba destunau y daeth yr enghreifftiau hyn, mae'n bosib mai un o'r achosion y mae'n cyfeirio ato yw disgrifiad cyn-gadeirydd Bwrdd yr Iaith Gymraeg, John Elfed Jones, o fudwyr di-Gymraeg i'r Fro Gymraeg fel '[c]lwy traed a'r genau arall sydd yn anfwriadol newid buchedd cefn gwlad Cymru' (John Elfed Jones, 'Buches a Buchedd', *Barn*, 462/463 (Gorffennaf/Awst 2001), 59).
72. Williams, 'Claiming the National', t. 225. Dylid nodi bod Simon Brooks yn dadlau bod sylwadau Williams yn 'tabloidized claims at best, questionable in their accuracy, marked by loaded use of adjective and characterized by journalistic hyperbole' (Simon Brooks, 'The Idioms of Race: The "Racist Nationalist" in Wales as Bogeyman', yn T. Robin Chapman (gol.), *The Idiom of Dissent: Protest and Propaganda in Wales* (Llandysul: Gomer Press, 2006), tt. 139–65 (t. 155)). Nid yw Charlotte Williams yn nodi o ba destunau y daeth yr enghraifft hwn o'r defnydd o 'white settlers'. Er nad yw'r sefyllfa'n un hollol gyfatebol, wrth drafod y berthynas rhwng y Cymry a'r Affro-Americaniaid mae Daniel G. Williams yn nodi sawl enghraifft o fyd y celfyddydau lle y cymherir y Cymry – Cymraeg a Saesneg eu hiaith – â'r gymuned ddu benodol hon. Er ei fod yn gochel rhag datblygu '[c]ymhlethdod y dioddefydd' ymhlith y Cymry, cydnebydd hefyd 'n[a]d oes unrhyw beth neilltuol Gymreig am [y cymhariaethau] hyn', gan ddadlau bod ymgyrchoedd cymunedau du Unol Daleithiau America wedi '[d]od yn destun edmygedd ac ysbrydoliaeth i leiafrifoedd ar draws y ddaear'. (Daniel G. Williams,

'Cyflwyniad', yn Daniel G. Williams (gol.), *Canu Caeth: Y Cymru a'r Affro-Americaniaid* (Llandysul: Gwasg Gomer, 2010), tt. xi–xxiv (tt. xv–xvi).)

73. Gweler, er enghraifft, Daniel G. Williams, *Black Skin, Blue Books: African Americans and Wales 1845–1945* (Cardiff: University of Wales Press, 2012), Williams (gol.), *Canu Caeth: Y Cymry a'r Affro-Americaniaid*, a Jasmine Donahaye, *Whose People? Wales, Israel, Palestine* (Cardiff: University of Wales Press, 2012).
74. Grahame Davies, *The Dragon and the Crescent* (Bridgend: Seren, 2011), t. 8.
75. Grahame Davies, 'Introduction', yn Grahame Davies (gol.), *The Chosen People* (Bridgend: Seren, 2002), tt. 9–18 (t. 16). Efallai ei bod hi'n briodol crybwyll yma fod Richard Wyn Jones yn ei gyfrol ar hanes y cyhuddiadau o ffasgaeth yn erbyn Plaid Cymru yn nodi: 'nid oes dim sy'n eithriadol am yr ychydig o sylwadau sy'n bresennol yng ngwaith Saunders Lewis y gellir eu dehongli fel rhai gwrth-Semitaidd. Yn wir, ymddengys ei fod yn fwy ymwybodol na llawer o hagrwch y fath sentiment.' (Richard Wyn Jones, *'Y Blaid Ffasgaidd yng Nghymru': Plaid Cymru a'r Cyhuddiad o Ffasgaeth* (Caerdydd: Gwasg Prifysgol Cymru, 2013), t. 45.)
76. Davies, 'Introduction', t. 9.
77. Davies, 'Introduction', 17.
78. Davies, *The Dragon and the Crescent*, t. 7.
79. Grahame Davies, 'Rough Guide', *Cadwyni Rhyddid* (Abertawe: Cyhoeddiadau Barddas, 2001), t. 26, llau 13–16.
80. Davies, 'Rough Guide', llau 22–4.
81. Williams, *Sugar and Slate*, t. 103.
82. Evans, O'Leary a Williams, 'Introduction: Race, Nation and Globalization', t. 11. Gweler Neil Evans, Paul O'Leary a Charlotte Williams, 'Introduction: Race, Nation and Globalization in a Devolved Wales', yn Neil Evans, Paul O'Leary a Charlotte Williams (goln), *A Tolerant Nation? Revisiting Ethnic Diversity in a Devolved Wales* (Cardiff: University of Wales Press, 2015), tt. 1–23 (t. 7).
83. Evans, O'Leary a Williams, 'Introduction: Race, Nation and Globalization', t. 11; Evans, O'Leary a Williams, 'Introduction: Race, Nation and Globalization in a Devolved Wales', t. 7.
84. Bohata, *Postcolonialism Revisited*, tt. 22–5.
85. Bohata, *Postcolonialism Revisited*, t. 4
86. Ken Goodwin, 'Celtic Nationalism and Postcoloniality', yn Stuart Murray ac Alan Riach (goln), *SPAN: Journal of the South Pacific Association for Commonwealth Literature and Language Studies*, 4 (October 1995), 23. Dyfynnir yn Bohata, *Postcolonialism Revisited*, t. 4.
87. Bohata, *Postcolonialism Revisited*, t. 130.

Pennod 2

1. Katie Gramich, 'The Welsh novel now', *Books in Wales* (winter 1990), 5. Gweler John Rowlands, 'Chwarae â Chwedlau: Cip ar y Nofel Gymraeg Ôl-Fodernaidd', yn Gerwyn Wiliams (gol.), *Rhyddid y Nofel* (Caerdydd:

Gwasg Prifysgol Cymru, 1999), tt. 161–85, am drafodaeth bellach ar nofelau Cymraeg ôl-fodernaidd y cyfnod hwn.

2. Noda clawr cefn *O Ran*: '[c]afodd Mererid Hopwood ei geni a'i magu yng Nghaerdydd ond daw'r teulu o Bontiago, Sir Benfro, lle mae cysylltiadau cryfion o hyd' (gweler Mererid Hopwood, *O Ran* (Llandysul: Gwasg Gomer, 2008), clawr cefn). Mae hyn yn ymdebygu i fywyd Angharad Gwyn, prif gymeriad y nofel, a aned ac a fagwyd yng Nghaerdydd, ond sydd â gwreiddiau yn Llanybydder, sir Gaerfyrddin.
3. Bron y gellir dweud bod yr holl nofelau a drafodir yma yn defnyddio ffurf neu dechnegau aml-leisiol mewn rhyw ffordd. Ymhlith y nofelau a drafodir yn y bennod nesaf, adroddir *Cardiff Dead* (2000) gan John Williams o safbwynt dau gymeriad gwahanol, ar ddau gyfnod gwahanol, ac mae'r nofel *In and Out of the Goldfish Bowl* (2000) gan Rachel Trezise yn ymdebygu i hunangofiant weithiau. Yn y bedwaredd bennod, trafodir *Y Tiwniwr Piano* (2009) gan Catrin Dafydd, a adroddir o safbwynt dau gymeriad gwahanol, a'i nofel Saesneg *Random Deaths and Custard* (2007) lle mae llais Saesneg a llais Cymraeg y prif gymeriad, Sam, i'w clywed. Mae'r un peth yn wir am *Ffydd, Gobaith, Cariad* (2006) gan Llwyd Owen, sydd hefyd yn cael ei hadrodd o safbwynt y gorffennol a'r presennol. Ym mhumed bennod yr astudiaeth hon trafodir *Dyn yr Eiliad* (2003) gan Owen Martell lle y mae llais y dweud yn newid yn aml o lais person cyntaf y prif gymeriad, Daniel, i lais trydydd person adroddwr anhysbys. Manylir ar hyn yn fwy yn y penodau dilynol, lle bo'n briodol.
4. Jean-François Lyotard, *The Postmodern Condition: A Report on Knowledge*, cyf. Geoff Bennington a Brian Massumi (Manchester: Manchester University Press, 1984), t. xxiv.
5. Peter Barry, *Beginning Theory: An Introduction to Literary and Cultural Theory* ([1995]; 3ydd arg., Manchester: Manchester University Press, 2009), t. 83.
6. Barry, *Beginning Theory*, t. 83.
7. Katie Gramich, 'Travel, Translation and Temperance: Discovering the Origins of the Welsh Novel in SCOLAR', Cyfres Darlithoedd SCOLAR, Prifysgol Caerdydd, 19 Tachwedd 2014.
8. John Rowlands, 'The Novel', yn Dafydd Johnston (gol.), *A Guide to Welsh Literature* c.*1900–1996 Volume VI* (Cardiff: University of Wales Press, 1998), tt. 159–203 (tt. 159–60).
9. Raymond Williams, *The Welsh Industrial Novel* (Cardiff: University College Cardiff Press, 1979), tt. 7–8.
10. Iwan Llwyd Williams a Wiliam Owen Roberts, 'Myth y Traddodiad Dethol', *Llais Llyfrau* (hydref 1982), 10–11.
11. Gweler Angharad Price, *Rhwng Gwyn a Du: Agweddau ar Ryddiaith Gymraeg y 1990au* (Caerdydd: Gwasg Prifysgol Cymru, 2002).
12. György Lukács, *Studies in European Realism*, cyf. Edith Bone ([1950]; Manchester: Merlin Press, 1978), t. 6.
13. Lukács, *Studies in European Realism*, t. 7.

14. Friedrich Engels, 'Letter to Margaret Harkness' [1888], yn Martin Travers (gol.), *European Literature from Romanticism to Postmodernism: A Reader in Aesthetic Practice* (London: Continuum, 2001), tt. 122–4 (t. 123).
15. Barry, *Beginning Theory*, t. 153.
16. Barry, *Beginning Theory*, t. 83.
17. Mikhail Bakhtin, *The Dialogic Imagination: Four Essays*, cyf. Caryl Emerson a Michael Holquist, gol. Michael Holquist ([1972]; Austin: University of Texas Press, 1981), t. 341.
18. Bakhtin, *The Dialogic Imagination*, t. 262.
19. Bakhtin, *The Dialogic Imagination*, tt. 261–2.
20. Bakhtin, *The Dialogic Imagination*, t. 262.
21. Gweler Price, *Rhwng Gwyn a Du*, t. 75, am y defnydd o'r term Cymraeg hwn.
22. Bakhtin, *The Dialogic Imagination*, t. 272.
23. Bakhtin, *The Dialogic Imagination*, t. 344.
24. Bakhtin, *The Dialogic Imagination*, t. 344.
25. Bakhtin, *The Dialogic Imagination*, t. 342.
26. Bakhtin, *The Dialogic Imagination*, t. 348.
27. Bakhtin, *The Dialogic Imagination*, t. 346. Y pwyslais yn y gwreiddiol.
28. Bakhtin, *The Dialogic Imagination*, t. 348.
29. Bakhtin, *The Dialogic Imagination*, t. 349.
30. O hyn allan, defnyddir yr enw 'Charlotte' i gyfeirio at y cymeriad nofelyddol yn *Sugar and Slate* tra defnyddir 'Charlotte Williams' neu 'Williams' i gyfeirio at Charlotte Williams fel awdur neu academydd.
31. Charlotte Williams, *Sugar and Slate* (Aberystwyth: Planet, 2002), d.t.
32. Williams, *Sugar and Slate*, t. 3.
33. C. L. Innes, *The Cambridge Introduction to Postcolonial Literatures in English* (Cambridge: Cambridge University Press, 2007), t. 58.
34. Williams, *Sugar and Slate*, t. 191.
35. Charlotte Williams, '"I Going away, I Going home": Mixed-"Race", Movement and Identity', yn Lynne Pearce (gol.), *Devolving Identities: Feminist Readings in Home and Belonging* (Aldershot: Ashgate, 2000), tt. 179–95 (t. 181).
36. Williams, '"I Going away, I Going home"', t. 182.
37. Williams, '"I Going away, I Going home"', t. 180.
38. Bakhtin, *The Dialogic Imagination*, t. 349.
39. Williams, *Sugar and Slate*, tt. 168–9.
40. Williams, *Sugar and Slate*, tt. 34–5.
41. Chris Williams, 'Problematizing Wales: An Exploration in Historiography and Postcoloniality', yn Jane Aaron a Chris Williams (goln), *Postcolonial Wales* (Cardiff: University of Wales Press, 2005), tt. 1–22 (t. 10).
42. Deep Seghal a Tim Whitby, cyfarwyddwyr, *The Indian Doctor* (Rondo/ Avatar, 2010).
43. Williams, *Sugar and Slate*, tt. 91–2.
44. Williams, *The Welsh Industrial Novel*, t. 13.

45. Williams, *The Welsh Industrial Novel*, t. 13.
46. Williams, *The Welsh Industrial Novel*, t. 14.
47. Williams, *Sugar and Slate*, t. 47.
48. Williams, *Sugar and Slate*, tt. 38–9.
49. Williams, *Sugar and Slate*, t. 169.
50. Hopwood, *O Ran*, t. 47.
51. Hopwood, *O Ran*, t. 35.
52. Hopwood, *O Ran*, t. 106.
53. Homi K. Bhabha, *The Location of Culture* (London and New York: Routledge, 1994), t. 142.
54. Hopwood, *O Ran*, t. 22.
55. Hopwood, *O Ran*, t. 14.
56. Hopwood, *O Ran*, t. 90.
57. Hopwood, *O Ran*, t. 86.
58. Hopwood, *O Ran*, t. 94.
59. Hopwood, *O Ran*, t. 98
60. Bakhtin, *The Dialogic Imagination*, t. 275.
61. Hopwood, *O Ran*, t. 132.
62. Hopwood, *O Ran*, t. 132.
63. Hopwood, *O Ran*, t. 84.
64. Hopwood, *O Ran*, t. 150.
65. Hopwood, *O Ran*, t. 150.
66. Dannie Abse, *There Was a Young Man From Cardiff* ([1991]; Bridgend: Seren, 2001), t. 128.
67. Abse, *There Was a Young Man From Cardiff*, t. 128.
68. Abse, *There Was a Young Man From Cardiff*, t. 169.
69. Abse, *There Was a Young Man From Cardiff*, t. 168.
70. Abse, *There Was a Young Man From Cardiff*, t. 26.
71. Abse, *There Was a Young Man From Cardiff*, t. 27.
72. Abse, *There Was a Young Man From Cardiff*, d.t.
73. Abse, *There Was a Young Man From Cardiff*, t. 108.
74. Abse, *There Was a Young Man From Cardiff*, t. 215.
75. Abse, *There Was a Young Man from Cardiff*, t. 49.
76. Mihangel Morgan, *Pan Oeddwn Fachgen* (Talybont: Y Lolfa, 2002), d.t.
77. Morgan, *Pan Oeddwn Fachgen*, d.t.
78. Morgan, *Pan Oeddwn Fachgen*, tt. 43–4.
79. Morgan, *Pan Oeddwn Fachgen*, t. 44.
80. Morgan, *Pan Oeddwn Fachgen*, t. 46.
81. Morgan, *Pan Oeddwn Fachgen*, t. 16.
82. Morgan, *Pan Oeddwn Fachgen*, t. 16.
83. Morgan, *Pan Oeddwn Fachgen*, d.t.
84. Morgan, *Pan Oeddwn Fachgen*, t. 110
85. Morgan, *Pan Oeddwn Fachgen*, t. 110.
86. Morgan, *Pan Oeddwn Fachgen*, d.t.
87. Morgan, *Pan Oeddwn Fachgen*, t. 109.

88. Morgan, *Pan Oeddwn Fachgen*, t. 7.
89. Morgan, *Pan Oeddwn Fachgen*, t. 111.
90. Morgan, *Pan Oeddwn Fachgen*, t. 110.
91. Dafydd James, 'Y Queer yn erbyn y Byd', *Taliesin*, 151 (gwanwyn 2014), 66–85 (66, 74).
92. Gweler, er enghraifft, Mair Rees, *Y Llawes Goch a'r Faneg Wen: Y Corff Benywaidd a'i Symbolaeth mewn Ffuglen Gymraeg gan Fenywod* (Caerdydd: Gwasg Prifysgol Cymru, 2014), t. 191.
93. James, 'Y Queer yn erbyn y Byd', 83.
94. James, 'Y Queer yn erbyn y Byd', 84.
95. Gweler er enghraifft, Daniel G. Williams, 'Single nation, double logic: Ed Miliband and the problem with British multiculturalism', *Open Democracy*, 18 Hydref 2012 [ar-lein], *http://www.opendemocracy.net/ourkingdom/daniel-g-williams/single-nation-double-logic-ed-miliband-and-problem-with-british-multicu* (gwelwyd: 12 Mai 2014); Rees, *Y Llawes Goch a'r Faneg Wen*; Mihangel Morgan, 'From Huw Arwystli to Siôn Eirian: Representative Examples of *Cadi*/Queer Life from Medieval to Twentieth-century Welsh Literature', yn Huw Osborne (gol.), *Queer Wales: The History, Culture and Politics of Queer Life in Wales* (Cardiff: University of Wales Press, 2016), tt. 65–88.
96. Morgan, 'From Huw Arwystli to Siôn Eirian', t. 68.
97. Morgan, 'From Huw Arwystli to Siôn Eirian', t. 67.
98. Judith Butler, *Bodies That Matter: On the Discursive Limits of 'Sex'* (London and New York: Routledge, 1993), t. 222.
99. Morgan, 'From Huw Arwystli to Siôn Eirian', t. 67.
100. Bakhtin, *The Dialogic Imagination*, t. 349.
101. Stephen Whittle, 'Gender Fucking or Fucking Gender', yn Iain Morland ac Annabelle Willox (goln), *Queer Theory* (Basingstoke and New York: Palgrave Macmillan, 2005), tt. 115–29 (t. 123).
102. Bhabha, *The Location of Culture*, t. 39.

Pennod 3

1. Homi K. Bhabha, *The Location of Culture* (London and New York: Routledge, 1994), t. 66.
2. Joseph Chamberlain, 'The True Conception of Empire' [1897], yn Elleke Boehmer (gol.), *Empire Writing: An Anthology of Colonial Literature 1870–1918* (Oxford and New York: Oxford University Press, 1998), tt. 212–15 (t. 213).
3. Rudyard Kipling, 'The White Man's Burden' [1899], yn Elleke Boehmer (gol.), *Empire Writing: An Anthology of Colonial Literature 1870–1918* (Oxford and New York: Oxford University Press, 1998), tt. 273–4, llau 5–8.
4. Kirsti Bohata, *Postcolonialsim Revisited* (Cardiff: University of Wales Press, 2004), t. 29.
5. Katie Gramich, 'Cymru or Wales? Explorations in a Divided Sensibility', yn Susan Bassnett (gol.), *Studying British Cultures* (London and New York: Routledge, 1997), tt. 97–112 (t. 101).

6. Charlotte Williams, 'Claiming the National: Nation, National Identity and Ethinc Minorities', yn Neil Evans, Paul O'Leary a Charlotte Williams (goln), *A Tolerant Nation? Revisiting Ethnic Diversity in a Devolved Wales* (Cardiff: University of Wales Press, 2015), tt. 331–51 (tt. 331–2).
7. Mererid Hopwood, *O Ran* (Llandysul: Gwasg Gomer, 2008), t. 189.
8. Dyfynnwyd yn Gabriele Marranci, 'Pakistanis in Northern Ireland in the Aftermath of September 11', yn Tahir Abbas (gol.), *Muslim Britain: Communities Under Pressure* (London: ZedBooks, 2005), tt. 222–35 (t. 228).
9. Er ei bod yn anodd disgrifio Caerdydd fel 'canolfan' yn yr ystyr imperialaidd gan nad oes gan Gymru ymerodraeth, golygir yma fod Caerdydd yn gosod safonau diwylliannol, yn ymddangos yn uwchraddol nag ardaloedd eraill y wlad ac yn cynhyrchu ystrydebau sy'n cadarnhau'r rhagoriaeth hon.
10. Bhabha, *The Location of Culture*, t. 66.
11. Bhabha, *The Location of Culture*, t. 86.
12. Raymond Williams, 'Welsh Culture', yn Raymond Williams, *Who Speaks for Wales? Nation, Culture, Identity*, gol. Daniel Williams (Cardiff: University of Wales Press, 2003), tt. 5–11 (t. 10).
13. Joseph Conrad, *Heart of Darkness*, gol. Owen Knowles ([1899]; London: Penguin, 2007), t. 43.
14. Joe Dunthorne, *Wild Abandon* (London: Hamish Hamilton, 2011) tt. 72–3.
15. Pyrs Gruffudd, 'Prospects of Wales: contested geographical imaginations', yn Ralph Fevre ac Andrew Thomson (goln), *Nation, Identity and Social Theory: Perspectives from Wales* (Cardiff: University of Wales Press, 1999), tt. 149–67 (t. 157).
16. Raymond Williams, *The Country and the City* (London: Chatto and Windus, 1973), t. 46.
17. Williams, *The Country and the City*, t. 279.
18. Moira Dearnley, *Distant Fields: Eighteenth-century Fictions of Wales* (Cardiff: University of Wales Press, 2001), tt. 70–1.
19. Gruffudd, 'Prospects of Wales', t. 149.
20. Gruffudd, 'Prospects of Wales', t. 151.
21. Gruffudd, 'Prospects of Wales', t. 151.
22. Dunthorne, *Wild Abandon*, t. 75.
23. Dunthorne, *Wild Abandon*, t. 76.
24. Marianna Torgovnick, *Gone Primitive: Savage Intellects, Modern Lives* (Chicago and London: University of Chicago Press, 1990), tt. 13–14.
25. Bill Ashcroft, Gareth Griffiths a Helen Tiffin, *Key Concepts in Post-Colonial Studies* (London and New York: Routledge, 1998), t. 115.
26. Dunthorne, *Wild Abandon*, t. 75.
27. Edward W. Said, *Orientalism* ([1978]; London: Penguin, 1995), t. 21.
28. Cf. Caryl Lewis, *Martha, Jac a Sianco* (Talybont: Y Lolfa, 2001) ac Angharad Tomos, *Titrwm* (Talybont: Y Lolfa, 1993), er enghraifft.
29. Dunthorne, *Wild Abandon*, t. 76.
30. Torgovnick, *Gone Primitive*, t. 19.

31. Dunthorne, *Wild Abandon*, t. 73.
32. Torgovnick, *Gone Primitive*, t. 18.
33. Gweler Dunthorne, *Wild Abandon*, t. 76.
34. Dunthorne, *Wild Abandon*, t. 73.
35. Llwyd Owen, *Ffydd, Gobaith, Cariad* ([2006]; 2il arg., Talybont: Y Lolfa, 2007), tt. 114–15.
36. Am drafodaeth bellach o'r olygfa hon o nofel Llwyd Owen gweler Lisa Sheppard, 'Cymreictod y Concrit: Caerdydd a'r Hunaniaeth Gymraeg yn y Nofel Ddinesig, 1978–2008', *Llên Cymru*, 36 (2013), 91–118 (106–7).
37. Neil Evans, Paul O'Leary a Charlotte Williams, 'Introduction: Race, Nation and Globalization in a Devolved Wales', yn Neil Evans, Paul O'Leary a Charlotte Williams (goln), *A Tolerant Nation? Revisiting Ethnic Diversity in a Devolved Wales* (Cardiff: University of Wales Press, 2015), tt. 1–23 (t. 5).
38. John Williams, *Cardiff Dead* ([2000]; arg. newydd, London: Bloomsbury, 2001), t. 56. Dyfynnir o'r nofel hon trwy ganiatâd Bloomsbury Publishing, © John Williams, 2001, *Cardiff Dead*, Bloomsbury Publishing Plc.
39. Williams, *Cardiff Dead*, tt. 56–7.
40. Bhabha, *The Location of Culture*, t. 66.
41. Charlotte Williams, *Sugar and Slate* (Aberystwyth: Planet, 2002), t. 169.
42. Katie Gramich, 'Pimps, Punks and Pub Crooners: Anarchy and Anarchism in Contemporary Welsh Fiction', yn H. Gustav Klaus a Stephen Knight (goln), *'To Hell with Culture': Anarchism and Twentieth-Century British Literature* (Cardiff: University of Wales Press, 2005), tt. 178–93 (t. 180).
43. Gramich, 'Pimps, Punks and Pub Crooners', t. 180.
44. Frantz Fanon, 'Spontaneity: Its Strength and Weakness', yn Gregory Castle (gol.), *Postcolonial Discourses: An Anthology* (Oxford and Malden, Mass.: Blackwell, 2001), tt. 4–25 (t. 4). Cyhoeddwyd yn wreiddiol yn Frantz Fanon, *The Wretched of the Earth*, cyf. Constance Farrington ([1961]; New York: Grove Weidenfeld, 1963), tt. 107–48.
45. Williams, *Cardiff Dead*, t. 24.
46. Williams, *Cardiff Dead*, tt. 26–7.
47. Williams, *Cardiff Dead*, t. 27.
48. Angharad Price, *Caersaint* (Talybont: Y Lolfa, 2010), tt. 305–6.
49. Price, *Caersaint*, t. 306.
50. Angharad Price a ddyfynnwyd yn Menna Baines, 'Y Saint yn eu gogoniant: holi Angharad Price am ei nofel newydd', *Barn*, 566 (Mawrth 2010), 33–4 (34).
51. Price, *Caersaint*, t. 33.
52. Price, *Caersaint*.
53. Price, *Caersaint*, tt. 34–6.
54. Gweler Bohata, *Postcolonialism Revisited*, t. 32.
55. Price, *Caersaint*, t. 353.
56. Price, *Caersaint*, t. 34. Y pwyslais wedi'i ychwanegu.
57. Am esboniad o'r system dadenwol (lle y defnyddid 'ap'/'ab' a 'ferch') yng Nghymru a sut y datblygodd y defnydd o'r system gyfenwol Seisnig

yn ei lle gweler T. J. Morgan a Prys Morgan, *Welsh Surnames* (Cardiff: University of Wales Press, 1985), tt. 10–24. Yn ei ddadansoddiad o gerdd Gwyn Thomas 'Du Gwyn', noda Simon Brooks fod cyfenw un o gymeriadau'r gerdd, Amos Susili Jones, GI du o America sy'n cael plentyn â menyw gwyn o Flaenau Ffestiniog, yn arwydd o amwysedd statws y Cymry fel trefedigaethwyr a threfedigaethedig ill dau: 'Ei gyfenw yw Jones; enw a orfodwyd ar un o'i hynafiaid yn oes caethwasanaeth. Yr awgrym amlwg yw mai Cymro, neu Americanwr o dras Cymreig, oedd perchennog un o'i hen deidiau . . . Ond . . . nid enw cynhenid Cymraeg mohono, ond enw a ledaenid yng Nghymru wrth i'r gyfundrefn dadenwol Gymraeg . . . ddadfeilio yn y Cyfnod Modern Cynnar. Uno oedd achos hynny.' (Simon Brooks, '"Caradog Wyn" Gwyn Thomas; Cymro Cymraeg "Du Gwyn" ym Mlaenau Ffestiniog', yn Daniel G. Williams (gol.), *Canu Caeth: Y Cymry a'r Affro-Americaniaid* (Llandysul: Gwasg Gomer, 2010), tt. 134–52 (t. 141).) Er nad oherwydd caethwasanaeth ei gyndeidiau, fel yn achos Amos Susili Jones, y rhoddwyd y cyfenw 'Jones' i Jamal, mae ei rhieni Cymreig a Phacistanaidd ill dau'n dod o wledydd y gellir eu dehongli fel trefedigaethau, ac mae'n briodol nodi yr amwysedd a berthyn i'r cyfenw hwn yng nghyd-destun enwau amwys eraill Jamal.

58. Price, *Caersaint*, t. 256.
59. Price, *Caersaint*, t. 256.
60. Stuart Hall, 'Old and New Identites, Old and New Ethnicities', yn Les Black a John Solomos (goln), *Theories of Race and Racism: A Reader* (London and New York: Routledge, 2000), tt. 144–53 (t. 150).
61. Price, *Caersaint*, t. 256.
62. Bhabha, *The Location of Culture*, t. 37.
63. Conrad, *Heart of Darkness*, t. 9.
64. Katie Gramich, *Twentieth-Century Women's Writing in Wales: Land, Gender, Belonging* (Cardiff: Universtiy of Wales Press, 2007), t. 195.
65. Rachel Trezise, *In and Out of the Goldfish Bowl* (Cardigan: Parthian, 2000), t. 79.
66. Trezise, *In and Out of the Goldfish Bowl*, t. 78.
67. Trezise, *In and Out of the Goldfish Bowl*, t. 79.
68. Ashcroft, Griffiths a Tiffin, *Key Concepts in Post-Colonial Studies*, t. 13.
69. Trezise, *In and Out of the Goldfish Bowl*, t. 79.
70. Bohata, *Postcolonialism Revisited*, tt. 81, 101.

Pennod 4

1. Charlotte Williams, 'Strange Encounters', *Planet*, 158 (April/May 2003), 19–24 (23).
2. Charlotte Williams, 'Can We Live Together? Wales and the Multicultural Question', *Transactions of the Honourable Society of Cymmrodorion 2004*, 11 (2005), 216–30 (223).
3. Simon Brooks a Richard Glyn Roberts, 'Pwy yw'r Cymry? Hanes enw', yn Simon Brooks a Richard Glyn Roberts (goln), *Pa Beth yr Aethoch Allan i'w*

Achub? Ysgrifau i Gynorthwyo'r Gwrthsafiad yn erbyn Dadfeiliad y Gymru Gymraeg (Llanrwst: Gwasg Carreg Gwalch, 2013), tt. 23–39 (t. 25). Y pwyslais yn y gwreiddiol.

4. Brooks a Roberts, 'Pwy yw'r Cymry? Hanes enw', tt. 36–7.
5. Brooks a Roberts, 'Pwy yw'r Cymry? Hanes enw', t. 37.
6. Brooks a Roberts, 'Pwy yw'r Cymry? Hanes enw', t. 23.
7. Simon Brooks, 'Cymry Newydd a'u Llên', *Taliesin*, 156 (gaeaf 2015), 33–42 (33).
8. Denis Balsom, 'The Three-Wales Model', yn John Ormond (gol.), *The National Question Again: Welsh Political Identity in the 1980s* (Llandysul: Gomer Press, 1985), tt. 1–17 (t. 2).
9. Balsom, 'The Three-Wales Model', tt. 4–5.
10. Rachel Trezise, 'Jigsaws', yn *Fresh Apples* ([2005]; arg. newydd, Cardigan: Parthian, 2006), tt. 147–57 (tt. 148–9).
11. Trezise, 'Jigsaws', t. 149.
12. Trezise, 'Jigsaws', t. 150.
13. Trezise, 'Jigsaws', tt. 150–1.
14. Simon Brooks, 'Should we spend £400K to translate records of every Assembly meeting?', *Western Mail*, 23 May 2012 [ar-lein], *http://www.walesonline.co.uk/news/wales-news/should-spend-400k-translate-records-2051071* (gwelwyd: 14 Awst 2014).
15. Williams, 'Can We Live Together?', 223.
16. Neil Evans, Paul O'Leary a Charlotte Williams, 'Introduction: Race, Nation and Globalization', yn Neil Evans, Paul O'Leary a Charlotte Williams (goln), *A Tolerant Nation? Exploring Ethnic Diversity in Wales* (Cardiff: University of Wales Press, 2003), tt. 1–13 (t. 1).
17. [Daniel G. Williams], 'Ynghylch Amlddiwylliannaeth', *Nation Time/Cymru Sydd*, 15 Ebrill 2016 [ar-lein], *https://nationtimecymrusydd.wordpress.com/2016/04/15/ynghylch-amlddiwylliannaeth/* (gwelwyd: 23 Ebrill 2017).
18. Catrin Dafydd, *Y Tiwniwr Piano* (Llandysul: Gwasg Gomer, 2009), tt. 11–12.
19. Dafydd, *Y Tiwniwr Piano*, t. 10.
20. Dafydd, *Y Tiwniwr Piano*, t. 13.
21. Suzanne Labelle, 'Language Standardi[s/z]ation', yn Annabelle Mooney, Jean Stilwell Peccei, Suzanne Labelle, Berit Engøy Henriksen, Eva Eppler, Anthe Irwin, Pia Pichler, Siân Preece a Satori Soden (goln), *Language, Society and Power: An Introduction* ([1999]; 3ydd arg., London and New York: Routledge, 2011), tt. 189–205 (t. 196).
22. Simon Brooks, 'Dwyieithrwydd', yn Simon Brooks a Richard Glyn Roberts (goln), *Pa Beth yr Aethoch Allan i'w Achub? Ysgrifau i Gynorthwyo'r Gwrthsafiad yn erbyn Dadfeiliad y Gymru Gymraeg* (Llanrwst: Gwasg Carreg Gwalch, 2013), tt. 102–25 (t. 105).
23. Dafydd, *Y Tiwniwr Piano*, t. 117.
24. Frantz Fanon, *Black Skin, White Masks*, cyf. Charles Lam Markmann ([1952, cyf. 1986]; arg. newydd, London: Pluto, 2008), t. 12.
25. Am fersiwn o'r drafodaeth hon a thrafodaeth bellach o'r dafarn lenyddol Gymreig fel gofod ieithyddol hybrid, gweler Lisa Sheppard, 'Pulling

Pints, Not Punches: Lingustic Tensions in the Literary Pubs of Wales', *International Journal of Welsh Writing in English*, 3 (2015), 75–101.

26. Dienw, 'The great Welsh divide', *Daily Mail*, 7 Awst 2001 [ar-lein], *http://www.dailymail.co.uk/tvshowbiz/article-65045/The-great-Welsh-divide.html* (gwelwyd: 25 Mai 2015).
27. Fergus Collins, 'Moving to the Countryside: Part 8: Wales versus England', *www.Countryfile.com*, 2 Hydref 2012 [ar-lein], *http://www.countryfile.com/blog-post/moving-countryside-part-8-wales-versus-england* (gwelwyd: 25 Mai 2015).
28. Stephen Earnshaw, *The Pub in Literature: England's Altered State* (Manchester: Manchester University Press, 2001), t. 1.
29. Earnshaw, *The Pub in Literature*, t. 2.
30. Earnshaw, *The Pub in Literature*, t. 2.
31. Earnshaw, *The Pub in Literature*, t. 5.
32. Earnshaw, *The Pub in Literature*, t. 9.
33. Earnshaw, *The Pub in Literature*, t. 269.
34. Charlotte Williams, 'Claiming the National: Nation, National Identity and Ethinc Minorities', yn Neil Evans, Paul O'Leary a Charlotte Williams (goln), *A Tolerant Nation? Revisiting Ethnic Diversity in a Devolved Wales* (Cardiff: University of Wales Press, 2015), tt. 331–51 (tt. 331–2).
35. Dafydd ap Gwilym, 'Trafferth Mewn Tafarn', yn Dafydd Johnston, A. Cynfael Lake, Dylan Foster Evans, Elisa Moras, Huw Meirion Edwards, Sara Elin Roberts ac Ann Parry Owen (goln), *Dafydd ap Gwilym.net* (Abertawe: Prifysgol Abertawe) [ar-lein], *www.dafyddapgwilym.net* (gwelwyd: 4 Awst 2013). Mae gwefan *www.dafyddapgwilym.net* yn cyfieithu'r rhan hon o'r gerdd i Gymraeg cyfoes fel hyn: 'lle'r oedd ger muroedd mawr / dri Sais mewn gwely drewllyd / yn poeni am eu tri phac, / Hicin a Siencyn a Siac. / Hisiodd y penbwl dreflog ei geg / (casineb creulon) wrth y ddau [arall]: / 'Mae Cymro (cyffro ffyrnig dichellgar) / yn symud o gwmpas yma'n dwyllodrus iawn; / lleidr yw ef, os caniatawn iddo, / gwyliwch, gofalwch rhag hwn.'
36. Angharad Naylor, '"Trafferth Mewn Tafarn" a'r Gofod Hybrid', yn Tudur Hallam ac Angharad Price (goln), *Ysgrifau Beirniadol XXXI* (Dinbych: Gwasg Gee, 2012), tt. 93–118.
37. Gweler Naylor, '"Trafferth Mewn Tafarn" a'r Gofod Hybrid', t. 107. Mae'r hwiangerdd 'Taffy was a Welshman' a oedd yn boblogaidd yn y ddeunawfed ganrif a'r bedwaredd ganrif ar bymtheg yn adleisio'r ystrydeb sy'n disgrifio'r Cymro fel lleidr yng ngherdd Dafydd ap Gwilym, trwy adrodd stori am y Cymro o'r enw Taffy sy'n dwyn gwahanol ddarnau o gig o dŷ yr adroddwr (gweler Iona Opie a Peter Opie (goln), *The Oxford Dictionary of Nursery Rhymes* ([1951]; arg. newydd, (Oxford: Oxford University Press, 1997), tt. 477–9). Mae llinellau cyntaf pob pennill yn datgan yn uniongyrchol pa mor dwyllodrus yw Taffy, ac oherwydd strwythur ailadroddus y cymal cysylltir y nodwedd hon â'i Gymreictod: 'Taffy was a Welshman, Taffy

was a thief' (ll. 1); 'Taffy was a Welshman, Taffy was a sham' (ll. 5); 'Taffy was a Welshman, Taffy was a cheat' (ll. 9).

38. Gweler Naylor, '"Trafferth Mewn Tafarn" a'r Gofod Hybrid', t. 107.
39. ap Gwilym, 'Trafferth Mewn Tafarn', ll. 1.
40. Emyr Humphreys, *Outside the House of Baal* ([1965]; London: J. M. Dent and Sons, 1988), p. 170.
41. Katie Gramich, 'Cymru or Wales? Explorations in a Divided Sensibility', yn Susan Bassnett (gol.), *Studying British Cultures* (London and New York: Routledge, 1997), tt. 97–112 (t. 101). Y pwyslais wedi'i ychwanegu.
42. Humphreys, *Outside the House of Baal*, t. 290. Y pwyslais wedi'i ychwanegu.
43. Humphreys, *Outside the House of Baal*, t. 441.
44. Dafydd Huws, *Dyddiadur Dyn Dŵad* ([1978]; Llanrwst: Gwasg Carreg Gwalch, 1998), tt. 17–18.
45. Dylan Foster Evans, '"Bardd Arallwlad": Dafydd ap Gwilym a Theori Ôl-drefedigaethol', yn Owen Thomas (gol.), *Llenyddiaeth Mewn Theori* (Caerdydd: Gwasg Prifysgol Cymru, 2006), tt. 39–72 (t. 49).
46. Foster Evans, '"Bardd Arallwlad"', t. 49.
47. Foster Evans, '"Bardd Arallwlad"', t. 50.
48. Homi K. Bhabha, *The Location of Culture* (London and New York: Routledge, 1994), t. 66.
49. Dafydd, *Y Tiwniwr Piano*, t. 41.
50. Dafydd, *Y Tiwniwr Piano*, tt. 41–2.
51. Dafydd, *Y Tiwniwr Piano*, t. 43.
52. Dafydd, *Y Tiwniwr Piano*, tt. 41–2.
53. Williams, 'Can We Live Together?', 220.
54. Dafydd, *Y Tiwniwr Piano*, t. 42.
55. Bill Ashcroft, Gareth Griffiths a Helen Tiffin, *The Empire Writes Back: Theory and Practice in Post-colonial Literatures* ([1989]; London: Routledge, 1994), t. 83.
56. Catrin Dafydd, *Random Deaths and Custard* (Llandysul: Gwasg Gomer, 2007), t. 186.
57. Dafydd, *Random Deaths and Custard*, t. 187.
58. Kirsti Bohata, *Postcolonialism Revisited* (Cardiff: University of Wales Press, 2004), t. 121.
59. Dafydd, *Random Deaths and Custard*, t. 8.
60. Christopher Meredith, *The Book of Idiots* (Bridgend: Seren, 2012), tt. 184–5.
61. Meredith, *The Book of Idiots*, t. 185.
62. Bohata, *Postocolonialism Revisited*, t. 123.
63. Meredith, *The Book of Idiots*, t. 184.
64. Richard Llewellyn, *How Green Was My Valley* ([1939]; London: Penguin, 2001), t. 165.
65. Meredith, *The Book of Idiots*, t. 185.
66. William Shakespeare, *The Tempest*, yn Stephen Greeblatt, Walter Cohen, Jean E. Howard a Katharine Eisaman Maus (goln), *The Norton Shakespeare* (New York: Norton, 1997), tt. 3055–106 (I.ii.366–8).

67. Ania Loomba, *Colonialsim/Postcolonialism* (London and New York: Routledge, 1998), tt. 90–1.
68. Bhabha, *The Location of Culture*, t. 86. Y pwyslais yn y gwreiddiol.
69. Bill Ashcroft, Gareth Griffiths a Helen Tiffin, *Key Concepts in Post-Colonial Studies* (London and New York: Routledge, 1998), t. 140.
70. Meredith, *The Book of Idiots*, t. 229.
71. Llwyd Owen, *Ffydd, Gobaith, Cariad* ([2006]; 2il arg., Talybont: Y Lolfa, 2007), t. 124.
72. Owen, *Ffydd, Gobaith, Cariad*, t. 180.
73. Owen, *Ffydd, Gobaith, Cariad*, t. 129.
74. Owen, *Ffydd, Gobaith, Cariad*, tt. 128–9.
75. Owen, *Ffydd, Gobaith, Cariad*, t. 129.
76. Owen, *Ffydd, Gobaith, Cariad*, t. 129.
77. Owen, *Ffydd, Gobaith, Cariad*, t. 129.

Pennod 5

1. Mirjam Gebauer a Pia Schwartz Lausten, 'Migration Literature: Europe in Transition', yn Mirjam Gebauer a Pia Schwartz Lausten (goln), *Migration and Literature in Contemporary Europe* (München: Martin Meidenbauer, 2010), tt. 1–8 (t. 1).
2. Tony Bianchi, 'Aztecs in Troedrhiwgwair: recent fictions in Wales', yn Ian A. Bell (gol.), *Peripheral Visions: Images of Nationhood in Contemporary British Fiction* (Cardiff: University of Wales Press, 1995), tt. 44–76 (t. 45).
3. Søren Frank, 'Four Theses on Migration and Literature', yn Mirjam Gebauer a Pia Schwartz Lausten (goln), *Migration and Literature in Contemporary Europe* (München: Martin Meidenbauer, 2010), tt. 39–57 (t. 41).
4. Mae rhai mudwyr, wrth gwrs, yn gadael eu gwledydd oherwydd eu bod wedi'u heithrio am beidio â chydymffurfio â'u hunrhywiaeth. Bydd y bennod hon yn trafod gwaith Edward Said ar y gwahaniaethau sy'n bodoli rhwng gwahanol fathau o fudwyr yn nes ymlaen.
5. Edward W. Said, *Reflections on Exile and Other Essays* (Cambridge, Mass.: Harvard University Press, 2000), t. 173.
6. Said, *Reflections on Exile*, t. 186.
7. Said, *Reflections on Exile*, t. 177.
8. Said, *Reflections on Exile*, t. 176.
9. Said, *Reflections on Exile*, t. 177.
10. 'diaspora, *n.*' *OED Online* (Oxford: Oxford University Press, 2014) [ar-lein], *http://www.oed.com/view/Entry/52085?redirectedFrom=diaspora#eid* (gwelwyd: 16 Ionawr 2015).
11. Said, *Reflections on Exile*, t. 176.
12. Said, *Reflections on Exile*, t. 181.
13. Homi K. Bhabha, *The Location of Culture* (London and New York: Routledge, 1994), t. 139.
14. Eleanor Byrne, *Homi K. Bhabha* (Basingstoke and New York: Palgrave Macmillan, 2009), t. 20.

15. Said, *Reflections on Exile*, t. 186.
16. Bhabha, *The Location of Culture*, t. 37.
17. Said, *Reflections on Exile*, t. 186.
18. Said, *Reflections on Exile*, t. 186.
19. Gebauer a Lausten, 'Migration Literature', t. 2.
20. Gebauer a Lausten, 'Migration Literature', t. 6.
21. Said, *Reflections on Exile*, t. 173.
22. Trezza Azzopardi, *The Hiding Place* ([2000]; arg. newydd, London: Picador, 2001), t. 236.
23. Azzopardi, *The Hiding Place*, tt. 86–7.
24. Azzopardi, *The Hiding Place*, t. 74.
25. Azzopardi, *The Hiding Place*, t. 14.
26. Azzopardi, *The Hiding Place*, t. 14.
27. Azzopardi, *The Hiding Place*, t. 56.
28. Azzopardi, *The Hiding Place*, t. 80.
29. Azzopardi, *The Hiding Place*, tt. 152–3.
30. Azzopardi, *The Hiding Place*, tt. 153–4.
31. Charlotte Williams, *Sugar and Slate* (Aberystwyth: Planet, 2002), d.t.
32. Azzopardi, *The Hiding Place*, t. 73.
33. Azzopardi, *The Hiding Place*, t. 110.
34. Azzopardi, *The Hiding Place*, t. 83.
35. Azzopardi, *The Hiding Place*, t. 4.
36. Said, *Reflections on Exile*, t. 175.
37. Azzopardi, *The Hiding Place*, tt. 40–1.
38. Azzopardi, *The Hiding Place*, tt. 115–16.
39. Azzopardi, *The Hiding Place*, t. 116.
40. Nikita Lalwani, *Gifted* ([2007]; London: Penguin, 2008), t. 3.
41. Lalwani, *Gifted*, t. 6.
42. Lalwani, *Gifted*, t. 37.
43. Thomas Babington Macaulay, *Minute by the Hon'ble T. B. Macaulay, dated the 2nd February 1835* [ar-lein], *http://www.columbia.edu/itc/mealac/pritchett/00generallinks/macaulay/txt_minute_education_1835.html* (gwelwyd: 4 Ionawr 2015).
44. Lalwani, *Gifted*, t. 7.
45. Macaulay, *Minute by the Hon'ble T. B. Macaulay, dated the 2nd February 1835*.
46. Bill Ashcroft, Gareth Griffiths a Helen Tiffin, *Key Concepts in Post-Colonial Studies* (London and New York: Routledge, 1998), t. 12.
47. Bhabha, *The Location of Culture*, t. 139.
48. Said, *Reflections on Exile*, t. 186.
49. Gita Rajan, '(Con)figuring Identity: Cultural Space of the Indo-British Border Intellectual', yn Gisela Brinker-Gabler a Sidonic Smith (goln), *Writing New Identities: Gender, Nation and Immigration in Contemporary Europe* (Minneapolis and London: University of Minnesota Press, 1997), tt. 78–99.
50. Rajan, '(Con)figuring Identity', tt. 80–1. Gellir dadlau bod honiad Rajan

yma yn mynd yn groes i ddiffiniad gwreiddiol y gair 'diaspora' a drafodwyd yn gynharach yn y bennod hon.

51. Rajan, '(Con)figuring Identity', t. 81.
52. Lalwani, *Gifted*, tt. 66–7.
53. Lalwani, *Gifted*, t. 67.
54. Lalwani, *Gifted*, t. 98.
55. Lalwani, *Gifted*, tt. 33–4.
56. Said, *Reflections on Exile*, t. 186.
57. Owen Martell, *Dyn yr Eiliad* ([2003]; 2il arg., Llandysul: Gwasg Gomer, 2004), t. 19.
58. Martell, *Dyn yr Eiliad*, t. 19.
59. Martell, *Dyn yr Eiliad*, t. 19.
60. Martell, *Dyn yr Eiliad*, tt. 13–14.
61. Martell, *Dyn yr Eiliad*, tt. 43–4.
62. Martell, 'Y lôn hir o Lyn Nedd', yn Hywel Teifi Edwards (gol.), *Yn Gymysg Oll i Gyd* (Llandysul: Gwasg Gomer, 2003), tt. 33–49 (t. 39). Y pwyslais yn y gwreiddiol.
63. Martell, *Dyn yr Eiliad*, t. 41.
64. Martell, *Dyn yr Eiliad*, t. 42.
65. Said, *Reflections on Exile*, t. 173.
66. Martell, *Dyn yr Eiliad*, t. 44.
67. Martell, *Dyn yr Eiliad*, t. 31.
68. Martell, *Dyn yr Eiliad*, t. 14.
69. Martell, *Dyn yr Eiliad*, tt. 14–15.
70. Martell, *Dyn yr Eiliad*, t. 27.
71. Martell, *Dyn yr Eiliad*, t. 27.
72. Daniel Williams, 'Realaeth a Hunaniaeth: O T. Rowland Hughes i Owen Martell', *Taliesin*, 125 (haf 2005), 12–27 (25–6).
73. Tony Bianchi, 'Cyfraith, Trefn a Chrefft Sbenglyna', yn *Cyffesion Geordie Oddi Cartref* (Llandysul: Gwasg Gomer, 2010), tt. 106–18 (t. 115).
74. Bhabha, *The Location of Culture*, t. 139.
75. Bianchi, 'Neges o Frynaich', yn *Cyffesion Geordie Oddi Cartref* (Llandysul: Gwasg Gomer, 2010), tt. 166–76 (t. 167).
76. Gweler Allen Mawer, *The Place Names of Northumberland and Durham* (Cambridge: Cambridge University Press, 1920), t. 92.
77. Bianchi, 'Neges o Frynaich', t. 167.
78. Bianchi, 'Neges o Frynaich', t. 167.
79. Bianchi, 'Neges o Frynaich', t. 167.
80. Bianchi, 'Neges o Frynaich', t. 166.
81. Bianchi, 'Neges o Frynaich', t. 166.
82. Bianchi, 'Neges o Frynaich', tt. 169–70. Y pwyslais yn y gwreiddiol.
83. Bianchi, 'Neges o Frynaich', t. 171.
84. Wendy B. Farris, *Ordinary Enchantments: Magical Realism and the Remystification of Narrative* (Nashville, Tenn.: Vanderbilt University Press, 2004), t. 23.

85. Farris, *Ordinary Enchantments*, t. 23.
86. Bianchi, 'Neges o Frynaich', t. 170. Y pwyslais yn y gwreiddiol.
87. Bianchi, 'Neges o Frynaich', t. 174.
88. Bianchi, 'Neges o Frynaich', t. 175.
89. Bianchi, 'Neges o Frynaich', t. 175.
90. Bianchi, 'Neges o Frynaich', t. 176.
91. Bhabha, *The Location of Culture*, t. 37.

Casgliadau

1. Pascale Casanova, *The World Republic of Letters*, cyf. M. B. DeBevoise ([1999]; Cambridge, Mass. and London: Harvard University Press, 2004), t. 349.
2. Casanova, *The World Republic of Letters*, t. 349. Y pwyslais yn y gwreiddiol.
3. Casanova, *The World Republic of Letters*, t. 349. Y pwyslais yn y gwreiddiol.
4. Pwyllgor Diwylliant, y Gymraeg a Chwaraeon, 'Ysgrifennu Saesneg yng Nghymru: Adolygiad' (Caerdydd: Cynulliad Cenedlaethol Cymru, Mawrth 2004), t. 11.
5. Gweler M. Wynn Thomas, *Internal Difference: Literature in 20th-Century Wales* (Cardiff: University of Wales Press, 1992); Katie Gramich, *Twentieth-Century Women's Writing in Wales: Land, Gender, Belonging* (Cardiff: Universtiy of Wales Press, 2007); Kirsti Bohata, *Postcolonialism Revisited* (Cardiff: University of Wales Press, 2004).
6. Gweler, er enghraifft, Jane Aaron, *Nineteenth-Century Women's Writing in Wales: Nation, Gender, Identity* (Cardiff: University of Wales Press, 2007); Jane Aaron, *Welsh Gothic* (Cardiff: University of Wales Press, 2013); Damian Walford Davies, *Cartographies of Culture: New Geographies of Welsh Writing in English* (Cardiff: University of Wales Press, 2012); Daniel G. Williams, *Black Skin, Blue Books: African Americans and Wales 1845–1945* (Cardiff: University of Wales Press, 2012).
7. M. Wynn Thomas, 'Rhagymadrodd', yn M. Wynn Thomas (gol.), *DiFfinio Dwy Lenyddiaeth Cymru* (Caerdydd: Gwasg Prifysgol Cymru, 1995), tt. 1–6 (tt. 3–4).
8. Gweler Jason Walford Davies, *Gororau'r Iaith: R. S. Thomas a'r Traddodiad Cymraeg* (Caerdydd: Gwasg Prifysgol Cymru, 2003).
9. R. S. Thomas, 'A Time for Carving', a ddyfynnwyd yn Walford Davies, *Gororau'r Iaith: R. S. Thomas a'r Traddodiad Cymraeg*, t. 6
10. Daniel G. Williams, *Wales Unchained: Literature, Politics and Identity in the American Century* (Cardiff: University of Wales Press, 2015), t. 157.
11. Homi K. Bhabha, *The Location of Culture* (London and New York: Routledge, 1994), t. 87; R. S. Thomas, 'Border Blues', *Collected Poems* ([1993]; 2il arg., London: Phoenix, 2000), tt. 69–72 (ll. 119).
12. Gweler, er enghraifft, Tony Bianchi, *Bumping* (Talybont: Alcemi, 2010), Owen Martell, *Intermission* (London: William Heinemann, 2013), a Llwyd Owen, *Faith, Hope, Love* (Talybont: Alcemi, 2010), sef cyfieithiad yr awdur ei hun o *Ffydd, Gobaith, Cariad*.
13. Bhabha, *The Location of Culture*, t. 37.

14. Bhabha, *The Location of Culture*, t. 38. Y pwyslais yn y gwreiddiol.
15. Bhabha, *The Location of Culture*, t. 37.
16. Daniel G. Williams, 'Single nation, double logic: Ed Miliband and the problem with British multiculturalism', *Open Democracy*, 18 Hydref 2012 [ar-lein], *http://www.opendemocracy.net/ourkingdom/daniel-g-williams/single-nation-double-logic-ed-miliband-and-problem-with-british-multicu* (gwelwyd: 12 Mai 2014).
17. Bhabha, *The Location of Culture*, t. 38.
18. Bhabha, *The Location of Culture*, t. 38.
19. Angharad Wynne George, '"Mwtlai Wyd Di"? Ôl-drefedigaethedd, Cymru'r Oesoedd Canol a Dafydd ap Gwilym' (Caerdydd: traethawd PhD, Prifysgol Caerdydd, 2010), 237.
20. Neil Evans, Paul O'Leary a Charlotte Williams, 'Introduction: Race, Nation and Globalization', yn Neil Evans, Paul O'Leary a Charlotte Williams (goln), *A Tolerant Nation? Exploring Ethnic Diversity in Wales* (Cardiff: University of Wales Press, 2003), tt. 1–13 (t. 11); Neil Evans, Paul O'Leary a Charlotte Williams, 'Introduction: Race, Nation and Globalization in a Devolved Wales', yn Neil Evans, Paul O'Leary a Charlotte Williams (goln), *A Tolerant Nation? Revisiting Ethnic Diversity in a Devolved Wales* (Cardiff: University of Wales Press, 2015), tt. 1–23 (t. 7).
21. Benedict Anderson, *Imagined Communities: Reflections on the Origin and Spread of Nationalism* ([1983]; arg. diwygiedig, London: Verso, 2006), t. 25. Y pwyslais yn y gwreiddiol.
22. Pwyllgor Diwylliant, y Gymraeg a Chwaraeon, 'Ysgrifennu Saesneg yng Nghymru: Adolygiad', t. 11.
23. Gweler Katie Gramich (gol.), *Mapping the Territory: Critical Approches to Welsh Fiction in English* (Cardigan: Parthian, 2010).
24. WJEC/CBAC, *WJEC GCSE in English Literature: Specification* (Cardiff, 2014); WJEC/CBAC, *WJEC AS/A Level in English Literature: Specification* (Cardiff, 2014).
25. Pwyllgor Diwylliant, y Gymraeg a Chwaraeon, 'Ysgrifennu Saesneg yng Nghymru: Adolygiad', t. 12.
26. Bhabha, *The Location of Culture*, t. 37.
27. Simon Brooks, 'Dwyieithrwydd', yn Simon Brooks a Richard Glyn Roberts (goln), *Pa Beth yr Aethoch Allan i'w Achub? Ysgrifau i Gynorthwyo'r Gwrthsafiad yn erbyn Dadfeiliad y Gymru Gymraeg* (Llanrwst: Gwasg Carreg Gwalch, 2013), tt. 102–25 (t. 105). Gweler, er enghraifft Twm Morys, 'A Refusal to be Translated', *Poetry Wales*, 38.3 (winter 2003), 55. Yma, wrth esbonio ei resymau dros wrthod i'w gerddi Cymraeg gael eu cyfieithu, dywed Morys: '[t]he vast English-speaking world will be none the poorer for not being able to read the *cywyddau* of Twm Morys. But the little Welsh world, in my opinion, keeps a little more of its integrity if one or two of us elect to live out on the Graig Lwyd with Llywelyn ap y Moel' (55).
28. Gweler, er enghraifft, Lucy Vazquez Morrow, 'Nationalism, Ethnicity and the Welsh Language: A Study of Mintority Ethno-Linguistic Identity in

Cardiff' (Caerdydd: traethawd MPhil, Prifysgol Caerdydd, 2011). Mae Gwennan Higham wedi cwblhau traethawd doethurol ar bwnc dysgu Cymraeg i leiafrifoedd ethnig a mewnfudwyr. Mae trosolwg o rhai o'r materion a drafodir yng ngwaith Higham i'w darllen yn Gwennan Higham, 'Teaching Welsh to ESOL students: issues of intercultural citizenship', yn David Mallows (gol.), *Language Issues in Migration and Integration: Perspectives from Teachers and Learners* (London: British Council, 2014), tt. 111–22 [ar-lein], *https://esol.britishcouncil.org/sites/default/files/Language_issues_migration_integration_perspectives_teachers_learners.pdf* (gwelwyd: 14 Rhagfyr 2017).

29. Bhabha, *The Location of Culture*, t. 39.

Llyfryddiaeth

Ffynonellau cynradd

Abse, Dannie, *There Was a Young Man From Cardiff* ([1991]; Bridgend: Seren, 2001).

Azzopardi, Trezza, *The Hiding Place* ([2000]; arg. newydd, London: Picador, 2001).

Bianchi, Tony, *Bumping* (Talybont: Alcemi, 2010).

—, *Cyffesion Geordie Oddi Cartref* (Llandysul: Gwasg Gomer, 2010).

Conrad, Joseph, *Heart of Darkness*, gol. Owen Knowles ([1899]; London: Penguin, 2007).

Dafydd, Catrin, *Random Deaths and Custard* (Llandysul: Gomer Press, 2007).

—, *Y Tiwniwr Piano* (Llandysul: Gwasg Gomer, 2009).

Davies, Grahame, *Cadwyni Rhyddid* (Abertawe: Cyhoeddiadau Barddas, 2001).

Dunthorne, Joe, *Wild Abandon* (London: Hamish Hamilton, 2011).

Greeblatt, Stephen, Walter Cohen, Jean E. Howard a Katharine Eisaman Maus (goln), *The Norton Shakespeare* (New York: Norton, 1997).

Hopwood, Mererid, *O Ran* (Llandysul: Gwasg Gomer, 2008).

Humphreys, Emyr, *Outside the House of Baal* ([1965]; London: J. M. Dent and Sons, 1988).

Huws, Dafydd, *Dyddiadur Dyn Dŵad* ([1978]; Llanrwst: Gwasg Carreg Gwalch, 1998).

Johnston, Dafydd, A. Cynfael Lake, Dylan Foster Evans, Elisa Moras, Huw Meirion Edwards, Sara Elin Roberts ac Ann Parry Owen (goln), *Dafydd ap Gwilym.net* (Abertawe: Prifysgol Abertawe) [ar-lein], *www.dafyddapgwilym.net* (gwelwyd: 4 Awst 2013).

Lalwani, Nikita, *Gifted* ([2007]; London: Penguin, 2008).

Lewis, Caryl, *Martha, Jac a Sianco* (Talybont: Y Lolfa, 2004).

Lewis, Gwyneth, *Y Llofrudd Iaith* (Abertawe: Cyhoeddiadau Barddas, 1999).

Llewellyn, Richard, *How Green Was My Valley* ([1939]; London: Penguin, 2001).

Llywelyn, Robin, *Seren Wen ar Gefndir Gwyn* ([1992]; Llandysul: Gwasg Gomer, 1997).

Martell, Owen, *Dyn yr Eiliad* ([2003]; 2il arg., Llandysul: Gwasg Gomer, 2004).

—, *Intermission* (London: William Heinemann, 2013).

Meredith, Christopher, *Shifts* ([1988]; Bridgend: Seren, 1997).

—, *The Book of Idiots* (Bridgend: Seren, 2012).

Morgan, Mihangel, *Pan Oeddwn Fachgen* (Talybont: Y Lolfa, 2002).

Owen, Llwyd, *Ffydd, Gobaith, Cariad* ([2006]; 2il arg., Talybont: Y Lolfa, 2007).

—, *Faith, Hope, Love* (Talybont: Alcemi, 2010).

Price, Angharad, *Caersaint* (Talybont: Y Lolfa, 2010).
Rhys, Jean, *Wide Sargasso Sea*, gol. Angela Smith ([1966]; London: Penguin, 1997).
Roberts, Wiliam Owen, *Y Pla* ([1987]; Abertawe: Cyhoeddiadau Barddas, 2012).
Seghal, Deep, a Tim Whitby, cyfarwyddwyr, *The Indian Doctor* (Rondo/Avatar, 2010).
Selvon, Sam, *The Lonely Londoners* ([1956]; Longman: Harlow, 1985).
Thomas, R. S., *Collected Poems* ([1993]; 2il arg., London: Phoenix, 2000).
Tomos, Angharad, *Titrwm* (Talybont: Y Lolfa, 1993).
Trezise, Rachel, *In and Out of the Goldfish Bowl* (Cardigan: Parthian, 2000).
—, *Fresh Apples* ([2005]; arg. newydd, Cardigan: Parthian, 2006).
Williams, Charlotte, *Sugar and Slate* (Aberystwyth: Planet, 2002).
Williams, John, *Cardiff Dead* ([2000]; arg. newydd, London: Bloomsbury, 2001).

Ffynonellau eilaidd

Aaron, Jane, *Pur fel y Dur: Y Gymraes yn Llên Menywod y Bedwaredd Ganrif ar Bymtheg* (Caerdydd: Gwasg Prifysgol Cymru, 1999).
—, 'Postcolonial Change', *New Welsh Review*, 67 (spring 2005), 32–6.
—, *Nineteenth-Century Women's Writing in Wales: Nation, Gender, Identity* (Cardiff: University of Wales Press, 2007).
—, *Welsh Gothic* (Cardiff: University of Wales Press, 2013).
—, a Chris Williams (goln), *Postcolonial Wales* (Cardiff: University of Wales Press, 2005).
Abbas, Tahir (gol.), *Muslim Britain: Communities Under Pressure* (London: ZedBooks, 2005).
Anderson, Benedict, *Imagined Communities: Reflections on the Origin and Spread of Nationalism* ([1983]; arg. diwygiedig, London: Verso, 2006).
ap Gwilym, Gwynn, 'Cymraeg y Pridd a'r Concrit', *Barn*, 203/4 (1979), 259–64.
Ashcroft, Bill, Gareth Griffiths a Helen Tiffin, *The Empire Writes Back: Theory and Practice in Post-colonial Literatures* ([1989]; London: Routledge, 1994).
—, — a —, *Key Concepts in Post-Colonial Studies* (London and New York: Routledge, 1998).
Baines, Menna, 'Y Saint yn eu gogoniant: holi Angharad Price am ei nofel newydd', *Barn*, 566 (Mawrth 2010), 33–4.
Bakhtin, Mikhail, *The Dialogic Imagination: Four Essays*, cyf. Caryl Emerson a Michael Holquist, gol. Michael Holquist ([1972]; Austin: University of Texas Press, 1981).
Baldwin, Tom, 'I want an integrated society with a difference', *The Times*, 3 Ebrill 2004, 9.
Balsom, Denis, 'The Three-Wales Model', yn John Ormond (gol.), *The National Question Again: Welsh Political Identity in the 1980s* (Llandysul: Gomer Press, 1985), tt. 1–17.
Barry, Peter, *Beginning Theory: An Introduction to Literary and Cultural Theory* ([1995]; 3ydd arg., Manchester: Manchester University Press, 2009).

Bassnett, Susan (gol.), *Studying British Cultures* (London and New York: Routledge, 1997).
Bell, Ian A. (gol.), *Peripheral Visions: Images of Nationhood in Contemporary British Fiction* (Cardiff: University of Wales Press, 1995).
Bennett, David (gol.), *Multicultural States: Rethinking Difference and Identity* (London and New York: Routledge, 1998).
Bhabha, Homi K., *The Location of Culture* (London and New York: Routledge, 1994).
—, a John Comaroff, 'Speaking of Postcoloniality in the Continuous Present: A Conversation', yn David Theo Goldberg ac Ato Quayson (goln), *Relocating Postcolonialism* (Oxford: Blackwell, 2002), tt. 15–46.
Bianchi, Tony, 'Aztecs in Troedrhiwgwair: recent fictions in Wales', yn Ian A. Bell (gol.), *Peripheral Visions: Images of Nationhood in Contemporary British Fiction* (Cardiff: University of Wales Press, 1995), tt. 44–76.
Black, Les, a John Solomos (goln), *Theories of Race and Racism: A Reader* (London and New York: Routledge, 2000).
Boehmer, Elleke (gol.), *Empire Writing: An Anthology of Colonial Literature 1870–1918* (Oxford and New York: Oxford University Press, 1998).
Bohata, Kirsti, *Postcolonialism Revisited* (Cardiff: University of Wales Press, 2004).
Brinker-Gabler, Gisela, a Sidonic Smith (goln), *Writing New Identities: Gender, Nation and Immigration in Contemporary Europe* (Minneapolis and London: University of Minnesota Press, 1997).
Brooks, Simon, 'The Idioms of Race: The "Racist Nationalist" in Wales as Bogeyman', yn T. Robin Chapman (gol.), *The Idiom of Dissent: Protest and Propaganda in Wales* (Llandysul: Gomer Press, 2006), tt. 139–65.
—, 'Tiger Bay a'r Diwylliant Cymraeg', *Trafodion Anrhydeddus Gymdeithas y Cymmrodorion 2008*, 15 (2009), 198–216.
—, '"Caradog Wyn" Gwyn Thomas; Cymro Cymraeg "Du Gwyn" ym Mlaenau Ffestiniog', yn Daniel G. Williams (gol.), *Canu Caeth: Y Cymry a'r Affro-Americaniaid* (Llandysul: Gwasg Gomer, 2010), tt. 134–52.
—, 'Should we spend £400K to translate records of every Assembly meeting?', *Western Mail*, 23 May 2012 [ar-lein], *http://www.walesonline.co.uk/news/wales-news/should-spend-400k-translate-records-2051071* (gwelwyd: 14 Awst 2014).
—, 'Dwyieithrwydd', yn Simon Brooks a Richard Glyn Roberts (goln), *Pa Beth yr Aethoch Allan i'w Achub? Ysgrifau i Gynorthwyo'r Gwrthsafiad yn erbyn Dadfeiliad y Gymru Gymraeg* (Llanrwst: Gwasg Carreg Gwalch, 2013), tt. 102–25.
—, 'Cymry Newydd a'u Llên', *Taliesin*, 156 (gaeaf 2015), 33–42.
—, a Richard Glyn Roberts, 'Pwy yw'r Cymry? Hanes enw', yn Simon Brooks a Richard Glyn Roberts (goln), *Pa Beth yr Aethoch Allan i'w Achub? Ysgrifau i Gynorthwyo'r Gwrthsafiad yn erbyn Dadfeiliad y Gymru Gymraeg* (Llanrwst: Gwasg Carreg Gwalch, 2013), tt. 23–39.
a — (goln), *Pa Beth yr Aethoch Allan i'w Achub? Ysgrifau i Gynorthwyo'r Gwrthsafiad yn erbyn Dadfeiliad y Gymru Gymraeg* (Llanrwst: Gwasg Carreg Gwalch, 2013).

Butler, Judith, *Bodies That Matter: On the Discursive Limits of 'Sex'* (London and New York: Routledge, 1993).

Byrne, Eleanor, *Homi K. Bhabha* (Basingstoke and New York: Palgrave Macmillan, 2009).

Casanova, Pascale, *The World Republic of Letters*, cyf. M. B. DeBevoise ([1999]; Cambridge, Mass., and London: Harvard University Press, 2004).

Castle, Gregory, (gol.), *Postcolonial Discourses: An Anthology* (Oxford and Malden, Mass.: Blackwell, 2001).

Chamberlain, Joseph, 'The True Conception of Empire' [1897], yn Elleke Boehmer (gol.), *Empire Writing: An Anthology of Colonial Literature 1870–1918* (Oxford and New York: Oxford University Press, 1998), tt. 212–15.

Chapman, T. Robin (gol.), *The Idiom of Dissent: Protest and Propaganda in Wales* (Llandysul: Gomer Press, 2006).

Clegg, Nick, 'Why Ebbw Vale voted Brexit', *Newsnight*, 28 Mawrth 2017, Tim Kelly, cyfarwyddwr, Jake Morris, cynhyrchydd (Llundain: BBC).

Collins, Fergus 'Moving to the Countryside: Part 8: Wales versus England', *www.Countryfile.com*, 2 Hydref 2012 [ar-lein], *http://www.countryfile.com/blog-post/moving-countryside-part-8-wales-versus-england* (gwelwyd: 25 Mai 2015).

Committee of Council on Education, *Reports of the Commissioners of Inquiry into the state of education in Wales* (London: William Clowes and Sons, 1847) [ar-lein], *http://www.llgc.org.uk/collections/digital-gallery/printedmaterial/thebluebooks/* (gwelwyd: 3 Ionawr 2015).

Davies, Damian Walford, *Cartographies of Culture: New Geographies of Welsh Writing in English* (Cardiff: University of Wales Press, 2012).

Davies, Grahame, (gol.), *The Chosen People* (Bridgend: Seren, 2002).

—, *The Dragon and the Crescent* (Bridgend: Seren, 2011).

Davies, Jason Walford, *Gororau'r Iaith: R. S. Thomas a'r Traddodiad Cymraeg* (Caerdydd: Gwasg Prifysgol Cymru, 2003).

de Beauvoir, Simone, *The Second Sex*, cyf. H. M. Parshley ([1949]; London: Vintage, 1997).

Dearnley, Moira, *Distant Fields: Eighteenth-century Fictions of Wales* (Cardiff: University of Wales Press, 2001).

Dienw, 'The great Welsh divide', *Daily Mail*, 7 Awst 2001 [ar-lein], *http://www.dailymail.co.uk/tvshowbiz/article-65045/The-great-Welsh-divide.html* (gwelwyd: 25 Mai 2015).

Dienw, 'PM's Speech at Munich Security Conference', 5 Chwefror 2011, The National Archives [ar-lein], *http://webarchive.nationalarchives.gov.uk/20130109092234/http://number10.gov.uk/news/pms-speech-at-munich-security-conference/* (gwelwyd: 2 Ionawr 2015).

Dienw, 'Rudd: Speech to Conservative Party Conference 2016', 4 Hydref 2016, *www.Conservatives.com* [ar-lein], *http://press.conservatives.com/post/151334637685/rudd-speech-to-conservative-party-conference-2016* (gwelwyd: 17 Ebrill 2017).

Donahaye, Jasmine, *Whose People? Wales, Israel, Palestine* (Cardiff: University of Wales Press, 2012).

Earnshaw, Stephen, *The Pub in Literature: England's Altered State* (Manchester: Manchester University Press, 2001).
Edwards, Hywel Teifi (gol.), *Yn Gymysg Oll i Gyd* (Llandysul: Gwasg Gomer, 2003).
Engels, Friedrich, 'Letter to Margaret Harkness' [1888], yn Martin Travers (gol.), *European Literature from Romanticism to Postmodernism: A Reader in Aesthetic Practice* (London: Continuum, 2001), tt. 122–4.
Evans, Dylan Foster, '"Bardd Arallwlad": Dafydd ap Gwilym a Theori Ôl-drefedigaethol', yn Owen Thomas (gol.), *Llenyddiaeth Mewn Theori* (Caerdydd: Gwasg Prifysgol Cymru, 2006), tt. 39–72.
Evans, Neil, Paul O'Leary a Charlotte Williams (goln), *A Tolerant Nation? Exploring Ethnic Diversity in Wales* (Cardiff: Universtiy of Wales Press, 2003).
—, — a —, 'Introduction: Race, Nation and Globalization', yn Neil Evans, Paul O'Leary a Charlotte Williams (goln), *A Tolerant Nation? Exploring Ethnic Diversity in Wales* (Cardiff: University of Wales Press, 2003), tt. 1–13.
—, — a —, (goln), *A Tolerant Nation? Revisiting Ethnic Diversity in a Devolved Wales* (Cardiff: University of Wales Press, 2015).
—, — a —, 'Introduction: Race Nation and Globalization in a Devolved Wales', yn Neil Evans, Paul O'Leary a Charlotte Williams (goln), *Tolerant Nation? Revisiting Ethnic Diversity in a Devolved Wales* (Cardiff: University of Wales Press, 2015), tt. 1–23.
Fanon, Frantz, *The Wretched of the Earth*, cyf. Constance Farrington ([1961]; New York: Grove Weidenfeld, 1963).
—, 'Spontaneity: Its Strength and Weakness', yn Gregory Castle (gol.), *Postcolonial Discourses: An Anthology* (Oxford and Malden, Mass.: Blackwell, 2001), tt. 4–25.
—, *Black Skin, White Masks*, cyf. Charles Lam Markmann ([1952, cyf. 1986]; arg. newydd, London: Pluto, 2008).
Farris, Wendy B., *Ordinary Enchantments: Magical Realism and the Remystification of Narrative* (Nashville, Tenn.: Vanderbilt University Press, 2004).
Fevre, Ralph, ac Andrew Thompson (goln), *Nation, Identity and Social Theory: Perspectives from Wales* (Cardiff: University of Wales Press, 1999).
Frank, Søren, 'Four Theses on Migration and Literature', yn Mirjam Gebauer a Pia Schwartz Lausten (goln), *Migration and Literature in Contemporary Europe* (München: Martin Meidenbauer, 2010), tt. 39–57.
Gebauer, Mirjam, a Pia Schwartz Lausten (goln), *Migration and Literature in Contemporary Europe* (München: Martin Meidenbauer, 2010).
— a —, 'Migration Literature: Europe in Transition', yn Mirjam Gebauer a Pia Schwartz Lausten (goln), *Migration and Literature in Contemporary Europe* (München: Martin Meidenbauer, 2010), tt. 1–8.
George, Angharad Wynne, '"Mwtlai Wyd Di"? Ôl-drefedigaethedd, Cymru'r Oesoedd Canol a Dafydd ap Gwilym' (Caerdydd: traethawd PhD, Prifysgol Caerdydd, 2010).
Goldberg, David Theo, ac Ato Quayson (goln), *Relocating Postcolonialism* (Oxford: Blackwell, 2002).

Goodwin, Ken, 'Celtic Nationalism and Postcoloniality', yn Stuart Murray ac Alan Riach (goln), *SPAN: Journal of the South Pacific Association for Commonwealth Literature and Language Studies*, 4 (October 1995), 23.

Gramich, Katie, 'The Welsh novel now', *Books in Wales* (winter 1990), 5.

—, 'Cymru or Wales? Explorations in a Divided Sensibility', yn Susan Bassnett (gol.), *Studying British Cultures* (London and New York: Routledge, 1997), tt. 97–112.

—, 'Pimps, Punks and Pub Crooners: Anarchy and Anarchism in Contemporary Welsh Fiction', yn H. Gustav Klaus a Stephen Knight (goln), *'To Hell with Culture': Anarchism and Twentieth-Century British Literature* (Cardiff: University of Wales Press, 2005), tt. 178–93.

—, *Twentieth-Century Women's Writing in Wales: Land, Gender, Belonging* (Cardiff: University of Wales Press, 2007).

— (gol.), *Mapping the Territory: Critical Approches to Welsh Fiction in English* (Cardigan: Parthian, 2010).

—, 'Travel, Translation and Temperance: Discovering the Origins of the Welsh Novel in SCOLAR', Cyfres Darlithoedd SCOLAR, Prifysgol Caerdydd, 19 Tachwedd 2014.

Gruffudd, Pyrs, 'Prospects of Wales: contested geographical imaginations', yn Ralph Fevre ac Andrew Thomson (goln), *Nation, Identity and Social Theory: Perspectives from Wales* (Cardiff: University of Wales Press, 1999), tt. 149–67.

Hall, Stuart, 'Old and New Identites, Old and New Ethnicities', yn Les Black a John Solomos (goln), *Theories of Race and Racism: A Reader* (London and New York: Routledge, 2000), tt. 144–53.

Hallam, Tudur, ac Angharad Price (goln), *Ysgrifau Beirniadol XXXI* (Dinbych: Gwasg Gee, 2012).

Hegel, Georg Wilhelm Friedrich, *The Phenomenology of Spirit*, cyf. A. V. Miller ([1807]; Oxford: Oxford University Press, 1977).

Higham, Gwennan, 'Teaching Welsh to ESOL students: issues of intercultural citizenship', yn David Mallows (gol.), *Language Issues in Migration and Integration: Perspectives from Teachers and Learners* (London: British Council, 2014), tt. 111–22 [ar-lein], *https://esol.britishcouncil.org/sites/default/files/ Language_issues_migration_integration_perspectives_teachers_learners.pdf* (gwelwyd: 14 Rhagfyr 2017).

Innes, C. L., *The Cambridge Introduction to Postcolonial Literatures in English* (Cambridge: Cambridge University Press, 2007).

James, Dafydd, 'Y Queer yn erbyn y Byd', *Taliesin*, 151 (gwanwyn 2014), 66–85.

Johnston, Dafydd (gol.), *A Guide to Welsh Literature* c.*1900–1996 Volume VI* (Cardiff: University of Wales Press, 1998).

Jones, John Elfed, 'Buches a Buchedd', *Barn*, 462/463 (Gorffennaf/Awst 2001), 59.

Jones, Richard Wyn, *'Y Blaid Ffasgaidd yng Nghymru': Plaid Cymru a'r Cyhuddiad o Ffasgaeth* (Caerdydd: Gwasg Prifysgol Cymru, 2013).

—, a Roger Scully, *Wales Says Yes: Devolution and the 2011 Welsh Referendum* (Cardiff: University of Wales Press, 2012).

Kipling, Rudyard, 'The White Man's Burden' [1899], yn Elleke Boehmer (gol.), *Empire Writing: An Anthology of Colonial Literature 1870–1918* (Oxford and New York: Oxford University Press, 1998), tt. 273–4.

Klaus, H. Gustav, a Stephen Knight (goln), *'To Hell with Culture': Anarchism and Twentieth-Century British Literature* (Cardiff: University of Wales Press, 2005).

Labelle, Suzanne, 'Language Standardi[s/z]ation', yn Annabelle Mooney, Jean Stilwell Peccei, Suzanne Labelle, Berit Engøy Henriksen, Eva Eppler, Anthe Irwin, Pia Pichler, Siân Preece a Satori Soden (goln), *Language, Society and Power: An Introduction* ([1999]; 3ydd arg., London and New York: Routledge, 2011), tt. 189–205.

Loomba, Ania, *Colonialism/Postcolonialism* (London and New York: Routledge, 1998).

Lukács, György, *Studies in European Realism*, cyf. Edith Bone ([1950]; Manchester: Merlin Press, 1978).

Lyotard, Jean-François, *The Postmodern Condition: A Report on Knowledge*, cyf. Geoff Bennington a Brian Massumi (Manchester: Manchester University Press, 1984).

Macaulay, Thomas Babington, *Minute by the Hon'ble T. B. Macaulay, dated the 2nd February 1835* [ar-lein], *http://www.columbia.edu/itc/mealac/pritchett/00generallinks/macaulay/txt_minute_education_1835.html* (gwelwyd: 4 Ionawr 2015).

McGuinness, Patrick, 'Reflections in the "Welsh" Mirror', *Planet*, 153 (June/July 2002), 6–12.

—, '"Racism" in Welsh Politics', *Planet*, 159 (June/July 2003), 7–12.

Mallows, David (gol.), *Language Issues in Migration and Integration: Perspectives from Teachers and Learners* (London: British Council, 2014), tt. 111–22 [ar-lein], *https://esol.britishcouncil.org/sites/default/files/Language_issues_migration_integration_perspectives_teachers_learners.pdf* (gwelwyd: 14 Rhagfyr 2017).

Marranci, Gabriele, 'Pakistanis in Northern Ireland in the Aftermath of September 11', yn Tahir Abbas (gol.), *Muslim Britain: Communities Under Pressure* (London: ZedBooks, 2005), tt. 222–35.

Martell, Owen, 'Y lôn hir o Lyn Nedd', yn Hywel Teifi Edwards (gol.), *Yn Gymysg Oll i Gyd* (Llandysul: Gwasg Gomer, 2003), tt. 33–49.

Mawer, Allen, *The Place Names of Northumberland and Durham* (Cambridge: Cambridge University Press, 1920).

Mooney, Annabelle, Jean Stilwell Peccei, Suzanne Labelle, Berit Engøy Henriksen, Eva Eppler, Anthe Irwin, Pia Pichler, Siân Preece, a Satori Soden (goln), *Language, Society and Power: An Introduction* ([1999]; 3ydd arg., London and New York: Routledge, 2011).

Morgan, Mihangel, 'From Huw Arwystli to Siôn Eirian: Representative Examples of *Cwiar*/Queer Life from Medieval to Twentieth-century Welsh Literature', yn Huw Osborne (gol.), *Queer Wales: The History, Culture and Politics of Queer Life in Wales* (Cardiff: University of Wales Press, 2016), tt. 65–88.

Morgan, T. J., a Prys Morgan, *Welsh Surnames* (Cardiff: University of Wales Press, 1985).

Morland, Iain, ac Annabelle Willox (goln), *Queer Theory* (Basingstoke and New York: Palgrave Macmillan, 2005).

Morrow, Lucy Vazquez, 'Nationalism, Ethnicity and the Welsh Language: A Study of Mintority Ethno-Linguistic Identity in Cardiff' (Caerdydd: traethawd MPhil, Prifysgol Caerdydd, 2011).

Morys, Twm, 'A Refusal to be Translated', *Poetry Wales*, 38.3 (winter 2003), 55.

Naylor, Angharad, '"Trafferth Mewn Tafarn" a'r Gofod Hybrid', yn Tudur Hallam ac Angharad Price (goln), *Ysgrifau Beirniadol XXXI* (Dinbych: Gwasg Gee, 2012), tt. 93–118.

Ngũgĩ wa Thiong'o, 'Return to the Roots', *Writers in Politics: Essays* (London: Heineman, 1981), tt. 53–65.

—, *Decolonising the Mind: The Politics of Language in African Literature* (London: James Currey, 1986).

OED Online (Oxford: Oxford University Press, 2014) [ar-lein], *http://www.oed.com* (gwelwyd: 16 Ionawr 2015).

Opie, Iona, a Peter Opie (goln), *The Oxford Dictionary of Nursery Rhymes* ([1951]; arg. newydd, Oxford and New York: Oxford University Press, 1997).

Ormond, John (gol.), *The National Question Again: Welsh Political Identity in the 1980s* (Llandysul: Gomer Press, 1985).

Osborne, Huw (gol.), *Queer Wales: The History, Culture and Politics of Queer Life in Wales* (Cardiff: University of Wales Press, 2016), tt. 65–88.

Pearce, Lynne (gol.), *Devolving Identities: Feminist Readings in Home and Belonging* (Aldershot: Ashgate, 2000).

Price, Angharad, *Rhwng Gwyn a Du: Agweddau ar Ryddiaith Gymraeg y 1990au* (Caerdydd: Gwasg Prifysgol Cymru, 2002).

—, 'Borshiloff', yn Owen Thomas (gol.), *Llenyddiaeth Mewn Theori* (Caerdydd: Gwasg Prifysgol Cymru, 2006), tt. 137–51.

Pwyllgor Diwylliant, y Gymraeg a Chwaraeon, 'Ysgrifennu Saesneg yng Nghymru: Adolygiad' (Caerdydd: Cynulliad Cenedlaethol Cymru, Mawrth 2004).

Rajan, Gita, '(Con)figuring Identity: Cultural Space of the Indo-British Border Intellectual', yn Gisela Brinker-Gabler a Sidonic Smith (goln), *Writing New Identities: Gender, Nation and Immigration in Contemporary Europe* (Minneapolis and London: University of Minnesota Press, 1997), tt. 78–99.

Rees, Mair, *Y Llawes Goch a'r Faneg Wen: Y Corff Benywaidd a'i Symbolaeth mewn Ffuglen Gymraeg gan Fenywod* (Caerdydd: Gwasg Prifysgol Cymru, 2014).

Roberts, Gwyneth Tyson, *The Language of the Blue Books: The Perfect Instrument of Empire* (Cardiff: University of Wales Press, 1998).

—, *The Language of the Blue Books: Wales and Colonial Prejudice* (Cardiff: University of Wales Press, 2011).

Rowlands, John (gol.), *Sglefrio ar Eiriau* (Llandysul: Gwasg Gomer, 1992).

—, 'The Novel', yn Dafydd Johnston (gol.), *A Guide to Welsh Literature* c.*1900–1996 Volume VI* (Cardiff: University of Wales Press, 1998), tt. 159–203.

—, 'Chwarae â Chwedlau: Cip ar y Nofel Gymraeg Ôl-Fodernaidd', yn Gerwyn Wiliams (gol.), *Rhyddid y Nofel* (Caerdydd: Gwasg Prifysgol Cymru, 1999), tt. 161–85.

Said, Edward W., *Orientalism* ([1978]; London: Penguin, 1995).

—, *Reflections on Exile and Other Essays* (Cambridge, Mass.: Harvard University Press, 2000).

Sheppard, Lisa, 'Cymreictod y Concrit: Caerdydd a'r Hunaniaeth Gymraeg yn y Nofel Ddinesig, 1978–2008', *Llên Cymru*, 36 (2013), 91–118.

—, 'Pulling Pints, Not Punches: Lingustic Tensions in the Literary Pubs of Wales', *International Journal of Welsh Writing in English*, 3 (2015), 75–101.

Smith, Anthony D., *National Identity* (London: Penguin, 1991).

Smith, Dai, 'Psycho-colonialism', *New Welsh Review*, 66 (winter 2004), 22–9.

Thomas, M. Wynn, *Internal Difference: Literature in 20th-Century Wales* (Cardiff: University of Wales Press, 1992).

— (gol.), *DiFfinio Dwy Lenyddiaeth Cymru* (Caerdydd: Gwasg Prifysgol Cymru, 1995).

—, 'Rhagymadrodd', yn M. Wynn Thomas (gol.), *DiFfinio Dwy Lenyddiaeth Cymru* (Caerdydd: Gwasg Prifysgol Cymru, 1995), tt. 1–6.

—, *Corresponding Cultures: The Two Literatures of Wales* (Cardiff: University of Wales Press, 1999).

Thomas, Owen (gol.), *Llenyddiaeth Mewn Theori* (Caerdydd: Gwasg Prifysgol Cymru, 2006).

Torgovnick, Marianna, *Gone Primitive: Savage Intellects, Modern Lives* (Chicago and London: The University of Chicago Press, 1990).

Travers, Martin (gol.), *European Literature from Romanticism to Postmodernism: A Reader in Aesthetic Practice* (London: Continuum, 2001).

Whittle, Stephen, 'Gender Fucking or Fucking Gender', yn Iain Morland ac Annabelle Willox (goln), *Queer Theory* (Basingstoke and New York: Palgrave Macmillan, 2005), tt. 115–29.

Wiliams, Gerwyn (gol.), *Rhyddid y Nofel* (Caerdydd: Gwasg Prifysgol Cymru, 1999).

Williams, Charlotte, '"Race" and Racism: Some Reflections of the Welsh Context', *Contemporary Wales*, 8 (1995), 113–31.

—, '"I Going away, I Going home": Mixed-"Race", Movement and Identity', yn Lynne Pearce (gol.), *Devolving Identities: Feminist Readings in Home and Belonging* (Aldershot: Ashgate, 2000), tt. 179–95.

—, 'Claiming the National: Nation, National Identity and Ethnic Minorities', yn Neil Evans, Paul O'Leary a Charlotte Williams (goln), *A Tolerant Nation? Exploring Ethnic Diversity in Wales* (Cardiff: University of Wales Press, 2003), tt. 220–34.

—, 'Strange Encounters', *Planet*, 158 (April/May 2003), 19–24.

, 'Can We Live Together? Wales and the Multicultural Question', *Transactions of the Honourable Society of Cymmrodorion 2004*, 11 (2005), 216–30.

—, 'Claiming the National: Nation, National Identity and Ethinc Minorities', yn Neil Evans, Paul O'Leary a Charlotte Williams (goln), *A Tolerant Nation?*

Revisiting Ethnic Diversity in a Devolved Wales (Cardiff: University of Wales Press, 2015), tt. 331–51.
Williams, Chris, 'Problematizing Wales: An Exploration in Historiography and Postcoloniality', yn Jane Aaron a Chris Williams (goln), *Postcolonial Wales* (Cardiff: University of Wales Press, 2005), tt. 1–22.
—, 'Realaeth a Hunaniaeth: O T. Rowland Hughes i Owen Martell', *Taliesin*, 125 (haf 2005), 12–27.
Williams, Daniel G. (gol.), *Canu Caeth: Y Cymry a'r Affro-Americaniaid* (Llandysul: Gwasg Gomer, 2010).
—, 'Cyflwyniad', yn Daniel G. Williams (gol.), *Canu Caeth: Y Cymry a'r Affro-Americaniaid* (Llandysul: Gwasg Gomer, 2010), pp. xi–xxiv.
—, *Black Skin, Blue Books: African Americans and Wales 1845–1945* (Cardiff: University of Wales Press, 2012).
—, 'Single nation, double logic: Ed Miliband and the problem with British multiculturalism', *Open Democracy*, 18 Hydref 2012 [ar-lein], *http://www.opendemocracy.net/ourkingdom/daniel-g-williams/single-nation-double-logic-ed-miliband-and-problem-with-british-multicu* (gwelwyd: 12 Mai 2014).
—, *Wales Unchained: Literature, Politics and Identity in the American Century* (Cardiff: University of Wales Press, 2015).
[Williams, Daniel G.], 'Ynghylch Amlddiwylliannaeth', *Nation Time/Cymru Sydd*, 15 Ebrill 2016 [ar-lein], *https://nationtimecymrusydd.wordpress.com/2016/04/15/ynghylch-amlddiwylliannaeth/* (gwelwyd: 23 Ebrill 2017).
Williams, Iwan Llwyd, a Wiliam Owen Roberts, 'Myth y Traddodiad Dethol', *Llais Llyfrau* (hydref 1982), 10–11.
Williams, Raymond, *The Country and the City* (London: Chatto and Windus, 1973).
—, *The Welsh Industrial Novel* (Cardiff: University College Cardiff Press, 1979).
—, *Who Speaks for Wales? Nation, Culture, Identity*; gol. Daniel Williams (Cardiff: University of Wales Press, 2003).
—, 'Welsh Culture', yn Raymond Williams, *Who Speaks for Wales? Nation, Culture, Identity*; gol. Daniel Williams (Cardiff: University of Wales Press, 2003), tt. 5–11.
WJEC/CBAC, *WJEC AS/A Level in English Literature: Specification* (Cardiff, 2014).
—, *WJEC GCSE in English Literature: Specification* (Cardiff, 2014).
Y Comisiwn Etholiadol, 'Canlyniadau Refferendwm yr UE', 2016 [ar-lein], *http://www.electoralcommission.org.uk/cymru/find-information-by-subject/elections-and-referendums/past-elections-and-referendums/eu-referendum/eu-referendum-result-visualisations* (gwelwyd: 23 Ebrill 2017).
Y Swyddfa Ystadegau Gwladol, *Bwletin ystadegol: Cyfrifiad 2011: Ystadegau Allweddol ar gyfer Cymru, Mawrth 2011: Grŵp ethnig a hunaniaeth* [ar-lein], *http://www.ons.gov.uk/ons/rel/census/cyfrifiad-2011/ystadegau-allweddol-ar-gyfer-awdurdodau-unedol-yng-nghymru/stb-2011-key-statistics-for-wales-welsh.html#tab-Grŵp-ethnig-a-hunaniaeth* (gwelwyd: 18 Tachwedd 2014).
Y Swyddfa Ystadegau Gwladol, *Bwletin ystadegol: Cyfrifiad 2011: Ystadegau*

Allweddol ar gyfer Cymru, Mawrth 2011: Medrusrwydd yn y Gymraeg [ar-lein], *http://www.ons.gov.uk/ons/rel/census/cyfrifiad-2011/ystadegau-allweddol-ar-gyfer-awdurdodau-unedol-yng-nghymru/stb-2011-key-statistics-for-wales-welsh.html#tab-Medrusrwydd-yn-y-Gymraeg* (gwelwyd: 18 Tachwedd 2014).

Y Swyddfa Ystadegau Gwladol, *Bwletin ystadegol: Cyfrifiad 2011: Ystadegau Allweddol ar gyfer Cymru, Mawrth 2011: Preswylwyr arferol a aned y tu allan i'r DU* [ar-lein], *http://www.ons.gov.uk/ons/rel/census/cyfrifiad-2011/ystadegau-allweddol-ar-gyfer-awdurdodau-unedol-yng-nghymru/stb-2011-key-statistics-for-wales-welsh.html#tab-Preswylwyr-arferol-a-aned-y-tu-allan-i-r-DU* (gwelwyd: 18 Tachwedd 2014).

Mynegai